제4권

난치성질환 한의치료 증례집

양주노 원장의 20년간의 기록

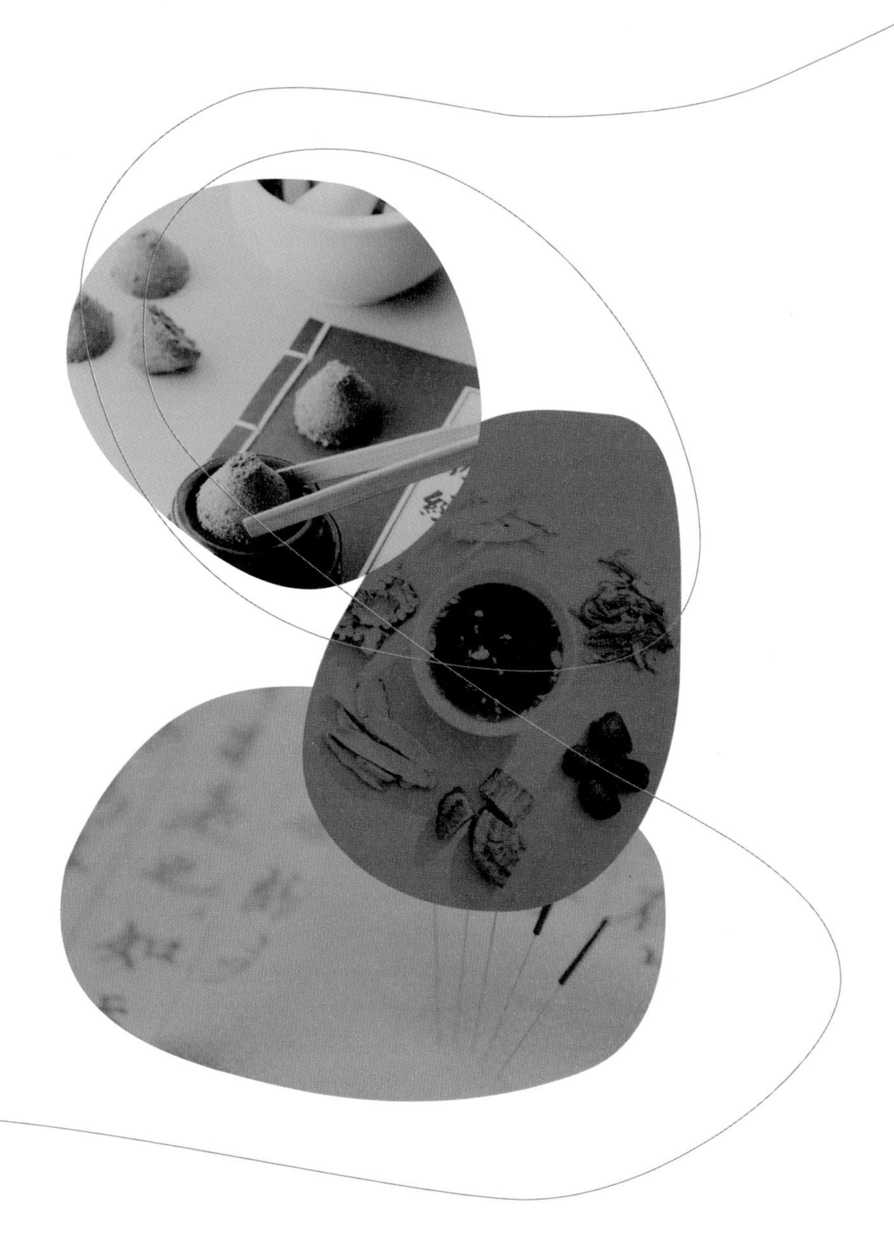

난치성질환 한의치료 증례집 제4권

첫째판 1쇄 인쇄 | 2022년 12월 28일
첫째판 1쇄 발행 | 2023년 01월 15일

지 은 이 양주노
발 행 인 장주연
출 판 기 획 김도성
출 판 편 집 이민지
편집디자인 이지선
표지디자인 김재욱
제 작 담 당 이순호
발 행 처 군자출판사(주)
등록 제4-139호(1991. 6. 24)
본사 (10881) 파주출판단지 경기도 파주시 회동길 338(서패동 474-1)
전화 (031) 943-1888 팩스 (031) 955-9545
홈페이지 | www.koonja.co.kr

* 파본은 교환하여 드립니다.
* 검인은 저자와의 합의 하에 생략합니다.

ISBN 979-11-5955-911-2
정가 30,000원

난치성질환 한의치료 증례집 제4권

추천하는 글

최근 COVID-19 팬데믹을 겪으면서 양의학의 한계를 넘어 한의학의 가치가 새로이 빛을 발하고 있다. 인간의 질병에 대한 근본적이고도 최적의 치료로서 인체 자체의 역량 강화를 중심으로 체내 환경의 조정을 추구하는 한의학의 치료 전략이 적중하고 있기 때문이다.

저자 양주노 박사가 한의 임상 현장에서 치열하게 겪어낸 경험을 한방임상이야기(잡병한치)라는 이름으로 처음 세상에 내어 놓은 지 14년이 지났다.

그의 네 번째 한방임상이야기에 실려 있는 신경질환, 피부질환, 자가면역질환, 종양질환, 관절질환 등은 하나 같이 모두 그리 쉬운 질병들이 아니다. 그러나 그는 한의학이 지닌 위력을 무기로 흔들림이 없이 다양한 난치성질환과의 싸움에서 승리하고 있다.

그의 장점은 한국과 중국의 한의학, 그리고 양의학에 대한 이해를 적절히 융합하여 실제 치료에 적용시키고 있다는 점이다. 전세계 의료계가 지향해야 할 통합의학의 실제를 보여주고 있다.

그리고 그러한 소중한 깨달음과 경험과 성취를 혼자 간직하지 않고 국내외 의료계와 적극적으로 공유하고자 하는 점이 바로 그의 진면목이고 위대함이다.

이제 그가 펼친 내용을 숙독하면서 무수한 난치성질환들이 한의학에 의해 어떻게 극복되고 있는가를 함께 음미하기 바란다. 그리고 함께 이야기하는 기회가 되었으면 한다.

오랜 세월 기울였던 그의 노력과 성취에 뜨거운 격려와 찬사를 보낸다.

2022년 12월

국제동양의학회장 최승훈

추천하는 글

中華民國中醫師 李政育 序

梁博士珠勞教授可說是目前大韓民國傳統醫學臨床醫學界的「強」「健」「矯」者，日前接獲邀請為他的新書寫序，這是他以「韓」文出版的第四本書，但如將他與我來往十年的書信所編輯，以中文出版的「中醫臨床治療心法(上、中、下)」三本，由美籍Marc Wasserman與Scott L. Herbster翻譯出版英文版(有網路版與印刷紙版二種)之「中醫臨床治療心法(上、中、下) Integrative Chinese Herbal Therapy 」三本在內，將共出版十本，含括韓文、中文、英文，是目前大韓民國「韓」醫臨床界，唯一世界級的大醫師，其臨床、觀察、歸納、形成文字，傳之後世之「名山」之作的胸懷與成就，值得向全世界推薦與介紹。

傳統醫學在世界各民族皆有，但最有理論基礎，最有系統的，醫學哲學最顛蹼不破，完密的厥為中國傳統醫學，其臨床有效性可用一句話：「現代西方科學(醫學)的發達證明了中醫的好」。目前西方醫學剛在萌芽階段，還在初階人體試驗階段，也只在單一化學結構式藥物，尋找適應症及藥效疊加的階段，其適應對象極狹窄，只針對某一種受體的極短時間，時間一長就會對該受體其他組織，或細胞的受體造成毒副作用的傷害，唯有自然的，具有超級廣效性，具有能傳衍後代與新生命的藥物的多種組合，互相可以抑制其極少數的不良作用，並將其良性作用大量加乘，且可以水解的中醫藥，才可以將一種病完全醫好。意即目前現代西方醫藥只在將疾病的急性現象予以壓制，不讓其快速繁殖，不讓其快速惡化，有沒有好，是病人自己的抵抗力與修復，再生能力來決定，是病人自己醫好自己的。

但是，目前西方現代醫學的基礎病理研究，病象的檢查已進入分子生物學與細胞切片、血液切片的階段，傳統醫學不能再以閱觀診斷、醫師主觀判斷、病人主觀感受的現象，當作治病有沒有效的判斷標準，必須將現代西方醫學的實驗診斷，微觀診斷、影象診斷的微觀診斷與治療加入傳統醫學臨床、實驗、研究的參考依據，除了各種數據與影象恢復正常，且皆在參考數據的中間偏高些的標準，達到致「中和」且微「興奮(欣快)」的階段，方可保有各種傳導、感覺、代謝、吸收、消化、儲存、轉釋、再代謝、再新生的功能。

唯有自然具有生命再傳衍，可以水解的藥物才能通過各種屏障(BARRIER)，且將殘留於細胞內外、組織內外間隙，各種外泌體(中醫稱湊理的痰、飲、津、液、氣血、營、衛)轉邪為正、消除「餘熱未盡」的能力，否則皆會再製造新的，非人體正常代謝的與維持生命功能的產物，皆須讓人體受其傷害於未來，並須讓人體再加排除，且消耗其已生命受傷的組織或細胞功能。當然，這種現象西方醫學真正研究專家亦知道其缺點，但只能將藥物儘可能減毒。

也因為目前西方醫學的各種診斷方式的深入，中醫藥的療效與作用就一翻兩瞪眼，尤其進入腦組織的血流變化，立即明確調動可見，所以五色、五味、五音、五香、五臭、五觸的治法，或意念自我修練保持大腦血液聚集某一區塊，就能自己調控身體各種功能而達治病、長壽、養生的生命功能的恆定立即可察知，意即治病可由眼、耳、鼻、舌、身、意、色、聲、香、味、觸、法而獲得「中和」、「中庸」的無病延年、或帶病延年、或痊癒，並健康的續存、長壽，這種自我腦血流調控並非一定要借用藥物或針灸、注射、食物為途徑與工具，也就是像神仙小說所描述的某種自我修練而成某種狀態與功能的情形，也幾乎皆可借由腦的神經影像、血流的檢查得到明證，增加了「勿藥元詮」的境界，方為「上醫」、「神醫」、「至人」的階段。

例如以心臟的肌肉、血管、內膜、津液(外泌體)的變化，目前西方醫學的實驗診斷，至少有ANTI-CARDIOLIPINE，AP，APTT，D-DIMER，FIBRINOGEN，CK，CK-MB，LDH，CPK，AST，ALT，TROPONINE I，NT-proBNP，….等的參考，分別判斷是心肌水腫、衰竭或阻斷、狹窄、發炎，是血管內膜型的、或肌壁水腫、或血栓型，或缺血、或鬱血、肥大、缺氧，而其在功能運轉中，運轉停止期，皆有不同觀察與用藥之不同，這在中國傳統醫學亦有相應對的用藥法，是熱瘀的要用芩連四物湯、或丹枝四物湯、或地骨皮飲、或桂枝茯苓丸、黃連解毒湯、育生免疫過亢方、或枝子黃連合方；或餘熱未盡的要用育生補陽還五湯、或天王補心丹、或黃連阿膠湯、或清心牛癀丸、或清心蓮子飲；或寒瘀的再加四逆湯、或加麻桂類、川椒、吳茱萸類、或芳香開竅類藥物。如係水蓄的其NT-proBNP就高起，屬於心臟衰竭，就要五苓散(或育生結石方、或育生腎炎方)、或大柴苓湯、或葶藶大棗瀉肺湯、或桂枝人參湯、或理中湯、或真武湯…..，也可能要再入活血化瘀藥；如發炎(泡沫細胞堆積與產生)則加入丹皮、梔子、黃芩、黃連、黃柏、龍膽草、茵陳、青蒿、地骨、…..類涼血藥，或加牛膝、續斷、碎補、茜草、銀杏葉類的破血，溶血藥，或加入當歸、川芎、赤芍、丹參、川七、血藤、….生新血類，或加入茯苓、豬苓、白朮、蒼朮、澤瀉、葶藶子、防己、…..類淡滲利濕以排除其痰飲，使化為津液，或加白果、茯苓、山藥、芡實、蓮子、大小金英、五味子、女貞子、黨參、黃耆之增加消化道發酵吸收，提昇血中蛋白、心肌修復、再生能力的補氣類藥物，各有不同的用藥法，而其參考依據除上述的血檢外，更要在久病時加入HB、PLT、T.PRO、A/G，甚至於BUN.CR，尿的MICROALBUMIN，尿PROTEIN，尿BUN.CR、 ….等等的依據。而感染型就又不同了，其WBC、CRP.PCT，更要參考了，免疫型的更要ANA、ANTI-DS-DNA、RA、ANTI-CCP、ANTI-CARDIOLIPINE或其他。必須這些數值完全正常且無殘留不正常的外泌體(痰、飲)而心搏、血壓、肺動靜壓皆在合理參考值內，才算正常的功能心臟，因此目前一位傳統醫學從業者，除必須知曉傳統理論外，用藥外，尚必須通曉目前西方醫學的診斷與治療工具，才能稱為精準療法，才是現代中醫師，才為「通醫」。

梁博士珠勞醫師，是我目前所遇知的、大韓民國的、唯一的一位可稱為傳統醫學界的現代中(韓)醫師，見其韓文醫書將付梓之前，樂為之序。

李政育中醫師序於　育生中醫診所

中華民國台北市羅斯福路三段261號4樓

電話:02-23670436

E.MAIL:chenyr.lee@msa.hinet.net

中華民國111年4月4日夜於衡山　石中居

추천하는 글

십수년간 이어진 양주노 원장님과의 인연은 항상 경이로움의 연속이었다. 함께 공동연구를 하며 환자들도 협진 보내고 있는 실력있는 분이라고 의사(아주대 의과대학 방사선종양학과 전미선 교수님)로부터 한의사를 소개 받은 첫 만남부터 그랬다. 젊은 나이임에도 학문과 고민의 깊이가 깊었고, 해박한 서양의학 지식으로 두려움 없이 난치병에 도전하는 패기가 대단해 보였다.

2009년 처음 『한방임상이야기 1』를 출간한 이후 거의 4년마다 임상증례집을 꾸준히 내고 있는 모습에 이제는 놀람을 넘어서 존경의 마음이 든다. 결코 쉽지 않은 질환들의 치료 사례를 이만큼 꾸준히 세상에 내어 놓기가 결코 쉽지 않기 때문이다.

최근 한의계에서는 비과학적이라는 비난을 극복하고 한의학을 '근거중심의학'으로 만들기 위한 다각적인 노력이 이루어지고 있다. 실제 환자의 치료 사례를 정확하게 기술하여 깊이 연구하고 분석하는 것은 그런 노력 중에서도 가장 기초가 되는 작업이다. 이런 점에서 양주노 원장님이 모든 환자의 침치료 처방, 한약 처방을 완전히 공개하고, 치료 후의 경과까지도 추적하여 기술한 것은 한의학 발전에 큰 기여가 될 것이다.

『난치성질환 한의치료 증례집 제4권』의 출간을 다시 한번 축하하며 양주노 원장님께 감사와 경의를 표하고 싶다. 아무쪼록 많은 동료 한의사와 후학들이 이 책을 접함으로써 한의학 임상진료에 대한 토론이 보다 활발하게 이루어질 수 있기를 소망한다.

2022년 12월

윤영주

추천하는 글

양주노 원장이 또 한 권의 책을 썼다며 추천사를 부탁해 왔습니다. 그 열정과 추진력에 감탄을 금할 길이 없습니다. 양주노 원장은 나이는 저보다 몇 살 어리지만, 저와는 대학을 같이 다녔습니다.

특히, 한의과대학을 졸업하고 한의사 국가고시를 치를 때 둘의 각별한 인연이 만들어집니다.

둘은 국가고시 답안지의 수험번호를 오기(誤記)하는 실수를 똑같이 저질러 국가고시에 불합격처리가 됩니다. 이후 행정심판을 통하여 국가시험에 합격하였던 경험이 있습니다.

그 이후 양 원장은 임상의로 환자를 만났고 저는 학교에서 기초한의학을 연구하는 연구자로 지내면서 후학을 양성해 왔습니다.

양 원장은 임상의로서 일반적인 한의사와는 다른 모습을 보여주었습니다. 그가 한의원에서 치료하는 환자들은 여느 한의사들이 늘 만나는 환자들과는 다른 사람들이었습니다. 소위 양방에서도 포기한 난치증 환자들을 한의학으로 치료해 내는 모습을 여러 차례 보여주었습니다. 그 결과가 이미 세 권의 책으로 갈무리되었고, 이번에 또 네 번째의 임상경험집을 출간하게 되었습니다.

이 책에 수록된 질환은 신경질환, 피부질환, 자가면역질환, 종양질환, 관절질환 등으로 다수의 의사가 치료에 곤란함을 느끼는 난치질환에 대한 치료 경험입니다.

양주노 원장은 그런 환자들을 만날 때마다 늘 철저하게 연구하고 주변의 동료 한의사들에게 자문을 구하는 등 환자의 치료에 최선을 다하는 모습을 보여왔습니다. 학교에서 연구를 하면서 지내는 저를 부끄럽게 만드는 훌륭한 태도입니다.

이번에 출간되는 『난치성질환 한의치료 증례집 제4권』은 양주노 원장의 또 다른 땀의 결실입니다. 코로나 정국 속에서도 늘 연구하고 정진하여 결과물을 완성한 그 노력에 치하를 보내고 계속된 연구성과물을 기대하면서 추천사에 갈음합니다.

2022년 12월

원주 우산동 연구실에서

정지훈(상지대학교 한의과대학 의사학교실)

自序

처음에는 실제 임상에서 환자를 대할 때 치료의 증거를 제시하고, 더 나은 한의학임상을 만들어 보려고 글을 쓰기 시작했다. 그렇게 조금씩 매일 준비하다 보니 어느덧 4권이 나오게 되었다. 그동안 한의원에 내원하는 증례들을 기록했지만, 동일한 질환이더라도 치료법이 달라져야만 하는 상황이 항상 기다리고 있어 환자분들께 죄송한 마음에 책을 놓을 수가 없었다. 또한 한국의 의료상황에서, 한의원에 내원하게 되는 환자들은 이미 서양의학적인 치료를 진행하고 있는 경우가 대부분이기 때문에 이에 대해 각별히 주의해야 했으며, 치료의 경과 또한 영상검사, 혈액학적 검사 등으로 확인되어야 하기 때문에 서양의학도 꾸준히 탐독해야 했다. 이렇게 20년을 보냈으나 부족함을 채울 수가 없어서 계속 할 수밖에 없었다. 그렇게 시간은 흘러가고 있었다.

2019년 늦은 봄, 일상적인 진료와 생활, 모든 것이 평온하다고 느껴지던 어느 날 아침, 갑자기 모든 일들이 이상하다는 생각이 강하게 뒤통수를 가격했다. 비록 이러저러한 질환을 접하고 있었지만, 무언가가 생략된 채로, 아주 하찮은 기술에 의존하면서 간신히 연명해가는 느낌이었다.

멍하게 며칠을 보낸 후에야 2000년대 초반 중국에서 있었던 SARS의 기억이 떠올랐다. 당시 필자는 누군가의 초대로 어떤 학회에 참석했는데, 자료를 찾아보니 학회의 이름이 제4회 溫病國際學術硏討會였다. 송구스럽게도 한국에서 참석한 한의계 인사는 필자가 유일했으며, 학회에서는 각종 감염병에 대한 문장을 준비하도록 권고했는데, 임상이 일천했기에 유치한 짧은 문장을 준비해서 발표했던 것으로 기억한다. 그런데 막상 도착한 학회장은 매우 엄숙했고, 학회의 내용 또한 홍콩, 상해, 대만, 마카오 등지에서 온 연자(演者)들이 SARS의 현장에서 체득한 경험들을 취합해 발표하는 중요한 자리였다. 그 때의 기억이 떠오르면서 절대적으로 부족했던 부분이 명확해졌다. 감염병이었다.

비록 傷寒金櫃, 溫病調辨 등을 통해 얕게 알고는 있다고 생각했으며, 만성 바이러스성 간염, 바이러스감염 후유증의 길랑바레증후군, 알레르기성자반증 및 여러 外感 후의 질환 등을 접하면서 나름대로 잘 운용하고 있는 것 같았지만, 급성 전격성 감염질환에 대해서는 생각해 본 적이 없었다. 中景先生이 傷寒論을 집필한 때도 대규모 감염병과 관련이 있었지만 이미 시간이 많이 흘렀다. 그래서 우선 스페인독감의 대처에 대해 찾아봤다. 자료검색에 개인적인 한계가 있었기 때문에 오래 전에 읽었던 曹穎甫의 經方實驗錄에서 얼핏 본 기억이 있어 찾아보니, 당시 유행했던 스페인독감을 증상에 따라, 호흡기형에는 麻黃湯, 麻杏甘石湯, 소화기형에는 桂枝湯, 白虎湯, 신경계형에는 葛根湯, 葛根芩連湯 등의 대응을 제시했다. 필자가 부족하다고 느끼는 血熱, 癮疹內陷, 肺陰虛의 부분은 아니었지만, 經方實驗錄을 포함한 傷寒發微, 金櫃發微를 모두 읽었다. 그 후 지인의 소개로 余師愚의 疫疹一得을 본 후, 극도로 예리하게 날이 선 그의 처방에 감탄하지 않을 수 없었다. 이전에 다른 책에서 스치면서 봤었던 그의 처방을 다시 보니 余師愚선생의 고뇌가 진하게 느껴졌다. 진정한 임상 고수였다. 처방의 구성, 용량, 응용 등 모든 내용이 실전에서 나온 것이었다. 일단 노선을 잡았으니 거침없이 추적하여 章次公, 趙沼琴, 黃仕沛, 鄧鐵涛, 歐陽恒, 王孟英, 朱良春, 張志遠 등 중국에 있는 또는 있었던 명의들의 책을 잡히는 대로 주문해서 진료의자 뒤에 쌓아놓고 빠른 속도로 탐독했다. 처음에는 血證과 관련된 부분을 찾아서 들어갔는데 결국에는 전혀 관련이 없는 많은 질환과 경험을 엿볼 수 있었다. 물론 실제 임상과의 연결은 아직 요원했으며, 감염의 급성기, 안정기, 후유증에 대한 개괄을 조금이나마 알게 되었다. 그런데 우연하게도 그 이듬해인 2020년 초, COVID-19이 발생했다.

2022년, 백신접종, 바이러스발생 후 경과된 시간 등에 의해 COVID-19의 위력이 많이 약해진 것은 사실이다. 하지만 실제 임상에서 접하는 후유증은 다양하다. 감염 후에 잔존하는 인후증상, 전신통, 盜汗, 乾咳 외에도, 극심한 피로, 위장관계이상, 공황장애, 불안, 신경계증상, 조혈계이상, 혈관신경이상, 피부증상 등의 후유증을 호소하는 환자들이 적지 않은 상황이다. 이런 상황에 대해서 필자는 葛根湯을 기본처방으로 하고, 발열이 심하면 三黃을 加重하고, 해수가 심하면 麻黃을 加重하고, 인후통에는 桔梗, 柯子, 山豆根을 加하고, 膚熱이 심하면 石膏, 盜汗에는 青蒿, 知母, 地骨皮, 膚衄에는 丹皮, 赤芍, 紫草, 惡心嘔吐에는 半夏, 茯苓, 腹瀉에는 蒼朮, 茯苓, 澤瀉, 恐驚에는 龍骨, 牡蠣, 癮疹에는 越婢湯, 척수신경에는 加味二妙散, 熱症期의 용혈에는 地骨皮飮加味, 熱症期가 지난 조혈억제에는 聖愈湯, 右歸飮, 香砂六君子湯加味, 감염 후 극심한 피로에는 溫膽湯加人參 또는 半夏白朮天麻湯 등에 加減하고, 간질성폐렴으로 ESR, CRP 등이 높은 極熱症에는 三黃, 麻黃을 加重이 아닌 大量으로 사용하고, 늑막염에는 柴苓湯加味方, 小陷胸湯加味方, 심장에 대한 영향이 있을 경우에는 麻黃, 防己, 葶藶子를 추가하며, 혈전성 미세혈관장애로 인한 신장기능저하에는 五苓散加知母, 黃柏, 또는 赤芍, 丹皮, 급성기가 지난 후에는 滋陰清熱의 麥門冬湯, 一貫煎을 응용하고, 폐섬유증에는 補中益氣湯, 補陽還五湯에 加味하여 대응하고, 산소포화도의 여하에 따라 黨蔘, 人蔘, 鹿茸, 蛤蚧, 冬蟲夏草 등을 加味한다. 감염 후유증에 대한 대응법을 간단하게 열거했지만 余師愚의 清瘟敗毒飮에 비하면 초라하다.

미흡한 내용의 책이지만, 이 책을 접하게 되는 선후배동료 및 한의학관계자들의 많은 지도와 鞭撻을 부탁드린다.

졸저(拙著)의 원고를 매번 마다하지 않고 받아주시는 군자출판사 장주연 사장님과 교정을 담당하신 김도성 차장님 및 편집을 담당해주신 이민지 대리님께도 진심으로 감사의 말씀을 올린다.

사랑하고 소중한 가족들, 부족한 본인을 찾아주시는 환자분들께 이 책을 바친다.

2022년 12월

양주노 敬上

차례

01 신경질환

02 피부질환

03 자가면역질환

04 종양질환

05 관절질환

06 기타질환

난치성질환 한의치료 증례집 제4권

CHAPTER 01

신경질환

소뇌의 바이러스감염으로 인한 보행장애

- 35세, 여자
- 진료일: 2018년 12월 17일

환자는 세 아이의 엄마로서, 즐겁게 육아와 직장생활을 하면서 잘 지내고 있었는데, 약 3년 전 큰 위기가 발생했다. 감기가 수 주 동안 지속되던 어느 날 갑자기 다리의 힘이 풀려서 걷지를 못하고, 말도 어둔해져서 지역의 대학병원에 입원하게 되었다. 당시 대학병원에서는 바이러스에 의한 소뇌감염으로 진단되었으며, 스테로이드치료(용량 및 복용기간 미상)를 받은 후 어느 정도 증상이 개선되었지만, 체중이 25kg 이상 증가했고, 일상생활 중의 불편이 상당했다. 그 후 한방치료도 시행했으나 만족할 정도로 개선되지는 않았다. 이에 지인의 소개로 본원에 내원하게 되었다.

증상분석

환자는 자신의 증상을 처음에는 간단하게 서술했지만, 치료를 거듭하면서 자세히 말하게 되었다. 초진시의 증상은 일단 말이 어둔했으며(단, 의사소통은 문제가 없었다), 얼굴근육의 움직임이 둔하고, 온도 변화 시 또는 아무 이유 없이 갑자기 다리의 힘이 풀렸으며, 항상 양쪽 다리가 저리고 근경련도 자주 발생했다. 하지만 보행과 운동(산보는 할 수 있었지만, 조금 더 걸으면 다리의 힘이 풀렸으며, 뛸 수는 없었다)은 가능하지만 조금만 더 걷거나, 웃거나, 상대방과 말을 하거나 하면 다리의 힘이 풀렸으며, 대화를 많이 하게 되면 어느 순간에 힘이 빠지면서 고개를 푹 떨구게 된다고 했다. 이 밖에 대소변은 문제가 없었으나 식사를 하면 음식이 소화되기까지 시간이 많이 소요되어 식사를 많이 할 수가 없다고 했다. 또한 발병한 후부터는 추위를 극심하게 탄다고 했다.

이에 바이러스에 의한 소뇌, 뇌간 손상으로 인한 뇌-척수성 후유증으로 보고, 보기활혈보양(補氣活血補陽)의 보양환오탕가미방(補陽還五湯加味方[1])을 처방했다.

초진 시에는 환자가 원하지 않아 동영상을 촬영하지 않았다.

치료경과

- 2019년 1월 7일: 소화속도가 느리기 때문에, 점심에는 약을 잘 먹지 못하고, 1일 2회만 복용하고 있다고 했다. 전신의 탈력(脫力)이 개선되었으나, 아직은 온도가 급격하게 바뀌는 장소(식당 등) 및 웃으면 답답하고 힘이 빠지곤 했다. 대화를 하면서 걸을 때는 매우 힘들지만, 혼자서 걸을 때는 문제가 없었다. 환자 스스로 자신의 증상에 대해 인터넷을 찾아보고 소뇌위축증을 의심하고 있었다. 2018년 12월 17일의 처방에서 황기(黃耆)를 24g으로 증량했다.
- 2019년 1월 30일: 웃을 때의 힘 빠짐은 여전하지만, 다리의 힘 풀림이 많이 개선되었다. 이번에 환자가 말한 특이한 증상으로 졸음을 참지 못하는 증상이 있었다. 이 증상은 약 3년 전 발병 후에 생긴 증상으로, 멍할 때가 많았다. 일을 하다가도 졸기도 하는데 개선되었다. 힘이 풀리면 말도 둔해지는데, 한약복약 전보다는 심하지 않았다. 3년 전 발병 직후에는 눈도 감기고, 힘도 풀리고, 발음이상이 심했으며, 앉으면 즉시 잠에 빠지곤 했다. 또한 1, 2년 전 가족과의 제주도 여행에서는 앉으면 계속 잤으나, 이 증상이 한약복약 후에는 개선되고 있었다. 1월 7일의 처방에서 황기를 27g으로 증량했다.
- 2019년 3월 4일: 다리의 힘 풀림은 거의 느낄 수 없을 정도로 개선되었으나, 한약 중단 2일 후부터 몸이 답답해지고 눈이 감기면서 말이 어눌해지는 현상이 나타났다. 환자는 2주분의 한약을 1개월 넘게 복약하고 있었다. 1월 30일의 처방에서 황기(黃耆)를 30g으로, 육계(肉桂)를 9g으로 증량했다.

---

1) 黃耆 18g, 丹蔘, 赤芍, 川芎, 當歸 各 4.5g, 人蔘 6g, 乾薑 4.5g, 天雄 6g, 肉桂 7.5g, 黃芩 9g, 茯苓, 澤瀉 蒼朮, 甘草 各 4.5g

- 2019년 3월 23일: 환자의 증상이 개선되어 동영상 촬영을 허락해주었다.

- 2019년 4월 18일: 말이 둔한 것은 상당히 좋아졌는데, 힘이 풀리는 증상이 다시 나타났다. 사람이 많은 곳에서는 답답하면서 힘이 풀리고, 한번 답답함이 생기면 전체적으로 힘이 약해졌으나, 이전처럼 엎어질 것 같이 힘이 풀리지는 않았다. 처방을 변경하지 않았다. 이 때 남부지방은 이미 기온이 상당히 높았다.
- 2019년 5월 17일: 조금씩 뛸 수 있게 되어 매우 기뻐했다. 이전에는 급한 상황에서 뛰어야 되는데도 뛸 수가 없었는데, 지금은 조금이나마 뛸 수 있었다. 하지만 웃을 때 힘이 빠지는 증상은 여전했다. 처방을 변경하지 않았다.
- 2019년 7월 12일: 아침에 일어나면 힘이 있어서 뛸 수 있을 정도가 되었다(이전에는 전혀 뛸 수가 없었다). 그러나 오후가 되면 힘이 풀리곤 했다. 한약을 1일 1, 2회 정도 복약하고 있었다. 3월 4일의 처방에서 황기(黃耆)를 33g으로 증량했다.
- 2019년 8월 3일: 환자의 말더듬이 많이 개선되었으며, 보행도 상당히 안정되어 일반인처럼 뛸 수 있게 되었다. 7월 12일의 처방에서 천웅(天雄)을 7.5g으로 증량했다.

- 2019년 9월 28일: 보행은 괜찮은데(최근 2-3주 복약을 하지 않았는데도 증상 퇴행하지 않았다), 말을 많이 하면 힘들고, 아직 눈이 풀리고 일시적으로 멍하게 되는 증상은 있었다. 최근 기온이 하강하면서 밤에 눈이 약간 풀린다고 했다. 8월 3일의 처방을 크게 변경하지 않았다.
- 2019년 11월 15일: 모든 증상이 상당히 개선되었으나, 아직 눈 풀림과 눈이 풀릴

때 말이 어둔해지는 증상 및 피곤할 때 멍해지는 증상은 소실되지 않았다. 최근 라인댄스에 도전하여 1시간가량 연습을 하는데 50분이 지나면 전신의 힘이 빠지는 것 같은 느낌이 있지만 보행은 할 수 있다고 했다.

후기 및 고찰

환자는 2019년 말 현재, 이전의 증상들이 일상생활에 크게 지장이 없을 정도로 개선되어 천천히 복약하고 있다.

환자의 증상은 바이러스감염 후유증으로 증상이 소뇌에 집중되어 있었다.

일반적으로 길랑바레증후군은, 초기에는 대부분 서양의학의 고용량 스테로이드 요법(steroid pulse therapy), 면역글로불린(IVIG), 혈장교환(plasmaphresis) 등의 치료를 통해 급성 증상이 어느 정도 안정된 후에 한방치료를 시작하게 된다. 예후는 양호하지만 신경손상의 정도에 따라 다양한 후유증이 남을 수 있다.

한방치료는 초기 표증(表證)이 있을 경우에는 계지탕(桂枝湯), 마황탕(麻黃湯), 계마각반탕(桂麻各半湯), 갈근탕(葛根湯), 갈근금연탕(葛根芩連湯) 등을 사용할 수 있으며, 표증(表證)과 함께 마비가 보이면 기허겸유표증(氣虛兼有表證)에 해당되어 보중익기탕(補中益氣湯), 귀기건중탕(歸耆健中湯), 보양환오탕(補陽還五湯)에 계지(桂枝), 마황(麻黃), 갈근(葛根), 황금(黃芩) 등을 가미한다. 발병 후 상당기간이 지난 후에 한방치료를 시작하는 경우에는 신경재생을 촉진함과 동시에 신경의 재생을 억제하고 있는 각종 신경 노폐물의 흡수 및 제거하기 위해 구어(久瘀), 한어(寒瘀)를 생략할 수 없다. 그러므로 보중익기탕(補中益氣湯), 귀기건중탕(歸耆健中湯), 팔진탕(八珍湯), 십전대보탕(十全大補湯), 보양환오탕(補陽還五湯) 등에 가감하여 보기보양(補氣補陽)하되 삼칠(三七), 유몰(乳沒), 속단쇄보(續斷碎補) 등을 고려한다.

치료과정 중에는 신경손상의 4단계 중에서 이미 3단계 이상으로 손상된 경우라면 신경재생에 따른 각종 예기치 못한 증상이 나타날 수 있으니 유의해야 한다. 즉 신경이 하행성으로 재생될 경우에는 마비된 부분의 강력한 근경련과 통증이 나타날 수 있으며, 배뇨, 배변의 척수 신경원이 재생되기 직전에는 일시적으로 배변과 배뇨가 더 좋지 않게 되는 경우도 흔하다.

때로는 자가면역의 은진내함(癮疹內陷)이 있을 수도 있으니, 치료시작 전 철저한 문진(問診)이 필요하며, 처음에는 어떠한 자가면역의 반응도 없었으나, 보기보양(補氣補陽)에 따라 각종 면역반응이 출현하게 되는 경우도 있으니 주의해야 한다. 특히 다발성경화증(multiple sclerosis), 횡단성척수염(Transvers myelitis) 등의 경우에는 자가면역이 숨겨져 있는 경우도 있으므로 한열착잡(寒熱錯雜)의 가능성을 항상 염두에 두고 대응한다.

경추 척수신경 부분손상의 노인

- 76세, 남자
- 진료일: 2016년 11월 8일

환자는 전형적인 남성 성향의 기운찬 노인으로, 항상 즐겁게 음주를 즐겼다. 약 20일 전인 10월 28일도 거나하게 음주를 하고는 길을 걷다가 넘어지면서 정신을 잃었다. 그 즉시 대학병원으로 옮겨져 응급실에서 검진을 받고 뇌 CT를 시행했으나, 다행스럽게도 뇌출혈, 두개골 골절 등의 이상이 없어서 귀가했다. 그러나, 그 다음날 아침에 손이 잘 움직이지 않았다. 이에 집 근처 대형병원에서 경추 MRI를 시행하니 경추 5-6 사이의 척수신경이 손상되었다고 하면서 스테로이드를 1주일분 처방해 주고 대학병원에서 반드시 수술을 받도록 지시받았다. 하지만 환자는 이미 15년 전 경추디스크 수술을 받았고, 이미 나이가 있어 수술을 원하지 않았지만, 신경과 전문의가 수술을 하지 않으면 점차적으로 다리도 마비될 수 있다고 하여 대학병원에 수술을 예약했다. 하지만 수술을 해도 팔의 증상이 개선될 수 있을 가능성은 확신하지 못하며, 수술 후에도 점차적으로 악화될 수도 있다는 대학병원 주치의의 설명을 듣고서는 10일 후로 예정된 수술 전에 다른 치료방법을 찾기 위해 본원에 내원했다.

증상분석

환자의 오른손은 MRI 영상(이하의 영상)과는 달리 상당히 부분적인 마비를 보이고 있었다. 즉 팔꿈치의 굴곡과 신전에 힘이 들어가지 않는 것(팔꿈치를 펴고 접을 때 힘없이 접히고 펴졌다), 3, 4, 5번 손가락이 위로 올라가지 않는 증상, 젓가락질을 하지 못하는 것 이외에는 척수신경손상과 관련된 기타 이상은 없었다(영상참조). 대소변, 식사 등은 정상적이었으며 165cm, 68kg의 체격, 15년 전 경추디스크수술력(Lt laminectomy at C4-C7 level) 등이 있었다. 이에 척수신경 부분손상의 급성기로 판단하여 지룡산가미방(地龍散加味方[1])을 처방하고 수삼리(手三里), 외관(外關), 합곡(合谷), 중저(中渚) 등에 온침을 실시했다.

10일 이내에 증상이 개선되어야 한다는 부담감이 적지 않았다.

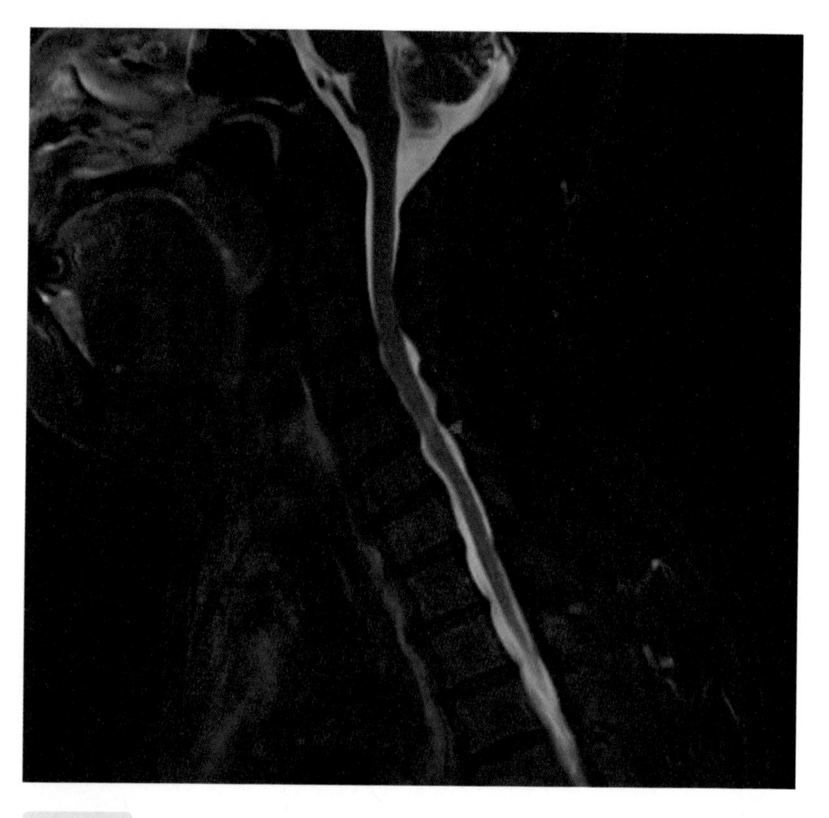

1) 地龍 3g, 麻黃 6g, 蒼朮 4.5g, 黃芩 12g, 葛根 12g, 黃耆 12g, 人蔘 4.5g, 乾薑 2g, 天雄 4.5g, 肉桂 6g, 甘草 3g, 大棗 3枚

치료경과

- 2016년 11월 17일: 팔꿈치 관절의 근력이 조금 회복되었지만 아직은 매우 미약했다.
- 2016년 11월 21일: 팔을 내릴 때 팔꿈치관절이 툭 떨어지면서 펴지는 것이 조금 개선되었다. 환자는 증상이 조금 개선되는 것 같아 대학병원의 예약일에 가지 않았다. 11월 8일 처방에서 황기(黃耆)를 18g, 건강(乾薑)을 7.5g으로 증량했다.
- 2016년 12월 8일: 오른쪽 3, 4, 5번째 손가락을 올릴 수 있게 되었고, 지지력도 상당히 개선되었으나, 아직 젓가락질을 할 수 있는 정도는 아니었다. 11월 21일 처방에서 황기(黃耆)를 21g으로 증량했다.

- 2016년 12월 22일: 오른손의 동작이 개선되었다.

- 2017년 1월 2일: 오른손의 마비증상들이 상당히 개선되어 팔꿈치관절을 사용하는데 지장이 없게 되었으며, 며칠 전부터는 오른손 젓가락질로 라면을 먹을 수 있게 되었다.

후기 및 고찰

이후 환자는 정상적인 생활을 하고 있다.

외상으로 발생한 척수신경손상의 경우 이처럼 부분적인 신경손상만 있는 경우는 천운에 의한 다행스러운 경우이며, 가볍게 넘어져도 손상 부위 이하의 감각, 운동신경이 모두 손상되는 상황도 적지 않다.

이 환자의 경우는 척수신경손상에서도 매우 가벼운 경우였기 때문에 양호한 결과를 얻을 수 있었다. 척수신경손상은 초고난이도의 질환이며, 손상의 정도, 신경손상 후 한방치료 시작까지의 경과시간에 따라 예후가 다르며, 한방치료 시작 후 발열, 통증, 강직, 경련 등이 강하게 나타날 수 있으므로 환자의 치료순응도도 좋지 않을 수 있다.

활차신경이상으로 인한 복시와 두통의 중년여성

- 41세, 여자
- 진료일: 2017년 10월 6일

환자는 금년 여름에 두통과 복시가 발생했지만, 3, 4일이 지난 후 그 증상들이 없어졌다. 당시 대형병원에서 뇌 MRI검사를 받았으나 이상이 발견되지는 않았다. 그 후 9월 29일 왼쪽 이마에서 상당한 강도의 통증, 복시, 왼쪽 눈의 움직임 이상이 발생하여 10월 2일 다시 대형병원에서 뇌 MRI검사를 했지만 이번에도 이상은 발견되지 않았다. 이에 지인의 소개로 본원에 내원했다.

증상분석

환자는 보호자의 부축을 받은 상태에서 벽을 짚으면서 천천히 진료실로 들어왔다.

환자의 증상은 전방을 볼 때도 복시가 있었고, 왼쪽 눈을 안쪽, 밑으로 향하게 하면 심해졌으며, 복시의 양상은 컴퓨터에 인터넷 창이 두세 개 동시에 있는 것 같다고 했다. 눈이 잘 안보이니 식욕도 없고, 직장에 출근도 못하고 있었다. 대형병원의 검사에서는 어떠한 이상도 발견되지 않았으며, 뇌간 부위의 정밀검사를 시행하려고 했으나 입원실 사정상 며칠 기다리라는 통보를 받았다. 기타 현재 복용 중인 약물은 8월부터 편두통으로 나라믹정(Naratriptan HCl)을 가끔 복용하고 있었다. 이에 활차신경(trochlear nerve, CNIV) 손상의 중락(中絡)으로 판단하고 반하천마백출산가미방(半夏天麻白朮散加味方[1])을 처방하고 풍지(風池), 찬죽(攢竹), 사죽공(絲竹空), 합곡(合谷) 등에 침구치료를 했다.

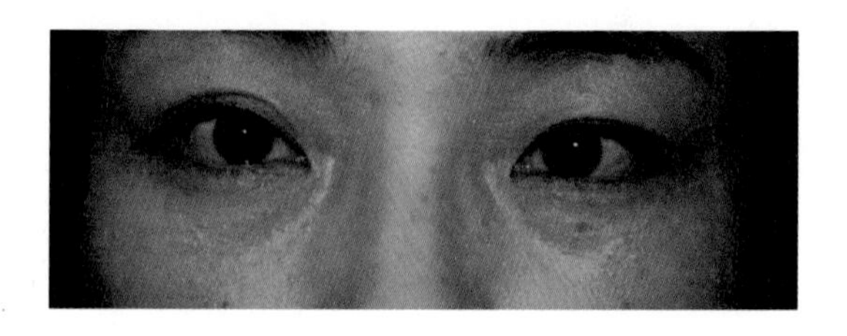

치료경과

- 2017년 10월 19일: 금일까지 증상변화는 없었으며, 2일 전인 17일 이전의 병원에서 입원실이 해결되어 입원하고, 현재 고용량스테로이드(1일 60mg) 치료 중이었으며, 정밀 MRI에서도 이상이 발견되지 않았다. 한약은 스테로이드와 함께 복용하고 있었다.
- 2017년 10월 27일: 병원의 신경과에서 스테로이드 치료를 했지만 복시는 여전했다. 스테로이드는 1주일 간격으로 10mg씩 감량된다고 했다. 안과의 소견은 복시에 적응해서 안구운동을 하는 것이 좋다고 했다. 현재 스틸녹스, 낙센에프, 세타마돌, 큐란, 아루사민, 베스자임 등을 복용하고 있었다. 10월 6일의 처방에서 황금(黃芩)을 6g으로 감량하고 황기(黃耆)를 27g, 천웅(天雄)을 9g으로 증량하고 육계(肉桂) 7.5g, 천궁(川芎) 9g을 추가했다.
- 2017년 11월 7일: 기상 직후, 야간에는 복시에 의해 지장을 받고 있었지만 활동 중에는 복시가 이전처럼 심하지 않았으며, 전방을 주시할 때에도 가끔은 잘 보일 때가 있었다. 환자 스스로 나아지고 있다는 것이 느껴진다고 했다. 10월 27일의 처방에서 육계(肉桂)를 9g, 천궁(川芎)을 15g으로 증량했다.
- 2017년 11월 21일: 어제 찬바람이 불어서 머리가 아팠지만, 전체적인 몸상태도

1) 半夏, 白朮, 茯苓, 澤瀉, 麥芽, 神曲, 陳皮, 黃柏 各 4.5g, 天麻 15g, 天雄 3g, 當歸, 甘草 各 3g, 黃芩 12g, 黃耆 24g: 人蔘 3g*3回, 沖服

좋으며, 복시도 스스로 느끼기에 85% 정도 개선된 것 같다고 했다.

- 2017년 12월 7일: 복시가 모두 소실되어 일상생활에서 지장이 없었고, 기립자세에서 눈으로 발을 봐도 복시는 없었다. 오늘 안과, 신경과에서 진료를 받았으며, 안과에서는 더 이상 진료받지 않아도 될 정도로 회복되었다고 했다.

후기 및 고찰

눈의 움직임은 상하직근, 외전근, 내전근, 하상사근에 의해 조절되며 상사근은 활차신경(CNⅣ), 외전근은 외전신경(CNⅥ), 그 밖의 근육들은 동안신경(CNⅢ)의 지배를 받는다.

활차신경(CNⅣ)은 상사근을 지배하며, 상사근은 내향 안구상태에서 아래를 쳐다보는 동작을 담당한다. 활차신경의 핵은 중뇌(mid brain)의 뇌수로(cerebral aqueduct) 앞에 쌍으로 위치하고, 중뇌의 뒤를 돌아 해면정맥동을 거쳐 상사근까지 이어진다. 이 신경은 핵으로부터 상사근까지의 경로가 길어 외상에 취약하다. 이 신경의 단독마비는 외상이 가장 흔한 원인이며, 당뇨, 고혈압 등과 같은 혈관성 원인, 신경초종(schwannoma), 거미막하의 표피유사낭(epidermoid cyst) 등도 발견될 수 있다. 대표적인 증상으로는 주로 계단을 내려가거나 책을 읽는 등 아래쪽을 바라볼 때 복시를 호소하며 눈이 외회전, 상전되기도 한다[1].

이 증례처럼 눈의 동작에 의한 복시가 발생하면 우선적으로 뇌MRI검사가 필요하며, 때로는 다발성경화증을 확인하기 위해 뇌척수액검사도 필요하다. 각종 검사를 통해 감염, 종양, 비교적 큰 혈관의 이상, 다발성 경화증, 각종 자가면역질환 등을 배제하고 남는 것은 일시적인 허혈에 의한 뇌간 신경핵의 손상이다. 이는 한의학의 중락(中絡)에 해당되며 허중락(虛中絡[2])이 더 정확하다.

허중락(虛中絡)에는 대진교탕(大秦艽湯)이 기본이지만 대진교탕(大秦艽湯)은 풍사(風邪)의 표증(表證)에 적용되며, 평소에 외감(外感)과 관련이 없이 두통이 있었음을 고려하여 담궐(痰厥)의 반하천마백출산(半夏天麻白朮散)을 응용했다.

1) 대한신경과학회, 신경학 2판, p300, 범문에듀케이션, 한국, 2012
2) 吳謙 等, 御纂醫宗金鑑 雜病心法要訣

덧붙여 설명하면, 내경(內經), 상한잡병론(傷寒雜病論)에서 나오는 풍(風)은 세균, 바이러스, 미생물을 의미하고, 그 중에서 바이러스가 비교적 많으며, 온병조변(溫病條辨)에서의 풍(風)은 세균, 미생물, 곤충의 외감(外感)에 가깝다. 의종금감(醫宗金鑑)에 나오는 대진교탕(大秦艽湯)의 풍사중락(風邪中絡)은 외감(外感)에 의한 마비를 설명하기에 적합하다. 그러나 중락(中絡)의 범위는 뇌 및 전신 미세혈관의 경색, 협착, 경련, 출혈 등으로 인한 신경, 장부 질환 등도 해당될 수 있기 때문에 광범위한 해석이 가능하다.

다시 돌아와서, 처방의 운용과정에서 처음에는 소량의 보기보양(補氣補陽) 약물을 사용하고, 황금(黃芩)을 비교적 강하게 병용했으며, 뇌척수액이나 기타 뇌MRI에서 어떠한 염증소견도 없음이 확인된 후부터는 황기(黃耆), 천웅(天雄), 육계(肉桂) 등을 강화했다.

만약 이 환자가 스테로이드를 복용한 후에 내원했을 경우에는 즉시 보기보양(補氣補陽), 활혈화어(活血化瘀)의 보양환오탕가미방(補陽還五湯加味方)을 사용하며, 만약 왼쪽 눈의 활차신경, 오른쪽 눈의 외전 또는 동안신경 이상이 순차적으로 또는 일시에 나타났다면 다발성경화증의 가능성을 고려하여, 초기에는 갈근금연탕(葛根芩連湯), 갈근탕가금연(葛根湯加芩連)을 사용하고, 시일이 경과하여 급성 염증단계에서 벗어나면(이 시기의 판정은 원칙적으로는 CSF의 IgG, oligoclonal band의 정상화이지만 임상적으로는 발병 약 3, 4주 또는 입원 시 스테로이드 감량시점이 된다) 사역탕(四逆湯)의 의미를 추가하여 갈근부자탕(葛根附子湯)의 개념으로 변경하게 된다.

1년 동안 고생하던 요추관협착증의 노인

- 76세, 여자
- 진료일: 2019년 6월 28일

환자는 상당히 건강한 여사로, 항상 즐겁게 생활하고 있었다. 약 1년 전, 2018년 3월 경, 이전과 다름없이 아침에 걷는 운동을 하고 있었는데, 약 1시간 정도 걸으니 오른쪽 다리의 통증이 발생했다. 처음에는 대수롭지 않게 생각하고 그 후에도 계속 걸었으나 통증이 시작되는 시간이 점점 짧아져서 근처 정형외과에서 진료를 받았다. 그 후 정형외과에서 물리치료 및 약물치료, 국소 신경차단치료를 시행했으나 통증이 개선되지 않아, 방사선과에서 요추 MRI검사 후 요추관협착증으로 확인되었다. 그 후에도 지속적으로 치료를 받았지만 증상은 개선되지 않았으며, 3개월 전부터는 정형외과의 견인, 주사치료에도 증상이 개선되지 않고 점점 통증이 악화되었다. 최근에는 취침 중에 소변을 해결하려고 화장실에 가려다가도 통증이 너무 심해서 주저 앉을 정도가 되어 지인의 소개로 본원에 내원하게 되었다.

증상분석

환자의 증상은 보행 시 발생하는 우측의 요배통과 우측 하지의 저림 및 통증으로, 앉아 있거나 또는 누워 있거나 서 있으면 증상이 발생하지 않았지만, 약 5분 이상 보행할 경우에는 허리, 오른쪽 엉덩이, 오른쪽 다리의 통증이 시작되고, 그 상태에서 2, 3분을 더 걸으면 약 1, 2분 정도 앉아서 쉬었다가 다시 보행을 할 수밖에 없었다. 최근에는 1분 이상만 걸어도 통증이 심하게 나타나는 경우가 많아졌다고 했다. 대소변의 이상 및 해당 부위의 근육소실, 국소부위의 온도 변화 등은 없었으며, 이전의 과거력도 없었다.

현재 세크로정(Aceclofenac), 라비스정(소화성궤양치료제), 아트놀셋세미정(Acetaminophen), 뉴로스캡슐(Gabapentin) 등을 복용하고 있었다.

이에 기허겸어혈(氣虛兼瘀血)로 판단하여 보중익기탕가미방(補中益氣湯加味方[1])을 처방하고, 풍지(風池), 대장수(大腸兪), 환도(還跳), 위중(委中)에 침구치료를 시행했다.

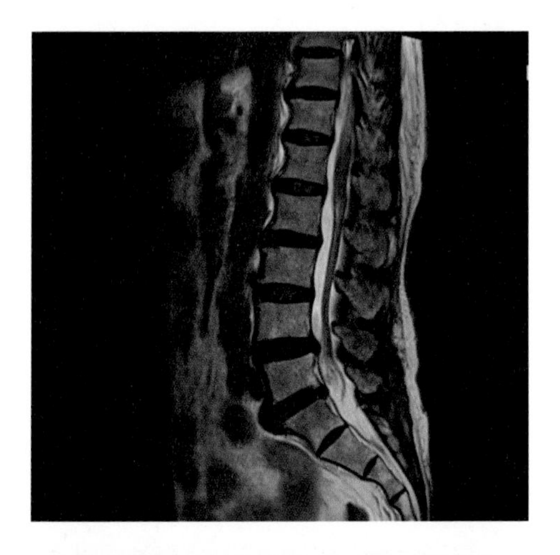

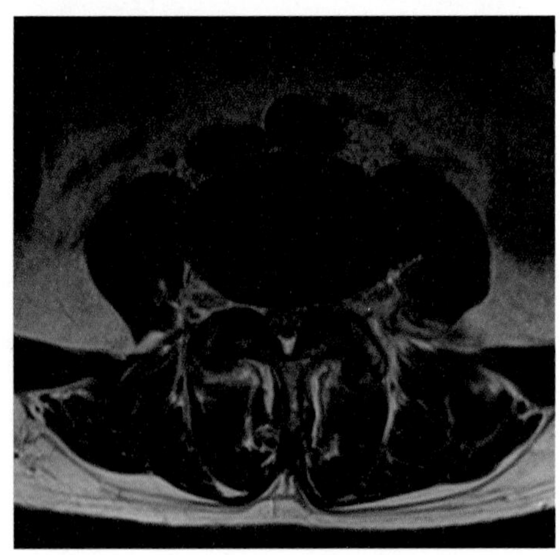

1) 黃耆 18g, 當歸 3g, 蒼朮, 陳皮, 柴胡, 升麻, 人蔘, 甘草 各 4.5g, 杜仲 7.5g, 續斷 12g

치료경과

- 2019년 7월 15일: 우측 요부 및 둔부, 환도혈(還跳穴) 부위의 통증이 상당히 개선되었으며, 보행 시에도 신경쓰이지 않을 정도가 되어 어제는 집 앞의 낮은 산에 등산을 다녀올 수 있었다. 그러나 저녁에 취침 중에 우측 하지의 저림이 강하게 나타났다. 아직은 우측 하퇴의 전면부(陽陵泉-地五會) 및 우측 발등에 저림이 남아 있었다. 6월 28일의 처방에서 황기(黃耆)를 24g으로 증량했다.
- 2019년 7월 30일: 우측의 요부, 둔부 및 하지, 우측 하퇴 전면 및 발등의 저림과 통증이 상당히 개선되어 초기에 비해 50% 이상 통증이 소실되었다고 했다. 정형외과의 치료는 한방치료 시작 5일 째부터 약물 및 물리치료를 중단했다고 했다.

후기 및 고찰

이후 환자의 증상은 등산, 운동, 보행 등 일상생활에 지장이 없을 정도로 개선되었다.

요추관협착증은 근육의 위축이나 소실이 동반되지 않았으면 단순 비증(痺症)에 해당되며, 근육의 소실되었을 경우에는 위증(痿症)으로 본다. 사용할 수 있는 처방으로는 습열(濕熱)에는 가미이묘탕(加味二妙湯), 어혈(瘀血)에는 도홍사물탕(도홍사물탕), 계지복령환(桂枝茯苓丸)을 사용하고, 기허(氣虛)에는 보중익기탕(補中益氣湯), 기혈양허(氣血兩虛)에는 십전대보탕(十全大補湯), 견비탕(蠲痺湯), 신양허(腎陽虛)에는 우귀(右歸), 신기(腎氣)를 사용한다. 이미 신경성형술(RACZ)을 시행했으나 극심한 통증으로 통증이 개선되지 않는 경우에는, 시술 후 시간이 얼마 경과되지 않은 초기에는 보중익기탕(補中益氣湯)에 삼황(三黃), 속단(續斷), 두충(杜仲)을 가미하고, 시일이 상당히 지났으나 통증이 개선되지 않을 때는 기혈양허겸신양허(氣血兩虛兼腎陽虛)에 해당된다. 추궁절제술(laminectomy)을 시행한 후에 발생한 추가적인 손상의 하지마비, 방광, 항문괄약근 마비의 경우에는 초기에는 도홍사물탕(桃紅四物湯)에 삼황(三黃)을 가미하고, 대황(大黃)으로 1일 2, 3회의 분비성 배변을 통한 감압 및 노폐물 배출을 유도하며, 어느 정도 급성기가 지난 후에는 기혈양허겸양허(氣血兩虛兼陽虛)의 처방, 즉 십전대보탕(十全大補湯) 또는 견비탕(蠲痺湯), 독활기생탕(獨活寄生湯)에 사역탕(四逆湯)을 가미하고 속단(續斷), 골쇄보(骨碎補), 두충(杜仲)을 가미한다. 하지만 그 중에서 발병한 지 수년이 경과된 마미증후군은 치료가 간단하지는 않은 것 같다.

05 디스크 탈출증의 신사

- 56세, 남자
- 진료일: 2016년 5월 6일

환자는 상당히 점잖은 신사로, 약 3주 전부터 보행 시 우측 무릎 아래로 통증이 나타난다고 전화로 문의하여 우선 허리의 MRI검사를 하고 내원하도록 권고했다.
그 후 환자는 영상의학과에서 검사를 한 후 금일 내원했다.

증상분석

환자의 증상은 보행을 시작하여 약 2, 3분 후에 오른쪽 무릎 아래로 통증이 발생하였으며, 서서 10분 정도만 있어도 동일한 증상이 발생한다고 했다. 요추 MR영상에서는 L1-2, L2-3, L3-4, L4-5 등의 부위에서 정도만 다르게 모든 추간판이 탈출되어 있었다.

기타 2년 전 부친이 종양으로 별세하셨는데, 당시 간병을 하는 1년 동안 정신적, 육체적 과로를 한 나머지 원형탈모가 생겼으며, 대학병원에서 국소 스테로이드주사를 맞았으나 원발 부위 주변으로 하나 둘씩 계속 생기고 있었다. 그러나 지금 중요한 것은 아니므로 이번의 치료에서는 생략하기로 했다.

이에 도홍사물탕가미방(桃紅四物湯加味方[1])을 처방하고 관원수(關元俞), 환도(還跳), 위중(委中), 승근(承筋), 현종(懸鍾) 등에 온침(溫鍼)을 시행했다.

---

1) 桃仁, 乳香, 沒藥, 生地, 川芎, 赤芍, 蒼朮 各 4.5g, 紅花 3g, 天雄, 肉桂, 杜仲 各 6g, 人蔘 3g, 生甘草 4.5g

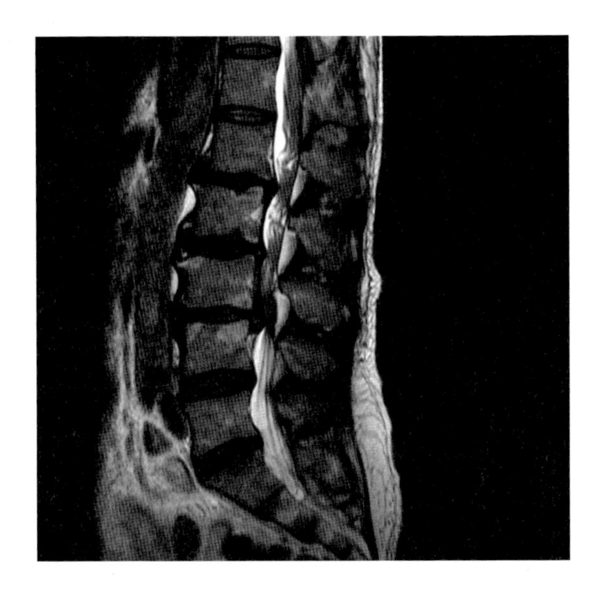

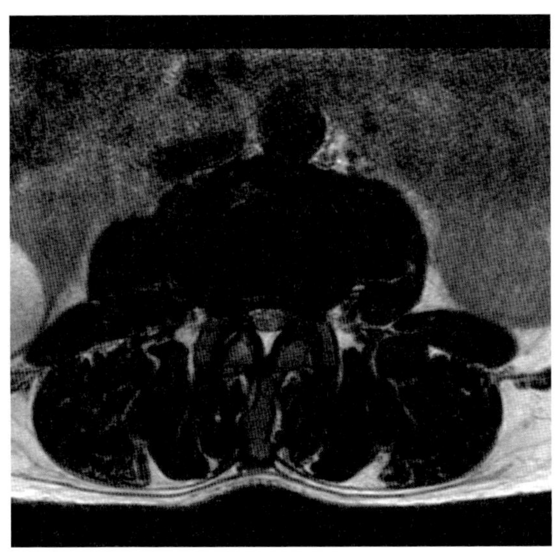

치료경과

- 2016년 5월 27일: 환자는 최근 운전을 하여 연천으로 여행을 다녀왔으나 오른쪽 다리의 통증이 심해지지 않았다. 5월 6일의 처방에서 천웅(天雄)을 9g으로 증량했다.
- 2016년 7월 5일: 환자는 약을 잘 복약하지 않았음에도 보행을 할 때 나타났던 오른쪽 다리의 통증이 상당히 약해졌다. 그러나 처음 진료 시에는 말하지 않았던, 언덕을 올라갈 때 나타나는 우측 하지의 탈력감 및 보행 시 나타나는 다리의 끌림은 아직 개선되지 않았다고 했다. 5월 27일의 처방에서 육계(肉桂)를 9g, 인삼(人蔘)을 6g으로 증량했다.
- 2016년 8월 6일: 보행 시 나타났던 오른쪽 다리의 통증은 소실되었으며, 오른쪽 다리가 끌리지 않고 힘이 들어가게 되었다고 했다. 처방을 변경하지 않았다.

후기 및 고찰

이후 환자의 상태는 일상생활, 직업생활 등에 문제가 없을 정도로 회복되었으며, 그런 상태는 약 1년 반 후 팔꿈치의 통증으로 내원했을 때까지 유지되고 있었다.

이 환자의 증상은 디스크 탈출에 의한 감각신경증상과 함께 근력저하의 운동신경증상도 동반되어 있었다. 이러한 척수신경증상의 치료에 있어서 치료의 중점을 어디에 둘 것인가는 전적으로 내원 당시 환자의 증상, 증상의 진행 여부, 기타 내원 전까지 진행되었던 치료의 종류 및 반응 등으로 결정하게 된다.

이 환자의 경우 내원 전 어떠한 시술도 시행하지 않고 내원하였으므로 부분적인 시술에 의한 추가적인 경화의 가능성은 매우 적었으므로 신경의 주행을 방해하고 있는 염증노폐물의 흡수 및 대사를 위하여 도홍사물탕(桃紅四物湯)을 기본처방으로 선정하고, 그 대사를 촉진하기 위해 사역탕(四逆湯)을 합방했다. 치료가 진행되면서 염증노폐물, 즉 어혈(瘀血)의 흡수에 따라 증상이 개선되기 시작했고, 초진 시에 환자가 말하지 않았던 운동신경의 빠른 회복을 위하여 보양(補陽)을 강화해서 비교적 순조롭게 모든 증상이 개선되었다. 하지만 연령이 증가됨에 따라 추후에 협착증이 발생할 수 있으므로, 이에 대해 환자에게 설명하고 증상 발생 시 즉시 내원하도록 설명했다.

과로 후 발생한 요통과 왼쪽 다리저림

- 50세, 여자
- 진료일: 2013년 5월 20일

환자는 성격이 매우 명랑한 주부로, 약 2주 전인 5월 8일 정기 모임에서 개최하는 바자회 후 허리의 통증이 시작되었으며, 시간이 지나면서 왼쪽 다리의 저림과 통증이 나타나 상당히 고통스러워 하면서 내원했다. 이에 즉시 근처 영상의학과에 의뢰하여 요추 MRI검사를 하도록 했다.
당일 검사결과는 아래의 사진에서 보는 것처럼 L4-L5 사이의 추간판이 돌출되어 왼쪽으로 빠져나가는 신경근이 자극되고 있었다. 다행스럽게도 비교적 안전한 추간판탈출증이었으며, 기타 종양이나 척수를 위협할 만한 이상은 보이지 않았다.
163cm, 59kg으로 대소변, 수면, 식사 등에 특이사항은 없었으나, 약 8년 전 유방암으로 치료받은 적이 있었으며, 이와 관련해서 현재 복용 중인 약물은 없이 대학병원에서 추적 검사만 하고 있었다.

이에 어혈요통으로 판단하여 도홍사물탕가미방(桃紅四物湯加味方[1])을 처방하고 관원수(關元俞), 환도(還跳), 위중(委中), 현종(懸鍾) 등에 온침(溫鍼)을 시행했다.

1) 當歸, 川芎, 赤芍, 生地黃 各 4.5g, 桃仁, 紅花 各 2g, 杜仲, 續斷, 天雄 各 6g, 黃芩 9g, 蒼朮, 茯苓, 澤瀉 各 3g, 人蔘 4.5g, 生甘草 3g

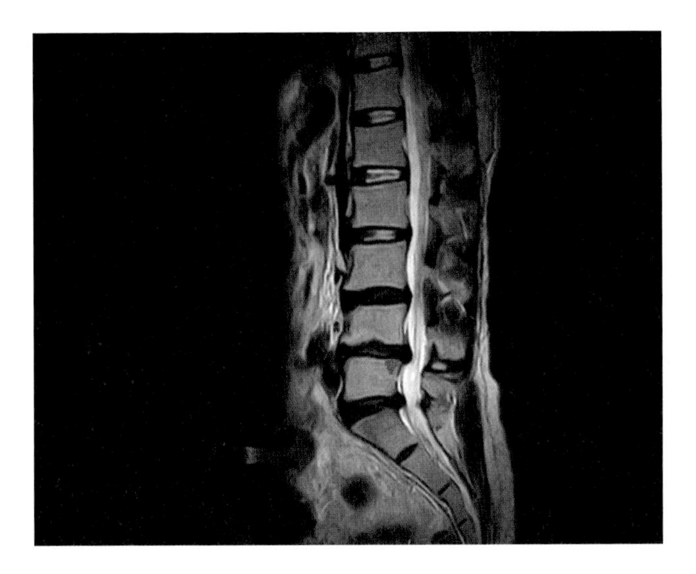

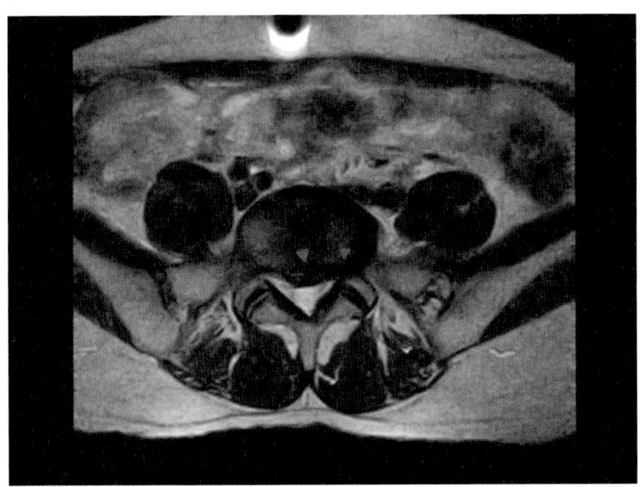

- 2013년 6월 3일: 요통과 왼쪽 다리의 저림이 많이 개선되었으며, 오늘 해외여행을 가기로 되어 있어 출국하러 가기 전에 침구치료를 받기 위해 내원했다.
- 2013년 6월 14일: 여행에서 상당히 많이 걷고 장시간 비행을 했음에도 요통과 다리의 통증은 악화되지 않았다. 5월 20일 처방에 육계(肉桂) 6g을 추가했다.

- 2013년 7월 1일: 최근 달리기운동을 많이 한 후 좌측 엉덩이의 통증이 조금 심했으나 집에서 조금 쉬니 개선되었다. 하지만 왼쪽 다리저림이 가끔씩 느껴지고 있었다. 6월 14일 처방에 황기(黃耆)15g을 추가했다.
- 2013년 7월 20일: 지난 주 시행한 정기 검진에서 유방의 이상은 없었다. 왼쪽 다리의 저림은 일상생활에 지장이 없을 정도로 개선되어 치료를 종료했다.

후기 및 고찰

이후 환자는 가끔씩 이런저런 문제들로 내원하고 있으며 이전의 극심했던 통증과 다리저림을 호소하지는 않고 있다.

디스크 탈출증의 치료는 절대안정이 가장 중요하다. 급성적으로 발생하는 경우에는 염증성 물질의 신경자극이 주가 되는 어혈요통(瘀血腰痛)에 해당된다. 그러나 시간이 지나면서 염증이 섬유화, 석회화되고 압박 및 자극부 이하의 신경기능이 저하되면서 기혈양허(氣血兩虛), 신양허(腎陽虛)로 진행된다. 때로는 어혈(瘀血)과 기혈양허(氣血兩虛)가 동시에 있는 경우도 적지 않으니 편열편한(偏熱偏寒)을 구분하여 적절하게 대처한다.

노부인의 불면증과 두통

- 60세, 여자
- 진료일: 2019년 3월 9일

환자는 비교적 유쾌한 성격의 부인으로, 최근 손녀를 돌봐주면서 피로를 느끼기 시작하더니, 약 3, 4개월 전부터 잠이 잘 오지 않게 되었다. 신경과에서 수면유도제(미상)를 복용했지만 복약을 하면 잠을 잠깐 잤다가 다시 중간에 깨서 잠이 오지 않아 날을 새게 되었다. 이런 상황이 3개월 이상 지속되면서 너무 피곤하고 하루 종일 머리를 조이는 듯한 두통이 계속되어 삶의 질이 상당히 떨어지고 생활의 의욕도 없어지고 있다고 했다. 이에 한방치료를 위해 내원했다.

증상분석

환자의 증상은 잠에 들기 힘든 입면장애, 잠에 들더라도 지속되지 않는 수면지속장애 등 일반적인 불면증의 양상을 보이고 있었으며, 기타 야경증, 다몽증, 몽유, 하지불안증, 하지경련증 등의 수면관련 이상은 없었다. 기타 최근 건강검진에서 공복시 혈당이 150 정도로 조금 높은 편으로 나와서 주치의가 식이조절 및 운동을 권고했으며, 오래전부터 대변을 묽게, 하루에 2, 3회 본다고 했다. 이에 과로로 인한 담열형(痰熱型)의 불면증으로 판단하여 온담탕가미방(溫膽湯加味方[1])을 처방하고, 풍지(風池), 신문(神門), 내관(內關), 삼음교(三陰交)에 침구치료를 시행했다.

---

1) 半夏, 陳皮, 茯笭 各 6g, 黃芩, 竹茹, 枳實 各 4.5g, 代赭石 12g, 龍骨, 牡蠣 各 9g, 蒼朮, 酸棗仁 各 7.5g

치료경과

- 2019년 3월 23일: 환자는 복약 후 코를 골면서 잠을 잘 수 있게 되어 불면증과 두통에서 해방되었으나, 가끔 잠이 덜 오는 것 같아 조금 더 치료하기 위해 내원했다. 처방을 변경하지 않고, 1일 2회로 복용횟수를 감량했다.

후기 및 고찰

- 2019년 4월 20일: 환자는 최근 캄보디아에 여행을 다녀 왔으며, 타고 간 비행기가 캄보디아 공항에 하강할 때 양쪽의 귀가 아프면서 시작된 양쪽 귀의 통증, 귀 막힘, 청력저하 등으로 이비인후과에서 2주 동안 약물치료를 했지만 증상이 개선되지 않았으며, 이에 이비인후과 의사는 노환이라고 하면서 치료의 진행을 사양하여 한방치료를 하고자 내원했다. 이전의 불면증에 대해 물어보니 잠은 전혀 문제가 없이 쿨쿨 잘 잔다고 했다.

불면증은 만성화되면 상당히 쉽지 않은 질환이다.

서양의학적으로는 비벤조디아제핀계, 멜라토닌효현제, 벤조디아제핀계, 항우울제, 가바펜틴, 항전간제 등 여러 약물들이 사용되고 있으며, 한방치료는 이러한 서양의학적인 치료에도 반응이 없을 때 시작하게 되므로 치료의 부담감이 적지는 않다.

임상에서 비교적 안정적으로 사용할 수 있는 처방으로는 황연해독탕(黃連解毒湯), 황연아교탕(黃連阿膠湯), 주사안신환(朱砂安神丸), 귀비탕(歸脾湯), 가미귀비탕(加味歸脾湯), 안신정지환(安神定志丸), 산조인탕(酸棗仁湯), 온담탕(溫膽湯), 시호가용골모려탕(柴胡加龍骨牡蠣湯), 진간식풍탕(鎭肝息風湯), 건령탕(健瓴湯) 등이 있지만, 실제 임상에 들어가게 되면 처방선택이 쉽지는 않다.

성음(聲音)의 대소고저(大小高低), 두통의 여부(만약 있다면, 두통의 강약), 소화장애(痞結, 呑酸, 曖氣, 噫氣, 軟便, 便秘, 腹脹 등), 현재 복용하고 있는 신경과 약물 및 이전 약물에 대한 반응 여부를 참고하여 한열(寒熱)을 결정하면 오차를 줄일 수 있다.

처방의 활용시에 군신좌사(君臣佐使)로 구분하지 않고, 부드럽게 구성하는 것도 좋지만, 임상적으로 만족할 만한 효과를 보기는 어렵다. 군약(君藥)이 결정되면 과감하게 운용해야 소기의 성과를 얻을 수 있다. 예를 들어, 이명이 주증상인 불면증에는 용골(龍骨), 모려(牡蠣)를 강하게 사용하고, 고혈압, 고혈당, 고요산혈증 등의 양항(陽亢)의 불면증에는 대자석(代赭石), 삼황(三黃) 중의 적절한 일황(一黃)을 중용(重用)하고, 기타 비특이성 불면증에는 산조인(酸棗仁) 또는 백자인(柏子仁)을 중용(重用)하되, 편음편양(偏陰偏陽)에 따라 미세조정한다.

20여 년 전 시작된 극심한 두통과 불면증의 여사

- 45세, 여자
- 진료일: 2019년 3월 14일

환자는 활발한 성격의 중년여성으로, 특별한 이상 없이 잘 살고 있는 것처럼 보였으나 실제는 상당히 고질적인 질환을 갖고 있었다. 환자의 증상은 약 20여 년 전 시작된 두통으로 그 통증의 강도가 너무 강하여, 한 번 통증이 시작되어 초기에 진통제를 복용해도 통증이 제어가 되지 않으면, 반드시 응급실로 가야 하는 상황이었다. 이전에는 타이레놀(acetaminophen)에 약간의 반응이 있어서, 하루에 2, 3회 복용하면 어느 정도 참을 수 있을 정도였지만, 최근에는 통증발작의 간격이 점점 짧아져 응급실에 자주 가게 되어 한방치료를 위해 본원에 내원했다.

증상분석

환자의 두통은 날씨, 기온, 음식, 수면 등에 의해 유발되지 않고, 아무 이유도 없이 왼쪽 태양혈(太陽穴) 부근에서 쿡쿡 쑤시는 통증이 시작되어 머리 전체로 퍼지는 양상이었으며, 두통이 발생하기 전에 하품이 많이 나온다고 했다. 이전에는 속이 메슥거리는 오심도 있었지만, 현재는 오심은 없었다. 이 두통이 시작되면 어떤 때는 타이레놀을 복용하면 조금 안정되기도 했지만, 때로는 전혀 효과가 없어 대학병원의 응급실에서 치료를 해야만 두통이 안정되곤 했다. 이전에는 두통의 강도만 심하고 발작 간격은 길었으나, 최근에는 통증의 강도는 이전보다는 조금 약해졌지만 발작 간격이 짧아지고, 타이레놀의 효과가 저하되고 있었다. 이렇게 오래된 강력한 두통 외에 차멀미를 심하게 하여 차를 탄 상황에서는 문자메세지를 확인하기도 힘들었으며, 불면증으로 가끔 수면유도제(미상)를 복용하고 있었고(그러나 효과는 점점 떨어진다고 했다), 변비로 항상 각종 배변보조제(미상)를 섭취하고 있었다. 또한 수족냉증, 하지부종이 있었다. 하지의 부종과 통증, 하지의 근경련에 대해서는 외과에서 하지정맥류라고 하여 레이저시술을 받았지만, 수개월 후 증상은 동일하게 되었다.

이상을 정리하면, 담궐두통(痰厥頭痛)과 함께 하지불안증의 방광경비증(膀胱經痺症), 하지부종의 수종(水腫偏氣腫) 등으로 일견 반하천마백출산(半夏天麻白朮散)으로 보였지만, 환자의 혈압이 낮지 않고, 수족냉증 또한 이미 상당기간 지속되었으나, 손발의 색이 변하지 않았으며, 환자의 증상발생 시점이 상당히 젊은 연령에서 시작되었고, 자신의 본업을 활기차게 하는 것으로 보아, 편열(偏熱)의 온담탕가미방(溫膽湯加味方[1])으로 우선 대처하고, 그 이후의 반응에 따라 처방을 수정하기로 했다.

치료경과

- 2019년 3월 28일: 한약 복약 후 극심한 두통은 발생하지 않았으나, 약한 두통은 조금씩 있다고 했다. 또한 변비가 아직 심했다. 3월 14일의 처방에 망초(芒硝)를 6g 추가했다.
- 2019년 4월 11일: 어제 극심한 구토가 발생하여 대학병원 응급실에서 처치를 받은 후 개선되었다. 단 이전보다 두통의 발생간격이 길어지고 있었다.
- 2019년 4월 25일: 4월 10일 응급실에 다녀온 후 현재까지 두통이 발생하지 않았다. 또한 대변도 잘 나와서 매우 기뻐하면서 세 번째 문제를 얘기했다. 환자는 약 5, 6년 전부터 불면증이 시작되었으며, 불면증의 양상은 잠이 드는 것은 어느 정도 가능했지만, 잠을 약 2시간 동안 자게 되면 반드시 눈이 떠져서 그 후로는 다시 잠들기가 어려워서 때로는 밤을 꼬박 새기도 한다는 것이었다. 불면증에 대해 내과, 가정의학과 등에서 수면유도제를 복용했지만 효과는 적었으며, 때로는 기타 약물들(미상)과 함께 처방받아 복용한 적도 있었는데 잠을 푹 자는 것도 아니고 그 다

1) 半夏, 陳皮, 茯苓, 枳實, 竹茹, 黃芩, 生甘草 各 4.5g, 吳茱萸 7.5g, 釣鉤藤 15g(後下), 大黃 9g

음날까지 머리가 멍해서 복용을 중단했다고 했다. 4월 11일의 처방에 용골(龍骨), 모려(牡蠣), 산조인(酸棗仁)을 9g씩 추가했다.

- 2019년 6월 5일: 최근 두통이 발생하지는 않았으나 어제 약간의 통증이 있을 것 같아 타이레놀을 1회 복용했다. 스스로 느낄 수 있는 두통의 전조감이 느껴지기는 했지만 이전처럼 두통으로 진행하지는 않는다고 했다. 불면증은 아직 개선되지 않았으며, 지난 주에 신경과에서 처방받은 수면제(미상)를 복용했으나 잠이 오지 않고 아침에도 약기운으로 멍한 상태만 지속되었다. 4월 25일의 처방에서 용골(龍骨), 모려(牡蠣), 산조인(酸棗仁)을 모두 12g으로 증량했다.
- 2019년 6월 19일: 환자는 불면이 개선되어 잠을 잘 잘 수 있게 되어 너무 행복하다고 했다. 두통은 복약 2일 후에 약간 발생할 것 같은 느낌이 있어 타이레놀을 1알 복용한 적이 있으나 그 후 두통이 발생하지는 않았다. 처방을 변경하지 않았다.
- 2019년 7월 12일: 환자는 일단 두통도 없고, 잠도 너무 잘 자서 기분이 매우 좋다고 했다. 잠은 오후 10시가 되면 잠을 자서 중간에 깨지 않고 다음날 아침 6시 정도에 일어난다고 했다. 처방을 변경하지 않고 복용횟수를 감량했다.

후기 및 고찰

이 후 환자는 두통과 불면증이 일상생활에 지장을 주지 않을 정도로 개선되었으며, 재발할 경우 다시 내원하기로 했다. 환자는 30년된 좌측 하지의 부종도 치료하기를 원했다.

환자의 두통은 편두통 중에서도 담열형(痰熱型)에 해당되었으며, 비교적 치료가 순조롭게 진행되었고 치료기간 중 기타 이상이 나타나지 않았다.

돌발성 난청 후유증으로 귀가 막히고 잘 들리지 않으며 귀가 울리는 여사

- 56세, 여자
- 진료일: 2014년 9월 1일

환자는 이전부터 왼쪽 귀가 조금 좋지 않았는데, 약 2개월 전 갑자기 왼쪽 귀에서 웅웅거리는 소리가 나면서 모든 소리가 다 울리고 말소리도 잘 들리지 않고, 어지럽고 머리가 멍하고 쓰러질 것 같아서 대학병원 응급실에서 진료를 받았으며, 당시 입원을 할 정도의 이상은 발견되지 않아 돌발성 난청으로 진단받고는 지역 이비인후과의 진료를 받게 되었다. 지역 이비인후과 치료 후 쓰러질 것 같은 어지럼증과 극심했던 귀 울림은 어느 정도 개선되었으나, 시간이 갈수록 식욕이 너무 증가되어 다시 대학병원 이비인후과로 옮겼지만 귀가 막힌 것 같고 잘 들리지 않는 증상이 지속되어 본원에 내원하게 되었다.

증상분석

환자의 현재 증상은 왼쪽 귀가 비행기를 탄 것처럼 막힌 느낌이 있었으며, 귀가 잘 들리지 않았으나 청력검사를 하지 않아 청력의 저하는 확인할 수 없었다. 귀의 증상이 생긴 후부터 잠을 자고 싶은데 잘 잘 수가 없고, 깊은 잠을 자지 못하여 자꾸 깨곤 했으며, 꿈도 많아져서 꿈인지 현실인지 구분이 잘 안될 정도였고, 힘이 하나도 없었다. 현재 귀의 문제로 복용 중인 약물은 다이크로진정 25mg, 씨베리움캅셀 5mg 등이었으며, 이전부터 복용 중이던 약물은 없었다. 기타 대소변과 식사는 큰 문제가 없었다.

이에 외감(外感) 후의 담음(痰飮)으로 판단했으며, 이미 열담(熱痰)의 시기는 지났지만 여열미진(餘熱未盡)의 상황도 고려하지 않을 수 없었으므로 온담탕가미방(溫膽湯加味方[1])을 처방하고, 풍지(風池), 청궁(聽宮, 淺刺), 후계(後溪), 삼음교(三陰交)에 침구치료를 실시했다.

치료경과

- 2014년 9월 18일: 대학병원의 약물을 복용한 후부터 피로가 극심하여 3일 전에 약물을 중단하니 피로가 개선되기 시작했다. 왼쪽 귀의 막히는 느낌은 여전했지만 조금 더 잘 들리는 것 같다고 했다. 9월 1일의 처방에서 통규(通竅)의 마황(麻黃)을 6g으로 증량하고, 통규(通竅)의 효능을 강화하기 위하여 세신(細辛) 3g을 추가했다.

후기 및 고찰

이후 환자는 내원하지 않았다.

2015년 1월 9일 환자는 병원치료에도 호전되지 않는 방광염으로 내원했으며, 2014년 9월 치료 후 왼쪽 귀의 귀막힘, 귀울림, 잘 들리지 않는 등의 모든 증상이 소실되었다고 알려주었다.

돌발성난청은 갑작스러운 청력이상과 현훈이 주요 증상이며, 이 증례의 경우에는 전정와우신경(vestibulocochlear N. CN8)의 손상이 심각하지 않은 경우에 해당된다.

돌발성난청의 치료는 급성 열증기(熱證期)에는 표풍열(表風熱)이므로 갈근탕(葛根湯), 온담탕(溫膽湯), 대청룡탕(大青龍湯), 월비탕(越婢湯) 등에 삼황(三黃)을 중용한다. 침구치료로는 대추(大椎穴) 및 폐수(肺俞)를 사혈(瀉血)하고, 풍지(風池), 척택(尺澤), 삼음교(三陰交)에 자침(刺針)한다. 초기는 외감풍열(外感風熱)에 해당되지만, 스테로이드 내복 및 주사를 시행한 후 한방치료를 시작하는 경우에는 치료방법

1) 半夏, 陳皮, 甘草, 竹茹, 枳實 各 4.5g, 茯苓, 黃芩 各 9g, 蘿蔔子 12g, 麻黃 2.5g

이 달라질 수 있다. 이미 급성 염증기가 지난 경우에는 신경의 탈수초가 발생한 것으로 판단하고 보기보양(補氣補陽)의 처방을 사용한다. 그러나, 임상적으로는 염증이 있으면서 신경탈수초가 동시에 있는 경우도 있을 수 있기 때문에 여열미진(餘熱未盡)의 의미로 온담탕합보중익기탕(溫膽湯合補中益氣湯), 온담탕합보양환오탕(溫膽湯合補陽還五湯) 또는 속명탕(續命湯) 혹 소속명탕(小續命湯)의 의미로 대처할 수도 있다. 이미 상당기간이 지난 경우에는 보양환오탕(補陽還五湯), 반하천마백출산(半夏天麻白朮散), 우귀음(右歸飮) 등으로 신경재생을 유도한다.

어느 시기에 치료를 시작하느냐에 따라 처방을 달리해야 한다.

10 수년 동안 반복되는 어지럼증의 여사

- 72세, 여자
- 진료일: 2018년 4월 19일

환자는 3명의 손녀가 있는, 목소리가 조금 크고 강해 보이는 여사로 최근 자주 발생하는 어지럼증으로 내원하였다. 환자의 어지럼증은 수년 전 시작되었는데, 어느 날 아침에 일어나니 세상이 돌아가는 것 같은 극심한 어지럼증이 발생하여 즉시 대학병원 응급실로 갔으며 이석증에 의한 어지럼증이라고 진단되었다. 그 후 어지럼증이 완전히 없어지지는 않았지만 일상생활 중에 가끔 핑도는 느낌이 있는 정도로 잘 지내고 있었는데, 최근 1년 전부터 어지럼증이 자주 발생하기 시작했지만 처음과 같은 정도의 강한 어지럼증은 아니었다. 그러나 시간이 지나면서 그 강도가 강해지고 자주 발생했으며 급기야 2개월 전에는 일어나기가 힘들 정도가 되어 다시 대학병원 이비인후과에서 검사를 받았는데, 이석증이 아닌 것 같은데 잘 모르겠다고 하면서 혈액순환개선제(Gingkomin Cap. 80mg)를 처방해주었다. 하지만 복약 후에도 어지럼증이 없어지지 않고 지속되어 집 근처 신경과의 진료 및 약물치료를 받고 있는데, 매번 진료받을 때마다 의사가 뇌경색에 대해 언급을 하여 크게 걱정하고 있었다. 2일 전에는 일어날 수 없을 정도의 어지럼증이 발생하여 일단 하루 정도 휴식을 한 후 본원에 내원했다.

증상분석

환자의 어지럼증은 2일 전 급성적으로 강하게 발생했을 때는 누워서 눈을 뜨기도 힘들고, 고개를 돌리기도 힘든 상황이었으나, 현재는 자세를 바꾸거나 또는 가만히 있어도 핑핑 돌아가려고 하는 정도였다. 머리를 천천히 돌리면 문제가 없었으나 갑자기 돌리면 어지러울 것 같아 잘 움직이지 않았다. 기타 어지럼증이 시작되면서 이명증이 생겼는데, 조용한 곳에서 삐하는 소리가 난다고 했다. 대소변 및 수면, 식사 등은 문제가 없었으며, 수년 전부터 고혈압으로 혈압약을 복용하고 있었다.

이에 담궐두통(痰厥頭痛)의 반하천마백출산가미방(半夏天麻白朮散加味方[1])을 처방하고 풍지(風池), 완골(完骨), 합곡(合谷), 족삼리(足三里) 등에 침구치료를 했다.

치료경과

- 2018년 10월 1일: 지난 번 내원 전 발생한 극심한 어지럼증은 어느 정도 안정되었으나, 현재의 상황은 급성 발작 전의 상태와 같았다. 9월 20일의 처방에서 천마(天麻)와 황기(黃耆)를 12g으로 증량했다.
- 2018년 10월 22일: 어지럼증이 조금은 개선되었으나 아직 크게 개선되지는 않았다. 10월 1일의 처방에서 천마(天麻), 황기(黃耆)를 15g으로 증량하고, 조구등(鉤鉤藤), 모려(牡蠣)를 각 6g씩 추가했다.
- 2018년 11월 14일: 어지럼증이 모두 소실되었으며, 이명도 거의 들리지 않게 되었다.

후기 및 고찰

환자는 2019년 설 전날 감사의 표시를 하러 내원했으며, 어지럼증과 이명은 재발하지 않았다.

어지럼증이 뇌혈관질환의 전조증상에 해당되는 증상인지 아니면 전정기관의 이상인지에 대한 확실한 감별은 쉽지 않다. 단, 어지럼증과 더불어 구음장애, 안면근육의 이상, 연하이상 등의 뇌간증상이 동반된 경우에는 일과성 허혈(TIA)로 볼 수도

1)黃芪 6g, 半夏, 白朮, 茯笭, 蒼朮, 澤瀉, 陳皮, 神曲, 麥芽, 乾薑, 黃柏, 天雄, 當歸, 甘草 各 3g, 天麻 9g, 釣鉤藤 7.5g, 丹蔘 7.5g, 川芎 6g

있지만, 단순히 어지럼증만으로 뇌혈관증상을 확신하기는 어렵다.

이 환자는 초기의 발병 양상은 전형적인 급성 이석증(양성체위성현훈, benign paroxysmal positional vertigo)의 양상을 보였으며 만성적인의 경과를 거치던 중 일시적으로 악화된 상황에 처해 있었다. 이미 몇 년 동안 동일한 과정이 반복되고 있었기 때문에 갑자기 증상이 심해졌으나 침착하게 안정을 취한 후 한방치료를 통해 증상이 개선되었다.

어지럼증의 원인은 무수하게 많지만 임상에서 흔하게 볼 수 있는 어지럼증은 이석증이 가장 흔하며, 메니에르와 유사한 점이 적지 않다. 전정신경염의 경우는 특징적으로 취침 중 급성적이며 응급실로 달려가야 하는, 참을 수 없는 극렬한 양상으로 나타난다. 이 때 격렬한 구토를 동반할 수 있으므로 지주막하출혈(SAH)의 초기증상과 구분이 필요한데, 이석증의 문제라면 지속적인 대화가 가능하며, 지주막하출혈의 경우에는 환자의 의식 및 반사는 순식간에 소실된다.

이석증의 초기는 일본한방에서 말하는 수역(水逆) 즉 오령산증(五苓散證)에 부합되며, 침상에서 조금도 움직이지 않는 절대적인 안정 하에 어지럼증은 빠르게 안정된다. 물론 서양의학의 진경제(鎭痙劑)를 통해서도 급성기 증상은 대체적으로 개선된다. 하지만 이러한 급성 발작이 반복되면 신경계에 영향을 미치게 되고(전정신경계 및 신경호르몬계통) 만성화된다. 만성적인 어지럼증의 발작은 온도, 정서변화, 수면, 운동 등의 모든 상황에 영향을 받을 수 있으며, 때로는 이런 내외적인 스트레스 요인이 관여되지 않은 상황에서도 발생하는 고질적인 경과를 보이기도 한다.

이 때 한열(寒熱)에 따라 온담탕(溫膽湯), 천마구등음(天麻鉤藤飮, 雜病證治新醫), 담궐두통(痰厥頭痛)의 반하천마백출산(半夏天麻白朮散, 東垣十書), 보양환오탕가미방(補陽還五湯加味方) 등을 기본처방으로 하여 가미(加味)한다. 조구등(釣鉤藤)은 후하(後下)하는 것이 좋으나 대량을 사용할 경우에는 후하(後下)하지 않아도 유효하다.

11 수십 년 전 시작되어 최근 심해진 양쪽 귀의 이명증

- 72세, 여자
- 진료일: 2018년 4월 19일

환자는 약 20년 전 중국에서 귀화한 매우 건강한 노부인으로, 일상생활은 물론이고 아직도 식당 일을 할 수 있을 정도로 체력을 유지하고 있었다. 최근에 요통 때문에 가끔 내원하여 침구치료를 받곤 했는데, 오늘은 수심에 찬 얼굴로 진료를 원했다. 이에 사정을 들어보니 이 부인은 젊어서 어느 날 갑자기 양쪽 귀에서 매미우는 소리가 시작되어 중국에서 서의(西醫), 중의(中醫)에게 각종 치료를 받았지만 호전되지 않았으며, 시간이 지나면서 그 소리에 적응되었다고 했다. 그런데 최근 수개월 동안 이명이 조금씩 커져서 일상생활에 상당한 고통이 있다고 했다. 그래서 이비인후과에서 검사를 받고 약물(미상)을 복용했으나 개선되지 않았다.

증상분석

환자의 이명은 왱왱하는 매미소리와 비슷했지만 이전보다 훨씬 소리가 커지고 하루 종일 지속되었으며, 잠을 자는 동안은 모르지만 눈만 뜨면 다시 커다란 이명이 시작되어 정신이 하나도 없다고 했다. 최근 이비인후과에서 시행한 청력검사에서는 문제가 없었으나 스스로 생각하기에 왼쪽의 청력이 약간 약한 것 같은데 이것은 오래 전부터 있었던 것으로 최근에 이명이 커진 것과는 관련이 없다고 했다. 이에 완전한 치료는 어려울 것 같다고 하니, 이전처럼만 되어도 괜찮다고 하여 치료를 시작했다.

현재 종양, 뇌신경손상, 뇌혈관이상, 비이관(鼻耳管, eustachian tube)의 폐색, 외감표증(外感表證) 등이 없었으므로, 단순 담열(痰熱)로 인한 이명으로 판단하여 온담탕가미방(溫膽湯加味方[1])을 처방하고, 풍지(風池), 청궁(聽宮), 합곡(合谷), 삼음교(三陰交) 등에 침구치료를 시행했다.

치료경과

- 2018년 5월 8일: 복약 후 이명이 절반 정도로 감소했다. 환자는 이명이 완전하게 없어지기는 바라지 않지만 이전과 같은 정도로만 되게 해 달라고 호소했다. 4월 19일의 처방에서 모려(牡蠣)를 12g으로 증량했다.
- 2018년 5월 23일: 환자의 이명이 상당히 개선되어 신경쓰이지 않을 정도가 되었으나 완전히 없어지지는 않았다. 그래도 환자는 크게 만족했다.

후기 및 고찰

이후 환자의 이명은 다시 커지지 않고 있다.

이명은 크게 박동성과 비박동성 이명으로 분류된다. 박동성 이명은 귀 주위에서 기원하는 기계적인 소리를 느끼는 것으로, 혈관장애, 근육경련, 이관운동장애 등에 의해 발생하며 객관적인 이명일 경우가 많다. 비박동성 이명은 주관적인 이명이 흔하며, 이명 환자의 대부분을 차지한다. 이명은 발생위치에 따라 고막성, 달팽이관성, 중추성 이명으로 분류된다[2]. 이명의 양상에 따라 계속적 또는 간헐적인 경우와 편측성 또는 양측성인 경우 그리고 고음성 또는 저음성 등으로 구분된다.

청력장애를 일으킬 수 있는 모든 질환은 이명을 유발할 수 있다.

임상적으로 많은 증상은 귀막힘과 동반된 이명(연하 시, 발성 시 음향이 귀에 머무는 것 같은 낮은 이명)과 이명발생 후 변화가 없이 장기간 지속되는 이명(시끄러

---

1) 半夏, 陳皮, 茯苓, 黃芩, 竹茹, 枳實, 甘草 各 4.5g, 葛根, 麥門冬, 龍骨, 牡蠣 各 9g, 大棗 3枚
2) 대한신경과학회, 신경학, pp319, 범문에듀케이션, 한국, 2012

운 곳에서는 들리지 않으나 저녁, 조용한 장소에서 들리는 낮은 이명)으로 전자는 이관의 염증, 유착, 폐색 등의 담열(痰熱)에 해당되어 온담탕(溫膽湯)을 사용하고, 후자는 달팽이관의 순환장애로 담음겸기허(痰飮兼氣虛)에 속하며, 온담탕(溫膽湯) 또는 보양환오탕(補陽還五湯), 익기총명탕(益氣聰明湯)을 사용한다. 필요시에는 갈근(葛根), 맥문동(麥門冬), 나복자(蘿蔔子), 모려(牡蠣), 창이자(蒼耳子) 등을 가미하고 풍지(風池), 청궁(聽宮), 합곡(合谷), 삼음교(三陰交) 등을 상용한다. 청회(聽會)의 심자(深刺)는 되도록이면 피하는 것이 좋다.

기타 박동성 이명은 혈관병변을 의미하며 머리 안쪽에서 느껴지는 떨림성 이명은 종종 동정맥기형, 경동맥협착과 연관되어 나타날 수도 있다.[1)]

이명증은 감염, 약물, 외상, 환경, 종양, 치료, 정신신경 등 원인이 너무 다양하기 때문에 하나의 처방으로 대처하기가 어렵지만, 확실한 청력저하가 동반된다면 청신경손상을 강하에 시사한다.

기타 원인에 의한 이명증은 이후의 증례를 통해 췌술하겠다.

---

1) Kenneth W. Lindsay, Ian Bome, 임상신경학, pp232-234, E.Public, 한국, 2006

12 수십 년 전 시작된 하지불안증

- 43세, 여자
- 진료일: 2017년 11월 24일

환자는 매우 건강하고 유쾌한 중년 여성이었으며 특별한 질환이 있었던 적도 없고 즐겁게 살고 있는 가정주부였다. 그러나 단 한 가지 평생토록 풀리지 않는 증상이 있었는데 그것은 어려서부터 시작된 근육경련으로, 어려서는 다리가 저리고 뭉치는 정도였지만 시간이 지나면서 점점 증상이 심해지고 있었으며 현재는 발가락이 뒤틀어질 정도로 증상이 심해지고 있어 신경과의 치료를 받았지만 개선되지 않아 지인의 소개로 본원에 내원했다.

증상분석

환자의 근육 경련은 다리와 팔에 수시로 나타났으며, 사계절 내내 발생했고 약간의 힘을 주거나, 조금 피곤하거나 혹은 아무런 원인이 없이도, 취침 또는 깨어 있을 때 등 어떠한 조건, 환경, 계절에서도 나타났으며, 최근에는 가만히 있다가도 발가락의 근육에서 경련이 발생하면서 뒤틀어질 정도라고 하였다. 하지의 근육경련은 종아리의 앞, 뒤, 대퇴 등 부위를 가리지 않았으며, 상지의 경련 또한 손가락, 팔뚝, 상완부의 전후면을 막론하고 언제 어느 부위에서 경련 또는 떨림이 발생할지 몰라 항상 힘들어하고 있었다. 경련의 지속시간은 이전에는 수 초 정도 지속되고 근육을 마사지를 하면 빠르게 개선되었으나, 최근에는 상당한 시간이 지나야만 근경련이 풀어진다고 했다. 기타 특수질환이나 증상은 없었다. 이에 기체혈어(氣滯血瘀)의 보양환오탕가미방(補陽還五湯加味方[1])을 처방하고 풍지(風池), 합곡(合谷)에는 침구치료를, 수삼리(手三里), 외관(外關), 족삼리(足三里), 승근(承筋), 승산(承山), 태충(太衝) 등에는 온침(溫鍼)을 실시했다.

치료경과

- 2017년 12월 8일: 환자의 상하지의 근육경련과 통증은 여전했다. 이에 11월 24일의 처방에서 황기(天雄)를 27g, 천웅(天雄)을 9g, 적작(赤芍)을 15g, 인삼(人蔘)을 6g으로 증량하고 침구치료는 동일하게 시행했다.
- 2018년 1월 15일: 양쪽 다리 앞쪽의 근육통과 경련은 상당히 개선되었으나, 어제는 종아리 뒤쪽에 근경련이 있었다. 하지만 최근에는 발가락과 손의 경련은 없었다. 12월 8일의 처방에서 단삼(丹蔘)을 15g으로 증량했다.
- 2018년 2월 5일: 최근까지 양쪽다리, 손의 근육경련이 없어 매우 기뻐했다. 1월 15일의 처방을 변경하지 않고, 복용횟수를 1일 2회로 감량했다. 하지만 환자는 이미 천천히 복용하고 있었다.

후기 및 고찰

환자는 이후 근육경련이 재발하지 않고 있다. 3개월이 지난 2018년 5월 1일에 운동 중 발생한 좌측 발목관절의 염좌로 내원했으며, 그 후에도 지속적으로 주위의 환자들을 소개하고 있다.

하지불안증은 한의학적으로는 비증(痺證)에 해당된다. 본태성과 속발성으로 발생할 수 있으며, 본태성에서는 철분, 도파민 등의 영향으로 발생한다고 추측되고 있으며, 속발성은 여러 가지 원인에 의한 신경, 혈관질환과의 연관성을 생각할 수 있다. 치료를 시작하기 전에 신경계 약물의 복용여부, 정신신경질환(증상 발생 전 긴장,

---

1) 黃耆 24g, 川芎, 赤芍, 丹蔘, 銀杏葉, 黃芩, 甘草, 人蔘 各 4.5g, 天雄, 肉桂 各 7.5g, 蒼朮 6g, 大棗 3枚

초조, 불면 등의 이상이 선행한다), 다발성말초신경병변(대칭성 감각, 운동, 자율신경 이상; 건반사 감약, 근전도에서 운동, 감각신경전도 저하; 영양장애, 감염, 중독, 약물 등과 관련이 있을 수 있다)을 감별해야 한다. 기본적인 질환설명은 신경학 또는 졸저 《한방임상이야기 제3권》의 증례를 참조하기 바란다.

한의학적인 치료는, 본태성에서는 보양환오탕(補陽還五湯), 귀기건중탕(歸耆健中湯), 십전대보탕(十全大補湯), 견비탕(蠲痺湯) 등을 활용하며, 작약감초탕(芍藥甘草湯)의 의미를 추가하고, 단삼(丹蔘), 삼칠근(三七根) 등으로 활혈화어(活血化瘀)를 강화하고, 해당 경락의 인근 혈위(穴位)에 온침(溫鍼)을 시행하는데, 만약 환지(患肢)의 온도가 하강 또는 상승되어 있거나, 피부색이 변화되어 있는 등 혈관성 원인이 의심될 경우에는 침구치료에서는 환부의 직접적인 자침(刺針)을 피하고, 원위취혈(遠位取穴)을 하는 것이 안전하며, 이 때의 처방은 한열(寒熱)을 구분하여 청열활혈(淸熱活血) 또는 보기보양활혈(補氣補陽活血)을 선택한다.

13 안검연축 및 눈을 뜰 수가 없는 극심한 피로의 노인

- 74세, 남자
- 진료일: 2017년 1월 2일

환자는 사업을 경영하다가 은퇴한 비교적 건강한 노인으로, 극심한 피로와 눈이 잘 떠지지 않는 안검하수로 내원했다. 환자의 증상은 최근에 심해졌지만 병력은 상당히 오래 되었다. 2000년 수면무호흡증이 심하여 외과에서 수술(uvulopalatopharyngoplasty, UPPP)을 했는데, 수술 수개월 후 어느 날부터 눈이 잘 떠지지 않게 되어 대형병원 등에서 진료를 받았으나 수술일정이 여의치 않아 일본의 교토대학에서 수술(myectomy로 추정된다)을 받고서는 그런대로 잘 지내고 있었다. 그런데 최근 수년 전부터 눈 주위가 떨리면서 천천히 눈을 뜨기가 힘들어지더니 현재는 일상생활에 큰 지장을 주고 있었으며, 특히 왼쪽 눈꺼풀이 더 심했다. 이 밖에 조금만 움직여도 나타나는 극심한 피로를 호소했다. 이에 신경학적 검사를 위해 대학병원에 의뢰했다.

당시의 증상은 아래의 동영상과 같다.

그 후 환자는 내원하지 않았다.

2차 진료

- 2018년 12월 26일: 환자는 그 동안 여러 대학병원, 대형병원에서 각종 진료 및 치료(약물미상, 보톡스 국소주사 등)를 받았으며, 특수한 신경학적 진단은 나오지 않았다. 그러나 각종 치료에도 증상은 개선되지 않았으며, 보톡스 치료 후 더 힘들었다고 했다. 이에 다시 본원에 내원했다.

환자는 이전과 동일한 양쪽 안검경련 및 눈뜨기 힘듦과 전신의 극심한 피로를 호소하고 있었다. 기타 고혈압 및 좌측 안구의 황반변성으로 4-6주 간격으로 루센티스(Lusentis Inj., Ranibijumab) 치료를 받고 있었으며, 안구건조증이 있었다. 이에 중기하함겸신양허(中氣下陷兼腎陽虛)의 보중익기탕가미방(補中益氣湯加味方[1])을 처방하고 침구치료는 생략했다.

치료경과

- 2019년 1월 15일: 안검연축 및 안검하수가 여전했으며, 어떤 때는 눈을 떠야 할 때 잘 안 떠질 때도 있고, 운전하다가도 뜨기가 힘들 때가 있으며, 추운 곳에 나오면 잘 안 떠지고, 아침에는 오후보다 잘 안 떠졌다. 전날 운동을 조금 과하게 하면 다음날 아침에는 양측 안검이 완전히 하수되곤 했다. 12월 26일의 처방에서 황기(黃耆)를 30g, 천웅(天雄)을 9g으로 증량하고, 건강(乾薑) 2g을 추가했다.
- 2019년 1월 31일: 양측 안검하수 및 경련은 몸의 컨디션 및 점안약의 사용에 따라 달라지지만, 최근에 조금은 느낌이 다르다고 했다. 즉 옆으로 누워서 위를 보면 볼 수가 없었는데, 약 1주일 전 갑자기 눈이 따끔거린 후 보이게 되었다. 지난번 한약 복용 중에 머리가 약간 띵한 느낌이 있었다. 1월 15일의 처방에서 황기를 36g으로 증량했다.

---

1) 黃耆 21g, 丹蔘, 陳皮, 柴胡, 升麻, 甘草, 人蔘 各 4.5g, 當歸 3g, 天雄, 肉桂 各 6g, 黃芩 4.5g

- 2019년 2월 18일: 양측 상안검의 경련이 상당히 개선되어 눈을 뜨기가 편해졌으며, 점안액의 사용도 이전에 비해 1/2로 줄어들었다. 처방을 변경하지 않았다.
- 2019년 3월 7일: 양측 상안검의 연축이 이전에 비해 눈에 띄게 개선되었다. 처방을 고수했다.
- 2019년 3월 23일: 양측 안검연축이 안정된 상태를 유지하고 있었다.
- 2019년 4월 22일: 환자의 안검연축은 골프를 친 후 피곤하거나, 사우나를 장시간 하면 약간 악화되었지만 휴식 후 이전처럼 안정되었다. 이에 처방을 변경하지 않고 복용횟수를 1일 2회로 하여 천천히 치료를 종료했다.

후기 및 고찰

이후 환자는 2년이 지난 2021년 5월 10일, 지난 겨울에 악력기를 많이 사용한 후 발생한 우측 중지 본절의 건초염으로 내원했으며, 이전의 안검연축은 크게 신경쓰지 않을 정도로 안정되어 있었다.

14 참기 힘든 눈꺼풀 떨림

- 44세, 여자
- 진료일: 2018년 1월 27일

환자는 조용하고 단아한 중년부인으로 평소에 이런저런 증상으로 내원하곤 했다. 그런데 금일 내원한 이유는 조금 달랐다.

환자는 몇 주일 전부터 오른쪽 눈 밑이 떨려서 마그네슘을 복용했으나 증상이 개선되지는 않았으며, 지난 주까지는 오전에만 떨리고 낮에는 없어졌었는데, 며칠 전부터 하루 종일 떨리게 되었다. 이에 신경과에서 마그네슘주사를 맞았는데도 떨림이 멈추지 않고 급기야 오늘 오전에는 그 증상이 너무 심하여 본원에 내원하게 되었다.

증상분석

환자의 눈꺼풀 떨림은 1초도 쉬지 않고 지속되고 있었으며, 취침 중에도 떨리는 것이 느껴져 몇 차례나 깨기도 했다. 그러나, 안면의 기타 부위에서는 경련이 없었으며, 처음부터 눈꺼풀만 떨렸고, 다른 부위로 진행이 되거나 청력, 평형 등에 어떠한 이상도 보이지 않았다. 최근 피로감을 느꼈던 것 외에는 특이할 만한 사항도 없었다.

이에 담열(痰熱)의 포륜진도(胞輪震跳)로 판단하여 온담탕가미방(溫膽湯加味方[1])을 처방하고, 풍지(風池), 청궁(聽宮), 사죽공(絲竹空), 합곡(合谷) 등에 침구치료를 시행했다.

1) 半夏, 陳皮, 黃芩, 茯苓, 竹茹, 枳實, 甘草 各 4.5g, 白殭蠶 12g

치료경과

- 2018년 2월 3일: 오른쪽 눈꺼풀 떨림이 조금은 개선되어 아침에는 떨리지만 오후에는 떨림이 없어진다고 했다. 그러나 고등학생 아이가 돌아오는 12시 정도에는 이전처럼 심하다고 했다. 이에 1월 27일의 처방에서 황금(黃芩)을 12g으로 증량했다.
- 2018년 2월 13일: 눈떨림이 개선되어 아침 기상 직후에는 떨리지만 오전 10시 정도가 지나면서는 없어져 낮에는 떨리지 않지만, 가끔은 1, 2회 정도 약하게 떨리기도 했다. 아직 취침 중에는 1, 2회 떨림을 느낄 수 있었다. 처방을 변경하지 않았다.
- 2018년 2월 22일: 눈꺼풀 떨림이 모두 소실되었다.

고찰

눈떨림, 안면의 떨림을 유발할 수 있는 질환은 상당히 다양하다.

피로, 음주, 수면부족, 밤샘작업, 정서변화, 고민, 불안 등에 의해 나타나는 일반적인 눈떨림이 대부분이다. 즉 각종 원인에 의한 뇌신경호르몬의 이상변화와 관련이 있는 것으로 신경과에서 마그네슘으로 안정시키는 경우에 해당된다.

안구건조증, 속눈썹의 이상(속눈썹이 눈을 계속 자극하여), 결막염 등에서도 눈꺼풀 떨림이 발생할 수 있는데 이때는 국소적인 감각신경자극이 안면신경을 자극하여 발생하게 되는 반사성 안검경련에 해당된다.

이 외에 뇌간의 경색, 다발성 경화증, 종양, 혈관압박(PCA) 등에 의해서도 안검경련, 안면경련이 발생할 수 있으며, 안면신경마비를 유발할 수 있는 각종 질환 후유증으로도 경련이 발생할 수 있다.

한의학적으로는 정서성은 담열(痰熱)의 온담탕(溫膽湯), 간양상항(肝陽上亢)의 시호가용모탕(柴胡加龍牡湯), 건령탕(建瓴湯), 진간식풍탕(鎭肝熄風湯) 등을 사용할 수 있으며, 종양, 혈관종에는 도홍사물탕(桃紅四物湯), 황연해독탕가미방(黃連解毒湯加味方) 등을 사용한다. 안면신경마비 후유증에는 반하천마백출산(半夏天麻白朮散), 보양환오탕(補陽還五湯), 계지인삼탕(桂枝人蔘湯), 사역탕(四逆湯), 귀기건중탕(歸耆健中湯) 등의 보기보양(補氣補陽)의 처방을 사용하고 삼충(三蟲), 인삼(人蔘)을 가미한다.

후소뇌혈관(posterior cerebellar artery, PCA)의 안면신경자극으로 인한 안면, 안검경련은 비록 수술(microvascular decompression, MVD)의 결과는 매우 좋지만, 만약 수술 후 안면마비, 청력저하 등의 신경손상이 보인다면 즉시 보기활혈(補氣活血), 보양(補陽)의 치료법으로 신경을 보호, 재생시켜야 한다.

15 잠을 잔 후 발생한 우측 비골신경마비

- 42세, 여자
- 진료일: 2018년 8월 10일

환자는 2016년 12월 뇌출혈 후 좌측의 편마비가 발생하여 열심히 재활치료를 받고 있던 주부였다. 그런데 약 10여 일 전, 7월 29일 아침 자고 일어난 후 오른쪽 발목이 움직이지 않게 되었다. 환자는 즉시 대학병원 신경외과의 진료 후 스테로이드(소론도 1일 3T)를 1주일 이상 복용했으나, 증상은 전혀 개선되지 않고 얼굴이 붓기 시작하여 본원에 내원했다.

증상분석

환자의 증상은 발목이 거상되지 않았으며, 손상부위보다 상위에서의 이상은 없었다. 즉, 전형적인 압박에 의한 허혈성 비골신경마비(peroneal N. palsy)로 판단하여 귀기건중탕가미방(歸耆健中湯加味方[1])을 처방하고, 태충(太衝) 지오회(地五會), 양릉천(陽陵泉) 등에 온침(溫鍼)을 시행했다.

1) 黃耆 18g, 乾薑, 天雄, 肉桂 各 6g 赤芍 4.5g, 人蔘 6g, 甘草 3g

치료경과

- 2018년 8월 28일: 발병 약 1개월이 지났으나, 오른발의 굴곡은 전혀 개선되지 않았다. 그러나, 3일 전부터 오른쪽 발가락에 약간 힘이 들어가는 느낌은 있다고 했다.
- 2018년 9월 6일: 8월 29일부터 발목이 들어 올려지기 시작하여 현재는 완전하게 동작이 개선되었다.

후기 및 고찰

이후 환자의 우측 발목 마비는 완전히 회복되었다.

신경손상의 회복은 신경손상의 정도, 손상 후 치료의 시작까지 경과된 시간 및 치료방법으로 결정된다. 가장 간단하게 구분된 것은 1944년 Seddon의 이론으로, 신경손상의 유형을 Neuropraxoa, Axonotmesis, Neurotmesis 등 3가지로 구분하여 설명하고 있으며 대부분 이에서 벗어나지 않는다.

이 증례의 경우는 가장 가벼운 말초신경손상이며, 대부분 3주 이내에 회복이 시작되는 유형으로 볼 수 있다. 그러나, 아무리 약한 신경손상도 때로는 상당한 곤란에 처할 수 있으므로 철저한 치료가 필요하다. 자연치유만을 기다리다가는 기회를 놓칠 수도 있다.

신경손상의 대처는 일반적인 외상의 대처와 유사하다. 초기 염증기에는 청열해독(清熱解毒), 이수삼담(利水滲淡), 활혈화어(活血化瘀)의 처방을 사용하며, 염증기가 지나 손상 부위의 노폐물들이 흡수되었음에도 불구하고 신경손상이 회복되기 시작하지 않으면 보기보양(補氣補陽), 활혈화어(活血化瘀)의 방법으로 직접적인 신경의 성장유도, 신경손상 상하부위의 노폐물 제거, 신경손상 주변부위 혈관성장 및 혈액공급량 증가를 통한 신경재생을 도모해야 한다. 신경손상 발생 직후 이미 스테로이드를 복용했었던 경우라면 직접 보기보양(補氣補陽), 활혈화어(活血化瘀)의 치료법을 사용하는데, 스테로이드는 신경손상 당시의 부종과 출혈, 염증을 억제하여 염증기전에 의한 2차적인 신경손상을 억제할 수 있지만, 반대로 신경의 자연적인 회복을 지연시킬 수도 있으므로 한방처방 시에는 스테로이드 복용 여부를 반드시 문진하며 또한 스테로이드 유발 간염 및 장기간 다량 복용 시 발생할 수 있는 각종 증상을 치료 전에 확인하는 것이 안전하다.

16 팔꿈치터널증후군으로 인한 척골신경손상의 여사

- 60세, 여자
- 진료일: 2017년 2월 8일

환자는 식당에서 일을 하는 건강한 노부인으로, 직업상 손을 많이 사용하면서 우측 팔꿈치의 안쪽에 통증이 발생했다. 가끔 정형외과에서 물리치료, 통증부위의 주사도 맞고 한의원에서 침구치료도 했으나 최근에는 통증이 너무 심해졌으며, 특히 손가락의 힘이 빠져 젓가락질이 안되어 정형외과에서 CT검사 후 수술을 권고받았다. 그러나 수술 후에도 손가락의 근력과 동작이상은 회복되지 않을 수도 있다는 의사의 말에 지인의 소개로 내원하게 되었다.

증상분석

환자는 우측 소해혈(小海穴) 부위의 통증, 우측 4, 5지의 저림과 통증 및 탈력(식사 시 젓가락을 놓치게 됨), 손가락사이근육(intrinsic muscles)의 위축 등 전형적인 팔꿈치터널증후군(cubital tunnel syndrome)으로 인한 척골신경 포착(ulnar N. entrapment) 증상을 보이고 있었다. 외상 등의 급성적인 경우라면 우선적으로 수술을 하고 한방치료를 하는 것이 더 좋지만, 이미 상당기간 동안 진행되었고, 환자 본인도 수술을 원하지는 않았다. 이에 심경비증(心經痺證)으로 판단하여 보기활혈겸보양(補氣活血兼補陽)의 귀기건중탕가미방(歸耆健中湯加味方[1])을 처방하고, 풍지

1) 黃耆 18g, 肉桂, 赤芍, 天雄 各 7.5g, 黃芩 18g, 乾薑, 蒼朮, 甘草 各 4.5g, 當歸 3g; 人蔘粉 4g*3回 沖服

(風池), 소해(小海; 척골신경을 피해서 자침한다), 신문(神門), 후계(後溪) 등에 온침(溫鍼)을 실시했다.

치료경과

- 2017년 2월 23일: 오른쪽 4, 5번째 손가락의 저림, 통증, 근력약화는 여전했으나 다섯 번째 손가락이 펴지기 시작했다. 2월 8일의 처방에서 황기(黃耆)를 30g으로 증량하고 천웅(天雄)을 9g으로 증량했다.
- 2017년 3월 31일: 오른 손가락의 통증이 상당히 개선되어 5번째 손가락에 미세한 통증만이 남아있었다. 오른쪽 새끼손가락의 동작은 이전처럼 완전하게 되었다. 하지만 내재근의 위축은 회복되지 않았다. 그래도 이전에 젓가락질이 안되어 오른 손으로 밥도 못 먹고 화장, 양치질도 못했던 것에 비하면 이제는 살만하다고 했다. 이에 2월 23일의 처방에서 황기(黃耆)를 36g, 육계(肉桂)를 12g으로 증량하고 수삼리(手三里), 외관(外關), 합곡(合谷), 중저(中渚)의 온침(溫鍼)을 추가했다.

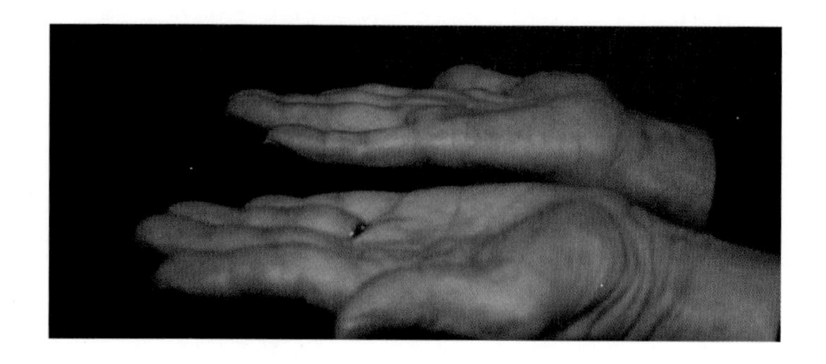

후기 및 고찰

이후 환자는 가끔씩 침구치료를 받기 위해 내원하였으며, 내재근의 위축을 회복시키기 위해 약물치료를 지속할 것을 권고했으나 열심히 복약하지는 않았다. 그 후 1년이 지나 불면증으로 내원했는데, 위축되었던 내재근이 상당히 복원되어 있었다.

팔꿈치터널증후군(cubital tunnel)은 외상, 과도한 사용 등 여러 원인에 의하여 발생한 염증이 국소적인 통증을 유발하거나 척골신경을 자극 또는 손상시켜 척골신경 주행부의 통증 및 신경손상이 발생하게 된다. 즉 물건을 잡는 힘이 떨어지고, 병뚜껑을 따거나 컴퓨터작업이 힘들어지는 등의 증상이 나타난다.[1),2)]

위의 증례는 만성적인 염증에 의해 팔꿈치터널이 협착되고, 그에 따라 척골신경(자신경, ulnar nerve)이 손상되었으며, 이미 내재근의 소실도 진행되었으므로 수술적인 방법으로 신경포착을 해결하려고 해도 손저림, 4, 5지 갈퀴손(clawing) 등의 개선여부는 확실하지 않다.

이 증례의 경우, 한의학적으로는 기허겸양허겸어혈겸수종(氣虛兼陽虛兼瘀血兼水腫)에 해당되며 치법(治法)으로는 보기보양(補氣補陽), 활혈화어(活血化瘀), 청열해독(淸熱解毒), 이수소종(利水消腫)의 방법을 혼합하여 치료하게 된다. 초기 국소 부종과 통증이 심할 경우에는 직접 척골신경이 압박되고 있는 부위의 아시혈(阿是穴)을 사혈(瀉血)할 수도 있지만, 척골신경은 이 부위에서 매우 얕게 흐르기 때문에 원

1) 대한신경손상학회, 신경손상학, pp732-733, 군자출판사, 한국, 2014
2) 김강련 등 역, 무어임상해부학, p770, 바이오사이언스, 한국, 2013

위혈(原位穴, 心小臟三焦)을 사혈하는 것이 안전하다.

신경증상이 없이 국소적인 종통(腫痛)만 있다면 일반적인 관절염 치료의 청열소종활혈(淸熱消腫活血)만으로 대처한다. 신경손상으로 인한 내재근소실은 기허양허(氣虛陽虛)에 해당되며, 침구치료 시 수지지간봉(手指指間峰)에 온침(溫鍼)을 시행하며, 일반적인 침구치료를 지속할 경우에는 근육위축을 가중시킬 위험도 없지 않다.

17 중년 부인의 손떨림

- 40세, 여자
- 진료일: 2015년 2월 13일

환자는 슬하에 1녀가 있는 즐거운 성격의 부인으로, 중학생 시절에 시작된 갑상선기능저하증으로 매우 힘든 시간을 보냈으나, 다행히도 일상생활에 지장이 없을 정도까지는 회복되어 결혼과 임신, 출산 등 문제가 생기지는 않았다.
그러나, 약 2개월 전 이전부터 하던 일(강의 및 교육)을 다시 하면서 손가락이 조금씩 떨리기 시작했으며, 시간이 지날수록 점점 심해져서 집중을 해야 하는 상황이 되면 손이 덜덜 떨리게 되어 본원에 내원했다.

증상분석

환자의 손떨림은 안정된 상태에서는 문제가 없었으나, 힘을 주거나 무엇에 집중하거나, 공복 시, 피곤할 때, 커피를 마시면, 사람들 앞에서 강의를 할 때 등에서 나타나고 있었으며, 시간이 지나면서 더 많이 떨리고 감출 수가 없게 되어 매우 걱정하고 있었다. 기타 이상은 확인되지 않았으며, 맥침세약(脈沈細弱)했다. 씬지로이드(Synthyroid Tab. 0.1mg)를 매일 1알씩 복용하고 있었다. 이에 환자의 갑상선기능저하증을 고려하여 중기하함(中氣下陷)의 보중익기탕가미방(補中益氣湯加味方[1])을 처방하고, 풍지(風池)의 침(鍼), 합곡, 외관, 족삼리, 삼음교 등에 온침(溫鍼)을 시행했다.

1) 黃耆 15g, 丹蔘, 陳皮, 柴胡, 升麻, 甘草 各 4.5g, 當歸3, 乾薑, 天雄 各 4.5g, 人蔘 3g

치료경과

- 2015년 3월 6일: 환자의 손떨림은 복약 시작 2일 후부터 개선되기 시작했다. 복약 후 배변의 횟수가 1일 2, 3회로 증가되었지만 당변(溏便)은 아니었다. 최근 미약한 오심이 있었다. 2월 13일의 처방 중에서 황기(黃耆)를 18g, 건강(乾薑), 천웅(天雄)을 6g, 인삼(人蔘)을 4.5g으로 증량하고 반하(法半夏), 복령(茯苓)을 4.5g씩 가미했다.

- 2015년 4월 2일: 최근에는 대부분의 일상적인 상황에서 손이 떨리지 않게 되었다.

후기 및 고찰

환자의 진전은 그 후 나타나지 않고 있다.

진전(tremor)은 크게 생리적 진전과 병적 진전으로 분류할 수 있다.

생리적 진전(physiologic tremor)은 어떤 고정된 자세를 유지하고자 할 때 심해지고 진전의 속도가 비교적 빠르고 매우 잔잔하며 대부분 사지의 원위부에서 발생하고 뚜렷한 기능적 장애를 나타내지는 않는데 피로, 불안, 카페인 및 스테로이드 등의 약물에 의해 더 심해진다.

병적 진전(pathologic tremor)은 안정된 자세 또는 움직임 시 나타나며 속도가 비교적 느리고 매우 거칠며 사지의 원위, 근위를 모두 침범할 수 있으나 대개는 비대칭적이며 시회적, 신체적으로 어느 정도의 불편을 겪는다.

1) 안정 시 진전: 파킨슨병 또는 약물유도 파킨슨증후군에서 흔하다. Pill-rolling 진전형태이며 움직임에 의해 어느 정도 감소하고 속도는 매초 3-7회, 비교적 거칠며 사지 원위부의 진전으로 나타나는데 보통 운동완만(bradykinesia) 및 경직(rigidity)을 동반한다.

2) 자세유지 시 또는 움직임 과정 중 진전(postural tremor): 안정된 자세에서는 뚜렷하지 않으나 어떤 자세를 유지하거나 어떤 움직임 중에 위치성 진전이 발생하고 속도는 매초 6-12회로 비교적 빠르다. 갑상선 중독증, 간질환, 약물중단, 알코올 금단시 흔하다. 대개는 천천히 발병한다. 이와는 달리 속도가 매초 8회 정도로 비교적 느리며 자신도 알지 못하게 서서히 나타나는 위치성 진전이 있다. 이러한 진전은 주로 상지를 침범하여 머리를 끄덕거리기도 하며 가끔 턱, 입술, 혀 등 부위에서 나타난다. 진전은 점차적으로 진행되어 글씨 쓰기가 힘들어지며 식사하기도 어려워진다. 많은 경우 알코올 복용으로 진전이 다소 완화되며 때에 따라서는 베타차단제로도 어느 정도 호전된다. 다음과 같은 몇 가지로 나뉜다.

① 가족성 진전(familiar tremor): 멘델법칙 우성으로 유전된다.
② 원발성 진전(essential tremor): 가족력이 뚜렷하지 않다.
③ 노인성 진전(senile tremor): 연령의 증가와 더불어 노인에게 흔히 나타난다.

3) 운동 중 또는 운동이 끝날 시점에 심해지는 진전

① 소뇌성 진전(cerebellar termor): 안정된 자세에서는 나타나지 않다가 신체를 움직이거나 또는 어떤 목표물에 점점 다가가게 할 때 심해지는 특징을 보인다. 이와 같은 의도진전(intention tremor)에서는 진전의 속도가 매초 4-6회 정도로 비교적 느린 편이며 진폭은 매우 거칠다. 사지의 원위, 근위 모든 부위에 나타날 수 있으며 머리가 따라 움직이는 요동(titubation) 현상이 동반될 수 있다. 대개 다른 소뇌증후를 동반한다.
② 중뇌성 진전(midbrain tremor): 다발성 경화증과 같은 질환에서 소뇌와 적핵(red nucleus)의 연결부위에 병변이 있을 경우 특징적인 진전이 나타나는 이 때

환자는 진전이 너무 심하여 자신의 움직임을 멈추거나 중심을 잃는다.[1)]

이 증례의 진전은 전형적인 생리적 진전으로, 이 환자의 병력을 고려하여 보중익기탕(補中益氣湯)을 사용했으나, 정서형(情緖型)의 경우에는 감맥대조탕(甘麥大棗湯), 계지가용모탕(桂枝加龍牡湯), 사역산(四逆散), 온담탕(溫膽湯), 시호가용모탕(柴胡加龍牡湯) 등을 참작하여 사용하고, 기허형(氣虛型)에는 보중익기탕(補中益氣湯), 황기오물탕(黃耆五物湯), 기허겸양허형(氣虛兼陽虛型)에는 귀기건중탕(歸耆健中湯), 신양허형(腎陽虛型)에는 우귀음(右歸飮), 신기환(腎氣丸) 등에 가미하여 대처한다. 진전에 이기거풍산(理氣祛風散)의 의미를 가미하는 경우도 있으나, 이기거풍산(理氣祛風散)은 신경호르몬의 저하가 아닌 신경의 경련, 이상방전에 의한 진전, 경련, 통증에 해당된다. 대표적인 경우가 안면신경 손상 후의 안면경련이다. 파킨슨병, 파킨슨증후군에 의한 진전은 흑질(SN)의 도파민생산을 증가시키거나 도파민의 효현성이 증가되어야 개선이 가능한 기체혈어겸양허(氣滯血瘀兼陽虛)에 해당되어 필자는 보통 보양환오탕합사역탕가미방(補陽還五湯合四逆湯加味方)으로 대처하는데 삼충(三蟲)의 필요성은 크지 않다.

1) Kenneth W. Lindsay · Ian Bone, 4th 임상신경학, pp254-256, 한국, E.PUBLIC, 2006

18 초등학생의 다한증

- 9세, 남자
- 진료일: 2016년 6월 18일

환자는 건강한 초등학교 남학생으로, 이전부터 땀이 조금 많기는 했지만 최근에는 너무 심하여 하교하여 집에 돌아와서 보면 머리 전체가 다 젖고 상의가 모두 축축해졌다. 활동이 많아서 땀이 많이 나는 것은 자연스러운 일이라고 생각했지만, 밤에 옷을 갈아입을 정도로 땀이 나서 고민하던 중에 본원에 내원하게 되었다.

증상분석

환자의 다한증은 아침에는 문제가 없으나, 학교에서 활동하기 시작하면 머리에서 땀이 나기 시작하여 귀가할 때 친구들과 조금이라도 놀게 되면 머리카락 끝에 땀이 송글송글하게 맺혀서 집에 들어 왔으며, 상반신에는 땀이 많이 났지만 손발에는 땀이 많지는 않았다. 이렇게 주간의 다한증은 취침 중에도 지속되었는데, 막 잠이 들면 땀이 더 나기 시작하여 옷을 한 번 갈아입고 밤 12시가 넘어가면 땀이 나지 않게 된다고 했다. 그래서 베개에서 쉰 냄새가 많이 난다고 했다. 기타 음식, 대소변은 이상이 없었으며 128cm, 27kg이었다. 이에 양항(陽亢)의 건령탕가미방(健瓴湯加味方[1])을 처방했다.

1) 代赭石 12g, 龍骨, 牡蠣, 赤芍, 牛膝, 生地, 山藥 各 6g, 磁石 3g, 麻黃根 18g, 靑蒿, 知母, 地骨皮 各 9g, 蒼朮, 黃柏 各 6g, 大棗 4枚: 2貼分3日服

치료경과

- 2016년 7월 5일: 복약 후 취침시의 도한(盜汗)은 여전했으며 베개에서 나는 냄새도 여전했다. 6월 18일 처방에서 마황근(麻黃根)을 24g으로 지모(知母), 지골피(地骨皮)를 각 12g으로 증량했다.
- 2016년 7월 22일: 최근에는 자고 일어나면 베개에서 쉰 냄새가 덜 나게 되었으며, 이전보다는 덜하지만 활동 후에는 그래도 땀을 흘리고 있었다. 7월 5일의 처방에서 마황근(麻黃根)을 30g으로 증량했다.
- 2016년 8월 26일: 베개 적시는 것과 냄새가 확실히 덜하게 되었고 비록 매우 더운 날씨이지만 활동 후의 땀도 이전보다 덜하게 되었다. 이에 치료를 종료하고 내년 여름에 증상이 나타나면 다시 내원하도록 했다.

후기 및 고찰

환자는 2017년 6월에 내원했으며, 활동 시의 땀과 잠잘 때의 땀도 1년 전 개선된 상태를 유지하고 있었다.

소아의 다한증은 특수한 경우를 제외하고는 진행되지 않으며, 너무 과도한 활동으로 인하여 발생하는 음허(陰虛)의 유형이 많다. 이 환자의 경우에는 전형적인 음허형(陰虛型)이나, 치료효과 및 약물의 순응도를 고려하여 양항(陽亢)의 처방을 사용했다. 음허형(陰虛型)에는 지황탕류(地黃湯類)의 처방에 지모(知母), 지골피(地骨皮) 등의 청허열약(淸虛熱藥), 마황근(麻黃根) 등을 가미하여 치료하고, 이 방법으로도 제어가 되지 않는 경우에는 양항(陽亢)의 건령탕(健瓴湯)에 동일한 가미방법을 사용한다. 지모황백(知母黃柏)의 약물을 가중할 수도 있지만, 황백(黃柏)을 과도하게 사용할 경우에는 약물에 대한 순응도가 좋지 않으므로 유의한다.

19 출생 후부터 지속되고 있는 소아의 야간 각성과 빈뇨

- 2008년생, 남자
- 초진일: 2014년 8월 30일

환자는 매우 활달한 아이로, 출생 후부터 밤에 2, 3회 정도 잠에서 깨어나고 때로는 일어나서 돌아다니기도 했으나, 일상생활에 크게 문제는 없었다.
그러나, 최근 들어 밤에 자주 깨는 것 같더니 2일 전에는 10회 이상 잠에서 깨어나고 또한 일어나서 한참을 앉아 있기도 했으며 이전부터 소변을 자주 보기는 했지만 너무 자주 보고 또한 바지에 실수를 하기도 해서 본원에 내원하게 되었다.

증상분석

환자의 증상은 잦은 야간 각성, 빈뇨 및 실금 등으로, 이 밖에 분노를 참지 못하고 쉽게 흥분하며 큰소리를 지르기도 했으나 지능, 성장 등의 문제는 없었다.

기타 1년 전 비염이 심하여 이비인후과에서 아데노이드 절제술을 시행했으나, 그래도 비염을 달고 산다고 했다.

더운 것을 싫어하고, 가끔 대변을 참았으며, 맥긴삽(脈緊澁)했다.

이에 양향(陽亢)의 건령탕가미방(健瓴湯加味方[1])을 처방하고, 침구치료는 생략했다.

---

1) 代赭石 12g, 牛膝, 龍骨, 牡蠣, 赤芍 各 9g, 柏子仁 7.5g, 磁石 3g, 蒼朮 4.5g, 甘草 4.5g, 大棗 4枚: 2帖 3日 分服

치료경과

- 2014년 9월 20일: 낮에 열심히 놀기 때문에 피곤해서 오후 8시 정도에 잠을 자면 1시간 반 정도 후 일어나서 왔다갔다 하다가 다시 잠이 들고 있으며, 빈뇨가 조금 개선되었다. 8월 31일 처방에 황금(黃芩) 12g을 추가했다.
- 2014년 10월 15일: 아직도 자다가 잘 깨며, 자다가 일어나서 의미없는 말을 하곤 했다. 빈뇨는 상당히 개선되어 이전처럼 자주 보지도 않고 실수를 하지도 않았다. 9월 20일 처방에 황백(黃柏) 12g을 추가했다.
- 2014년 11월 1일: 최근에는 잠을 자다가 그냥 일어나는 것이 아니라, 비염으로 코가 막히면서 1, 2회 정도 잠을 깬다고 했다. 성격이 많이 차분해졌으나, 최근 놀다가 소변을 실수한 적이 있었다. 10월 15일 처방에 창이자(蒼耳子) 7.5g을 추가했다.
- 2014년 11월 26일: 최근 잘 자다가 코가 막혀서 잠을 자다가 식은 땀을 흘리면서 깨곤 하지만 이전처럼 일어나서 의미없는 말을 하거나 돌아다니지는 않았다. 11월 1일의 처방에서 창이자(蒼耳子)를 15g으로 증량하고, 지모(知母) 9g을 추가했다. 소아과의 비염치료를 병행하도록 권고했다.
- 2014년 12월 27일: 비염은 개선되었으며, 취침 중의 도한(盜汗)도 소실되었다. 이미 야간의 각성과 주간 활동 중의 빈뇨가 신경쓰이지 않을 정도로 개선되어 치료를 종료했다.

후기 및 고찰

환자는 2017년 10월 축농증으로 내원하였으며, 이전의 야간 각성과 빈뇨의 증상은 재발하지 않았으나 아직도 목소리가 상당히 힘찼다.

야간 각성, 빈뇨를 어떤 질환에 포함시켜야 하는지는 상당히 어려운 문제이기는 하지만, 신체적, 신경과적인 성장 및 이상이 없다면 흥분성 신경호르몬의 과잉이라고 보면 무리가 없을 듯 하다. 즉, 뚜렛증후군의 범위에 귀납시키는 것이 타당하다.

이 때 사용할 수 있는 처방으로는 온담탕(溫膽湯), 소시호탕(小柴胡湯), 시호가용골모려탕(柴胡加龍骨牡蠣湯), 진간식풍탕(鎭肝熄風湯), 건령탕(健瓴湯) 등이 있으며, 증상에 따라 삼황(三黃)과 대조(大棗), 용안육(龍眼肉)을 가중(加重)한다. 침구치료는 풍지(風池), 신문(神門), 내관(內關), 삼음교(三陰交) 등을 다용(多用)하지만, 환아(患兒)의 침구치료에 대한 반응 및 공포가 확인되면 실시하지 않는다.

배가 꿈틀거리는 복부틱의 아이

- 13세, 여자
- 진료일: 2013년 3월 2일

환자는 조용한 성격의 중학교 1학년 여학생으로, 161cm, 45kg의 정상적인 발육을 보이고 있었다. 그런데 문제는 약 3년 전인 초등 4학년부터 일상생활 중에 자신도 모르게 목을 자꾸 뒤, 옆으로 튕기는 증상이 발생하여 틱증후군으로 진단받고 단기간 동안 신경과에서 약물을 치료했으나 증상이 개선되지 않아 어떠한 치료도 하지 않았는데도 천천히 증상이 안정되었다. 그 후 비록 증상이 완전히 없어지지는 않았지만 특별히 강한 증상이 나오지는 않은 상태로 잘 지내다가 1년 전 학교에서 교우관계로 정신적으로 고민한 후 손떨림과 복부의 이상운동이 시작되어 소아청소년과 및 전문 한의원의 치료를 약 3개월간 병행하여 손떨림은 없어졌지만, 복부의 이상한 동작은 개선되지 않고 점점 심해져 지인의 소개로 본원에 내원하게 되었다.

증상분석

환자의 일반적인 상황은 전혀 문제가 없는, 비교적 밝은 성격이었으며, 주로 나타나는 틱증상은 일상 생활 중에 복부근육이 튀어 오르는 것으로, 취침 중에는 나타나지 않았으며, 보행 중에는 어깨가 저절로 으쓱거리면서 배가 튕겨져 올라왔고, 누워 있어도 불규칙적인 간격으로 복부의 강한 경련이 발생했다. 이 증상은 1년여 전 시작되어 각종 치료에도 개선되지 않고 점점 심해지고 있었다. 기타 음식, 식사, 수면, 대소변 등에 전혀 이상이 없었다.

이에 장기간의 정신적 긴장으로 인한 장조증(臟躁證)과 분돈(奔豚)이 결합된 것으로 진단하여 감맥대조탕가감방(甘麥大棗湯加減方[1])을 처방했다.

치료경과

- 2013년 3월 27일: 환자의 모친이 말하기를, 아이의 배가 꿈틀거리는 강도가 약해졌으며, 이전에는 TV를 보면서 자신도 모르게 꺽꺽거리는 소리(초진 시에는 이 증상에 대해 언급하지 않았다)를 냈으나, 복약 후 그 증상이 없어졌다고 했다. 3월 3일의 처방에서 황금(黃芩)을 27g으로 강화했다.
- 2013년 5월 14일: 이전의 걸을 때 어깨를 으쓱하면서 배를 튕기는 증상과 일상생활 중에 나타나는 배의 꿈틀 증상이 거의 보이지 않게 되었으나, 가끔 한 번씩은 약하게 하고 있었다. 3월 27일의 처방에서 적작(赤芍)을 24g으로 증량했다.

후기 및 고찰

2018년 환자의 보호자와 우연하게 연락이 되어 그 동안의 사정을 확인할 수 있었는데, 환자는 그 후 건강하고 밝게 성장했다고 했다.

이 증례는 발병 이전부터 약간의 증상이 있었으며, 교우관계로 인한 고민으로 증상이 폭발적으로 발생했으며 신경과, 타 한방치료로 손떨림은 개선되었으나, 주증상인 복부근육의 경련이 지속적으로 악화된 상태였으며, 다행스럽게도 단기간의 치료 후 증상이 일상생활에 지장이 없을 정도로 개선되었으며, 이후의 성장기 생활도 문제가 없었다.

---

1) 炙甘草 9g, 浮小麥 18g, 大棗 10枚, 赤芍 18g, 黃芩 21g

하지만, 모든 틱(Tic), 뚜렛증후군(Tourret syndrome)이 이렇게 빠르게 호전되지는 않으며, 심지어 수년의 치료기간이 필요한 경우도 있고, 치료에 반응하지 않는 경우도 많다. 기본적으로 뚜렛증후군은 기저핵 도파민 분비의 고반응성 또는 신경절 이후 도파민 수용체의 과민, GABA의 억제기능 저하와 관련이 있으며, 한의학적으로는 경풍(驚風)에 해당되는데, 대부분의 경우 열증(熱證)이며, 처방을 구성할 때는 증상에 따라 가감(加減), 수정한다. 기본처방으로 감맥대조탕(甘麥大棗湯), 지백지황탕(知柏地黃湯), 건령탕(健瓴湯) 등의 의미를 가진 처방은 어떠한 처방도 사용할 수 있으며, 주요 증상에 따라 반하후박탕(半夏厚朴湯), 작약감초탕(芍藥甘草湯), 당귀작약산(當歸芍藥散), 견정산(牽正散), 오수유탕(吳茱萸湯), 소청룡탕(小青龍湯)의 의미를 추가한다. 침구치료는 풍지(風池), 내관(內關), 신문(神門), 음릉천(陰陵泉), 삼음교(三陰交)를 위주로 취혈(取穴)하는데 부득이할 경우에는 생략한다.

21 소아의 야제, 야경, 몽유

- 6세, 여자
- 진료일: 2020년 4월 3일

환자는 밝은 성격의 여자아이로, 건강에 큰 문제가 없이 잘 자라고 있었다. 그런데 이전부터 가끔 자다가 깨어나 다른 침대로 가거나 울기도 했지만, 최근 1개월 전부터는 이 증상이 매일 발생하여 고민하다가 본원에 내원하게 되었다.

증상분석

아이의 증상은 자다가 깨서 겁에 질려 있거나, 자면서 땀에 흠뻑 젖어 있기도 하고, 잠이 깨지 않은 상태로 거실을 돌아다니며 때로는 벽에 부딪혀서 울기도 하고, 울면서 돌아다니기도 했다. 이러한 증상들이 매일 약간씩 다르게 나타나고 있었으며, 증상이 지속되고 있을 때는 깨워도 각성하지 못했다. 즉, 몽유(夢遊), 야제(夜啼), 야경(夜驚) 등이 동시에 나타나고 있었다. 비록 코로나바이러스 창궐기간이라서 집 안에서 생활하는 시간이 많아졌지만 큰 이상 없이 잘 지내고 있었으며, 기타 음식, 수면, 대소변 등 일반적인 상황에 특이할 만한 변화는 없었다. 상관된 가족력으로는 부친이 어려서 예민하고 편식이 있었으며 지금도 가끔 잠을 잘 자지 못한다고 했다.

이에 장조(臟躁)의 열증형(熱症型)으로 판단하고 감맥대조탕가미방(甘麥大棗湯加味方[1])을 처방했다.

1) 炙甘草 7.5g, 浮小麥 12g, 大棗 10枚, 黃芩 6g, 龍骨, 牡蠣 各 12g (2帖을 3일간 복용)

치료경과

- 2020년 4월 21일: 아이의 몽유(夢遊), 야제(夜啼), 야경(夜驚) 등 모든 증상들이 복약 초기부터 상당히 빠르게 개선되었으며, 복약 3, 4일 되는 시점부터는 증상이 완전히 소실되었다. 이에 복약 횟수를 1일 1, 2회로 감량하고 경과를 지켜보도록 했다.

후기 및 고찰

복약을 종료한 후에도 환자의 증상은 다시 심해지지 않았다.

수면 중에 일어나는 사건들은 NREM수면기 혹은 REM수면기와 NREM수면기의 교차기에 발생한다. 이 때 일어나는 수면리듬의 변화에 따른 신경경련이 이러한 증상들이며, 본문의 몽유(夢遊), 야제(夜啼), 야경(夜驚)뿐 아니라, 악몽(nightmare), 마아증(磨牙, sleep bruxism), 수면유뇨증(sleep enuresis) 등도 이 범주에 포함된다.

한의학적으로는 여러 가지 분류와 분석이 있는데, 동의보감의 소아 야제(夜啼)에서는 한(寒), 열(熱), 구창중설(口瘡重舌), 객오(客忤) 등으로 분류하여 육신산(六神散), 저유고(猪乳膏), 진경산(鎭驚散), 등심산(燈心散), 황연산(黃連散), 선화산(蟬花散) 등의 처방들이 언급되어 있다. 만병의약고문(萬病醫藥顧問)에서는 비한(脾寒)과 심열(心熱)로 나누고 구등음(鉤藤飮)과 도적산(導赤散)을 처방으로 예시했다.

이 증례에서는 어떠한 한열(寒熱)의 증후도 보이지 않았기 때문에, 단순 장조(臟躁)의 감맥대조탕(甘麥大棗湯)에 용골(龍骨), 모려(牡蠣)를 추가하여 비교적 양호한 경과를 얻을 수 있었다. 하지만 이러한 치료방책에서 호전되지 않는다면 백합(百合), 산조인(酸棗仁), 야교등(夜交藤), 합환피(合歡皮) 등을 추가할 수도 있으며, 심지어 진간식풍탕(鎭肝息風湯), 건령탕(健瓴湯)을 응용할 수도 있다.

22 좌상복부통증의 분돈

- 57세, 여자
- 진료일: 2017년 12월 28일

환자는 157cm, 48kg의 약간은 수척해 보이는 체형의 중국교포로, 힘들어 보이는 모습으로 진료실로 들어왔다. 현재의 증상은 약 3주 전 아침에 기상 후 시작되었는데, 왼쪽 오목가슴 밑과 배꼽 위 부분의 통증으로 이미 내과에서 약물을 복약했지만, 전혀 개선되지 않아 고생하고 있었으며, 이 증상은 중국에 있을 때도 자주 발생하여 중의(中醫), 서의(西醫)의 각종 치료를 받았으나, 치료효과라기보다는 시간이 지나면서 안정되었다고 했다. 현재 요양병원의 간병사로 일하고 있었다.

증상분석

환자는 비록 좌상복부의 통증을 호소하고 있었지만, 대변을 보고 나면 조금 더 보고 싶은 증상 이외에는(이전부터 3, 4일 또는 1주일 1회의 배변습관) 소화기의 이상을 의심할만한 증상은 없었다. 상의를 약간 올려서 복부의 근육을 보니 배꼽의 윗부분(中脘穴 주위)과 왼쪽 갈비 밑(梁門穴 주위)의 근육이 불규칙하게 경련하고 있었다. 또한 찬물을 먹으면 증상이 심해진다고 했다. 이 증상은 전형적인 분돈(奔豚)의 증상에 해당되는 것으로 판단하여 시령탕가미방(柴苓湯加味方[1])을 처방하고, 침구치료를 하려고 했으나, 환자는 침구치료는 전혀 받을 수가 없고, 중국에 있을 때에도

1) 柴胡 9g, 半夏, 甘草, 生薑, 丹蔘 各 6g, 黃芩, 茯苓, 澤瀉, 蒼朮 各 3g, 玄胡索, 木香 各 6g, 赤芍 12g, 龍眼肉 9g

침구치료를 상당히 받았었으나, 증상이 개선되지는 않고 오히려 몇 번 기절한 적이 있다고 하여 약물만으로 치료하기로 했다.

치료경과

- 2018년 1월 4일: 좌상복부의 통증은 개선되었으나, 배꼽 위의 통증은 약간 남아 있었다. 처방을 변경하지 않고 마자인(麻子仁) 9g을 추가했다.
- 2018년 1월 11일: 좌상복부의 증상이 상당히 개선되어 크게 통증은 없는데 약간의 둔감이 있으며, 2일 1회 정도 부드러운 배변이 유지되고 있었다. 1월 4일의 처방을 변경하지 않았다.
- 2018년 1월 18일: 좌상복부의 통증이 소실되었으며, 1일 1회의 배변이 유지되고 있었다. 1월 4일의 처방을 변경하지 않고 1일 2회로 복용횟수를 감량했다. 추후에 재발하게 되면 즉시 내원하도록 권고했다.

후기 및 고찰

그 후 환자의 증상은 아직 재발하지 않고 있다.

금궤요략(金櫃要略)의 분돈(奔豚)에 대한 내용은 그렇게 자세하지 않으나 각각의 조문 내용 중에서 공통된 사항을 보이고 있다.

"師曰, 病有奔豚, 有吐膿, 有驚怖, 有火邪, 此四部病, 皆從驚發得之."

"師曰, 奔豚病從少腹起, 上衝咽喉, 發作欲死, 復還止, 皆從驚恐得之."

"發汗後, 燒鍼令其汗, 鍼處被寒, 核起而赤者, 必發奔豚, 氣從少腹上至心, 灸其核上各一壯, 與桂枝加桂湯主之."

"奔豚氣上衝, 胸腹痛, 往來寒熱, 奔豚湯主之."

"發汗後, 臍下悸者, 欲作奔豚, 茯苓桂枝甘草大棗湯主之."

위의 조문을 통해 알 수 있듯이 분돈(奔豚)은 각종 불안을 일으킬 수 있는 원인들(恐, 驚, 怖, 燒鍼)에 의해 발생하는 근육의 경련으로 해석할 수 있다. 상한금궤(傷寒

金櫃)시대의 관찰과 표현의 제한을 고려하면, 조문에는 비록 매우 간단하게 표현되어 있지만 소복상충(少腹上衝)의 분돈(奔豚), 열증형 분돈(熱症形奔豚: 奔豚湯의 黃芩 참조)외에, 임상적으로는 경련의 부위에 따라 구토(嘔吐), 복창(腹脹), 복창(腹脹) 후 설사, 실신, 복교통(腹絞痛) 등의 위장증상형(胃腸症狀型)과 심장율동이상의 심장증상형(心腸症狀型) 등이 가장 흔하다.

이에 따라 분돈(奔豚)에는 상당히 많은 처방들이 사용될 수 있다. 금궤(金櫃)에 따르면 계지가계탕(桂枝加桂湯), 분돈탕(奔豚湯), 영계감조탕(苓桂甘棗湯)의 3가지 처방이 나와 있지만, 당귀작약산(當歸芍藥散), 시호가용골모려탕(柴胡加龍骨牡蠣湯), 계지가용골모려탕(桂枝加龍骨牡蠣湯) 등도 사용할 수 있으며, 이 증례의 시령탕(柴苓湯)도 응용할 수 있다. 하나의 처방에 구애받지 않고, 환자의 증상으로 방향을 선정한다.

침구치료는 풍지(風池), 곡택(曲澤), 내관(內關), 신문(神門), 삼음교(三陰交), 태충(太衝) 등을 사용할 수 있다.

23 갑자기 발생한 극심한 오한

- 78세, 여자
- 진료일: 2021년 4월 21일

환자는 148cm, 48kg의 보통체격 노인으로, 특별한 이상없이 잘 지냈는데, 금년 4월 8일 점심식사 중 음식이 맛이 없다고 느꼈지만, 그래도 조금 식사를 한 후, 약 15분이 경과된 후부터 갑자기 경항부의 강한 통증과 함께 전신에서 오한(惡寒)이 시작되었다. 그 날은 그래도 참을 만했는데, 그 다음날부터는 도저히 참을 수 없을 정도로 춥고 일상생활을 할 수 없는 상황이 되어 즉시 대학병원에 입원하여 각종 검사 및 약물(미상)을 복용했으나, 이상이 발견되지 않고 또한 증상이 개선되지 않아 퇴원하여 지인의 소개로 내원하게 되었다.

증상분석

환자의 증상은 가만히 있어도 온몸이 떨릴 정도로 한기(寒氣)가 심했으며, 이불을 덮어서 조금 따뜻하게 하면 전신에서 땀이 나면서 다시 수건으로 닦고 옷을 갈아입었으며, 그 후 또 다시 오한이 올라와서 이불을 덮으면 또 다시 땀이 나면서 오한이 반복되어 하루에 수 회 옷을 갈아입고 있었다. 이미 약 2주 동안 증상이 지속되고 있어 환자의 고통은 상당했다. 기타 이전부터 불면증으로 신경과약물(미상)을 복용하고 있었으며, 최근 오한으로 불면증이 더 심해졌다고 했다. 대소변은 이상이 없었으며, 식사는 입맛이 없었지만 가족들의 노력으로 조금씩 하고 있었다.

이에 계지가갈근탕가미방(桂枝加葛根湯加味方)을 1주일 분 처방하고, 침구치료를 생략했으며, 영양을 충분히 섭취하도록 권고했다.

치료경과

- 2021년 4월 26일: 환자의 오한이 개선되었으나, 아직 이전의 일상을 회복하지는 못했다. 4월 21일의 처방에서 육계(肉桂)를 9g으로 증량하고 천웅(天雄) 3g을 추가했다.
- 2021년 5월 4일: 4월 30일 갑자기 피부가 간지럽다고 호소하는 전화문의가 있었으며, 피부의 발진이나 수포 등은 없다고 했다. 회양(回陽)의 과정으로 보고, 조금 더 지켜보라고 권고했으며, 하루가 지난 후 피부소양은 소실되었다. 현재 오한은 상당히 안정되어, 이전의 하루 종일 추웠던 증상은 없어졌으나, 가끔 추운 느낌이 있다고 했다. 4월 26일의 처방에서 육계(肉桂)를 12g, 천웅(天雄)을 4.5g으로 증량했다.

후기 및 고찰

그 후 환자의 극심했던 오한은 소실되었다.

오한(惡寒)과 외한(畏寒)은 차이가 있으며, 간단히 구분하자면 두꺼운 이불이나 옷으로 감싸고 웅크리면 오한(惡寒), 외한(畏寒)은 가벼운 옷과 이불을 겹겹이 덮거나 입어서 보온을 유지하려는 것으로 구분할 수 있다. 오한(惡寒)은 기본적으로 상한(傷寒)의 외감에서 발생하지만, 이 증례처럼 내상(內傷)으로도 가능하다. 하지만 이 환자의 경우에는 영양의 부족이나 기타 내분비이상은 발견되지 않았으며, 바이러스의 흔적도 없었다. 환자의 연령이 고령이고, 이전부터 불면증이 있었음을 고려하면 장조증의 가능성을 충분히 짐작할 수 있었기에, 단순히 태양병(太陽病), 항배강수수(項背强几几), 한출오풍(汗出惡風)의 계지가갈근탕(桂枝加葛根湯)이 아닌, 부인장조(婦人臟躁)의 감맥대조탕(甘麥大棗湯)의 의미를 더하고, 사역탕(四逆湯)의 의미를 추가하여 순조롭게 치료되었다. 하나의 상한방(傷寒方)으로는 복잡하게 섞여 있는 임상에 대응하기 어려운 경우가 많으니, 이 증례를 참고하여 기타 증례에도 하나의 처방에 고착되지 말고, 여러 처방을 부드럽게 적용하도록 노력해야 한다.

장기간의 음주로 발생한 극심한 피로, 무기력

- 77세, 남자
- 진료일: 2016년 5월 31일

환자는 점잖은 노신사로, 급격한 체력저하의 증상으로 보호자들과 함께 내원했다. 이 환자의 증상은 몸에 힘이 하나도 없고, 집에서 누워만 있으며 식사도 거의 하지 않았으며(음식이 넘어가지가 않는다고 했다), 앉았다가 일어나면 어지럼증이 발생한다고 했다. 이런 증상이 발생한지 이미 수개월이 되어 체중이 5kg이나 감소하여, 내과에서 검진을 받았으나 특이한 이상은 없었다고 했다. 문제는 발병 전 매일 소주 2병씩, 안주 없이 마셨다고 했다.

증상분석

환자의 증상은 전신의 탈력, 극심한 식욕저하, 기립 시 현훈, 보행 시 다리가 풀리는 것 같은 증상 등이었으며 이미 장기간의 알코올 섭취력이 있었으므로 이와 관련된 증상으로 추정하여 기억력, 인지, 안구운동, 보행 시의 안정감 등을 확인했으나, 아직은 확실하게 베르니케증후군(Wernicke)이라고 할 수는 없었지만, 가능성은 있었다. 식사량이 극히 적고 최근 체중이 많이 감소했지만, 배변은 1일 1회로 일정했으며 체중은 48kg이었다. 기타 약 10년 전 대장암 수술, 약 20년 전부터 당뇨병으로 약물(미상)을 복용하고 있었다.

이에 비양허(脾陽虛)의 향사육군자탕가미방(香砂六君子湯加味方[1])을 처방하고

1) 人蔘, 白朮炒, 茯苓, 半夏, 陳皮, 木香, 砂仁, 炙甘草, 神曲 各 4.5g, 天麻 12g, 大棗 3枚

금주를 권고했으나, 이미 너무 힘이 없어서 음주를 못하고 있었다.

치료경과

- 2016년 6월 13일: 한약 복약 2일 후부터 식욕이 개선되어, 현재는 반 공기 정도 식사를 할 수 있게 되었고, 매운 음식을 먹어도 혀가 아리고 아프지 않게 되었으며 보행도 조금은 힘이 나기 시작했다. 배변은 1일 1회, 기타 특이사항은 없었으나, 술 생각이 조금 난다고 했다. 5월 31일 처방에서 인삼(人蔘)을 6g, 천마(天麻)를 9g으로 조정하고 천웅(天雄)을 2g 추가했다.
- 2016년 7월 14일: 복약 전에는 3, 4숟가락 정도밖에 밥을 먹지 못했는데, 현재는 매끼 1공기 정도 섭취할 수 있을 정도로 식사량이 증가되어 체중이 51kg이 되었다. 문제는 점심 식사 때 소주를 맥주잔 정도의 양으로 다시 마시게 되었다. 이에 음주에 대해 엄중하게 경고하고, 만약 이번과 같은 증상이 다시 나타나면 알코올 중독 전문병원으로 보내드리는 것이 좋을 것 같다고 말했다. 7월 14일의 처방을 변경하지 않고 1일 2회로 복용횟수를 감량했다.

후기 및 고찰

장기간의 알코올섭취는 직접적인 알코올손상, 영양흡수저하의 원인에 의해 각종 신경학적 증상을 유발할 수 있다. 안진, 의식장애, 실조의 워니케병(Wernicke's disease)이 있으며 기억저장, 작화증의 코르사코프정신병(Korsakoff's psychosis), 담배-알코올 약시(Tobacco-alcohol amblyopia), 알코올성 치매(alcoholic dementia), 알코올성 소뇌변성(alcoholic cerebellar degeneration), 중심성 뇌교 수초융해증(central pontine myelinolysys), 뇌량 탈수초화(corpus callosum demyelination) 등의 신경계 질환, 술잔치 후의 급성 괴사성 근병증(acute necrotizing myopathy), 만성 근병증(chronic myopathy) 등의 알코올성 근병증(alcoholic myopathy) 등의 근병증 등의 질환이 알코올과 관련이 있다.

이 증례의 환자는 장기간의 알코올 섭취, 영양흡수 저하에 의한 피로, 약한 정도의 실조 등으로, 아직은 위증(痿症)으로 진행되지 않은 비양허(脾陽虛)의 상황이었으므로 증상이 빠르게 호전될 수 있었다. 서양의학적으로는 초기에는 금주, 영양, 비타민B군 보충 등으로 대처한다.

하지만, 처음 발생 시에는 빠르게 개선될 수 있지만, 반복적인 음주로 수회 재발하여 신경계의 손상으로 진행된 경우에는 그렇게 간단하지 않다. 이 때의 한방치료는 중풍(中風)에 준하여 치료하게 된다. 즉 반하천마백출산(半夏天麻白朮散), 삼령백출산(蔘苓白朮散), 보중익기탕(補中益氣湯), 보양환오탕(補陽還伍湯), 십전대보탕(十全大補湯), 우귀음(右歸飮), 신기환(腎氣丸) 등의 보기활혈(補氣活血), 기혈양보(氣血兩補), 보신음양(補腎陰陽) 처방에 기타 약물들을 가감한다. 양열(陽熱), 양월(陽越)에는 황연해독탕(黃連解毒湯), 방풍통성산(防風通聖散), 건령탕(健瓴湯)으로 중진(重鎭)한다.

어느 정도의 알코올중독으로 인하여 영양흡수저하가 있는 환자에게서 급성적으로 현훈, 보행실조, 안구운동이상 등의 워니케병(Wernicke's disease)의 증상이 나타났을 때, 증상의 경중, 즉 경구 음식섭취가 가능한가에 따라서, 만약 물도 잘 섭취하지 못하는 경우에는 우선 서양의학적인 치료를 시행하여 어느 정도 개선되면 한방치료를 병행하는 것이 좀 더 안전하며, 간효소수치, 염증관련수치(ESR, CRP, ferritin, CK, CPK, WBC 등), Hb, plt, ANC를 확인하고, 이에 따라 처방을 구성해야 한다. 만약 간효소수치, 염증관련수치가 상승되어 있다면, 원래 사용하고자 했던 처방에 삼황(三黃)을 중용(重用)하여 진행성 신경손상을 안정시키고, 이런 marker들이 안정된 후에 다시 보비보기보양(補脾補氣補陽)의 방법으로 신경기능을 개선시킨다.

알코올 관련 질환은 증상이 처음 발생했을 때 어떻게 환자와 알코올을 격리하느냐가 가장 중요하며, 가족 내에서 환자를 너무 감싸도 안 되고 너무 소홀히 해도 어려우며, 집단치료에도 참여율이 그렇게 높지 않고 금주관련약물(cyanamide)도 외래로 처방받은 경우에는 잘 복용하지 않게 된다. 중증의 알코올 중독은 입원관리하는 것이 좋다.

난치성질환 한의치료 증례집 제4권

CHAPTER 02

피부질환

01 2년 전 여름에 시작된 등의 간지럼증

- 46세, 여자
- 진료일: 2021년 6월 12일

환자는 즐거운 성격의 미혼여성으로, 약 3년 전 요추디스크탈출증으로 고생했던 것을 제외하고는 어떠한 이상도 없이 잘 지내고 있었다. 그런데 약 2년 전 등 부분(背部)에서 갑자기 이상한 느낌이 시작되더니 완고한 피부소양증으로 진행되었다. 피부과에서 수회 진료를 받고 약물 및 주사(미상)를 맞았으나 효과가 잠깐 있고 증상이 반복되어 가끔씩 피부과약(미상)을 처방받아 복용하고 있다가 지인의 소개로 내원하게 되었다.

증상분석

환자의 피부상태는 아래의 사진처럼 반(瘢), 진(疹), 인설(鱗屑), 삼출(滲出), 색택(色澤) 등의 이상이 전혀 없었다. 계절, 온도, 음식, 수면 등과 증상의 악화는 관련이 없었으며, 음주 후에 약간 심해지는 것 같은 느낌이지만 확실하지는 않았다. 증상은 어떠한 원인도 없이 갑자기 간지럽기 시작하면 피가 날 때까지 긁어야 안정이 되곤 했다. 피부과의 약물은 잠깐의 효과가 있었지만 때로는 전혀 효과가 없어서 지속적으로 긁어야 된다고 했다.

처음 월경이 시작될 때부터 있었던 극심한 두통, 2, 3년 전 발견된 약 3cm 정도의 자궁근종 이외에 특이사항은 없었으며 가족력도 없었다.

이에 표풍열여열미진(表風熱餘熱未盡)으로 판단하여 마계각반탕가미방(麻桂各

半湯加味方[1])을 처방하고 대추(大椎), 폐수(肺俞)의 사혈(瀉血), 풍지(風池), 천주(天柱), 척택(尺澤), 삼음교(三陰交)를 자침했다.

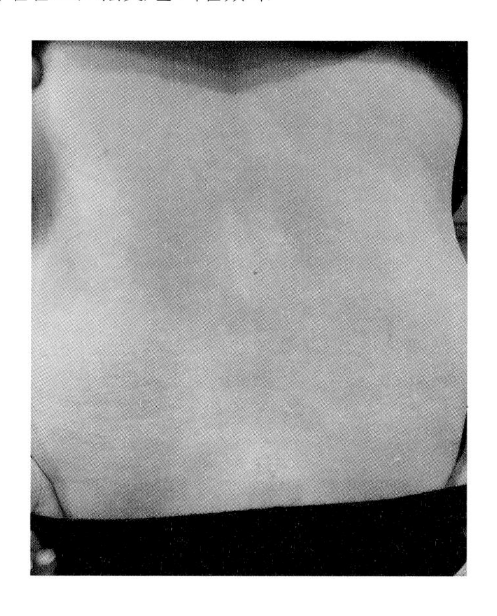

치료경과

- 2021년 7월 3일: 등의 피부소양증이 30% 정도는 호전되어, 이전처럼 살 속 깊은 곳까지 간지러운 것이 개선되었다. 6월 12일의 처방에서 마황(麻黃)을 6g, 황금(黃芩)을 9g, 석고를 18g으로 증량했다.
- 2021년 8월 21일: 피부소양증이 40% 이하로 가벼워져서 일상생활에서 크게 신경을 쓰지 않을 정도로 되었다. 처방을 변경하지 않았으며, 일단 치료를 일단락하고 재발할 경우 다시 내원하도록 했다.

---

1) 麻黃 3g, 桂枝 6g, 赤芍 6g, 杏仁 6g, 當歸 12g, 沙苑蒺藜 7.5g, 皂角刺 12g, 黃芩 7.5g, 石膏 15g, 蒼朮 6g, 白鮮皮 12g, 甘草 4.5g

후기 및 고찰

이후 환자의 극심했던 피부소양증은 재발하지 않고 있다.

이 증례의 피부소양증은 발병양상을 보면 진균, 미생물의 감염, 외감(外感) 후 자가면역의 염증, 혈관염 등은 고려대상에서 제외된다. 단 발병의 계절을 고려할 때, 여름에 땀의 배출에 문제가 생긴 것으로 추정할 수 있는데, 그 정도와 범위, 부위가 깊지 않고 특수한 상황에 좌우되지 않은 상황이라 처음부터 중점을 확실하게 파악하기 어려웠지만 숙고하여 비교적 양호한 결과를 얻을 수 있었다.

처방의 구성은 화해영위(和解營衛)의 마계각반탕(麻桂各半湯)을 기본으로 하고, 이미 상당한 시간이 지났으므로 한선(汗腺)의 부분적 위축, 협착 등도 고려하여 보혈(補血)의 당귀(當歸), 사원질려(沙苑蒺藜), 통규(通竅)의 조각자(皂角刺)를 가미했다. 1차 처방 후 증상에 부합하는 것으로 판단했으며, 이에 마황(麻黃)을 증량하여 통규(通竅)의 효능를 강화했다. 이 때 마황(麻黃)의 통규작용(通竅作用)이 원활하지 않을 경우에는 지속적으로 가미하여 흉민(胸悶)이 발생하거나 수면에 영향이 있을 정도까지 가중하며, 일반적으로 겨울철에는 여름철보다 용량을 더 높게 사용한다. 만약 한선(汗腺)이 급성적으로 막혀서 환부에 한공(汗孔)의 염증이 홍종(紅腫), 화농성이 확인되고, 극심한 소양이 있으면 은화(銀花), 연교(連翹), 황금(黃芩), 황백(黃柏), 용담초(龍膽草), 석고(石膏) 등의 청열해독(清熱解毒), 유향(乳香), 몰약 등의 활혈화어(活血化瘀), 백지(白芷), 조각자(皂角刺), 로로통(路路通), 백선피(白鮮皮) 등의 투진지양(透疹止痒) 약물들을 가미한다.

극심한 더위 후 발생한 안면 색소침착의 노부인

- 66세, 여자
- 진료일: 2018년 9월 27일

환자는 특별한 지병이 없이 건강하게 잘 지내고 있었다. 그런데 금년 5월 말, 날씨가 더워지기 시작되면서부터 얼굴의 피부에 좁쌀 같은 구진이 나오면서 가려워서 피부과의 치료(내복 및 외용약물 미상)를 받기 시작했다. 하지만 증상이 개선되지 않아 피부과에서는 계속 약물을 변경했지만 증상은 호전되지 않고 피부의 이상이 발생한 부위가 검게 되기 시작했다. 그 후 수개월 동안에 안면의 피부색이 완전히 흑갈색으로 되어 지인의 소개로 본원에 내원하게 되었다.

증상분석

환자는 스카프로 얼굴 전체를 가린 채로 진료실에 들어왔다.

환자의 피부를 자세하게 관찰하니 염증의 소견은 없었으며, 얼굴의 피부 전체가 흑갈색으로 색소침착이 되어 있었으며 환부의 미열감이 확인되었으나, 국소적인 함몰 또는 모낭염 후의 특징적인 색소침착, 안면 이외 기타 부위의 색소침착 등은 없었다. 설홍미건부태(舌紅微乾無苔)하고 맥부긴(脈浮緊)했다. 이 밖에 수년 전 옻닭을 먹은 후 급성 알레르기(allergic angioedema)로 입원병력이 있었다.

이에 외감풍열(外感風熱) 후의 신음허겸여열미진(腎陰虛兼餘熱未盡)으로 판단하고 지백지황탕가미방(知柏地黃湯加味方[1])을 처방했으며 침구치료 및 외용약물치료

---

1) 黃柏 12g, 生地黃 12g, 知母, 山藥, 山茱, 茯笭, 丹皮, 澤瀉, 牛膝, 蒼朮 各 6g, 甘草 3g, 皂角刺 12g

는 생략했다.

환자가 사양하여 사진은 촬영하지 않았다.

치료경과

- 2018년 10월 12일: 추가적인 발진은 없었으며, 안면전체에 침착된 색소가 조금 흡수되어 안면에 흰색이 조금 나타나고 있었다. 그런데 어제 머리카락을 염색한 후 안면에 약간의 열감이 나타났으나 잠을 자고 나니 열감은 소실되었다. 9월 27일의 처방에서 조각자(皂角刺)를 24g으로 증량하고, 석고(石膏) 15g을 추가했다.
- 2018년 10월 30일: 안면의 색소침착이 조금씩 흡수되면서 군데군데 이전의 피부색이 보이기 시작했다.
- 2018년 11월 23일: 안면의 흑색이 이전에 비해 상당히 연해졌다. 이미 상당히 개선되어 환자는 치료를 종료하기를 원했다. 이에 비록 완전하지는 않지만 치료를 종료하고 내년 여름 재발할 경우에 다시 치료하기로 했다.

후기 및 고찰

2019년 8월에 환자의 자녀에게서 전해 들은 바에 의하면 모친의 안면이 상당히 개선되었으며 금년 여름에는 재발하지 않고 있다고 했다.

안면의 색소침착에는 간울(肝鬱)의 시호가용모탕(柴胡加龍牡湯), 계지가용모탕(桂枝加龍牡湯) 등에 가감된 처방들이 많이 사용되지만, 육미(六味)와 팔미(八味) 또는 경악(景岳)의 좌우귀음환(左右歸飮丸)을 사용하는 경우도 있으며, 갱년기에는 자하거(紫河車), 산약(山藥) 등을 가미할 수도 있고, 기체혈어(氣滯血瘀)에는 황기(黃耆), 당삼(黨蔘), 단삼(丹蔘) 등을 추가할 수도 있다. 정확한 문헌은 기억나지 않지만, 어떤 책에서는 간반(肝斑), 황갈반(黃褐斑)의 치법을 강남(江南, 黃河以南)에는 육미(六味), 강북(江北)에는 팔미(八味)로 간단하게 설명한 경우도 있으니 참고할만하다.

극심한 통증의 발바닥 사마귀

- 37세, 남자
- 진료일: 2018년 2월 3일

환자는 유쾌한 성격의 남성으로 약 2년 전 발바닥에 사마귀가 하나 생기더니 시간이 지나면서 주변으로 퍼지면서 확대되었다. 약국에서 사마귀약도 발라보았지만 그 성장은 멈추지 않아 급기야 보행에 지장을 줄 정도가 되어 피부과에서 레이저 절제술을 받았다. 수개월 후 다시 재발하여 이번에는 근처 한의원에서 치료를 받았으나 호전되지 않아 지인의 소개로 본원에 내원하게 되었다.
환자는 발바닥의 사마귀로 인한 통증때문에 절뚝거리면서 진료실로 들어왔다.

증상분석

환자의 사마귀는 직경이 약 4cm 정도였으며 크게 3개 정도의 사마귀로 분열되어 있었다. 자발성 통증은 없었으나 누르면 상당한 통증을 호소했다. 기타 발바닥의 앞쪽에도 수 개 산재되어 있었으며 왼손 엄지에도 1개의 사마귀가 자리잡고 있었다. 현재 가장 중요한 부위는 사진에서 보이는 발바닥 뒤꿈치 쪽의 사마귀로 다른 부위는 일상생활에 큰 지장을 주지 않았지만 이 큰 사마귀는 보행에 심각한 지장을 주고 있었으므로 우선 발바닥을 중점적으로 치료하고 기타 부위는 추후에 착수하기로 했다. 이에 마행의감탕가미방(麻杏薏甘湯加味方[1])을 처방하고 사마귀는 직접구(直接灸[2])를 시행했다.

---

1) 麻黃 6g, 杏仁 7.5g, 薏苡仁 30g, 蒼朮 4.5g, 甘草 3g, 皂角刺 15g
2) 환부 전체에 시행하며 약간 갈색이 되면 환부를 가위로 잘라내고 다시 갈색이 되게 시행한다. 한 번에 사마귀 전체가 탈 때까지 시행하면 화상의 가능성이 높기 때문에 여러 번 나눠서 시행하거나 한 번 뜸치료를 할 때 뜸과 절제를 반복한다.

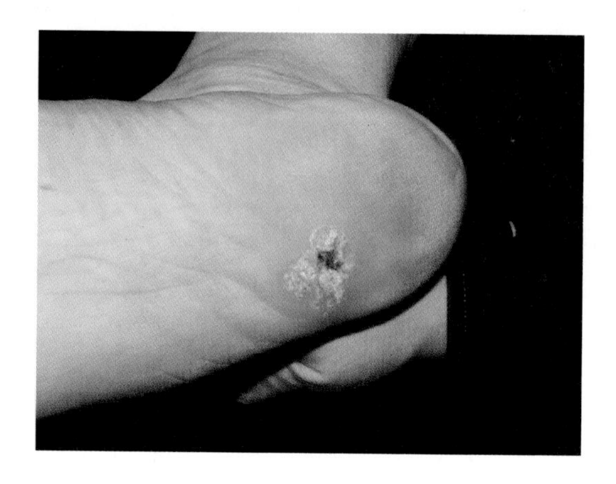

치료경과

• 2018년 3월 24일: 환자의 자택이 본원에서 자가용으로 약 2시간 정도 소요되는 곳이었기 때문에 환자는 1, 2주에 1회 정도 내원하여 시술을 받았으며 현재 약 반 정도의 사마귀가 소실되었다. 이에 처방은 변경하지 않았다.

후기 및 고찰

그 후 약 2개월 동안 2월 3일의 처방을 복용하면서 1, 2주에 1회씩 시술을 하여 발바닥의 사마귀는 모두 소실되었다.

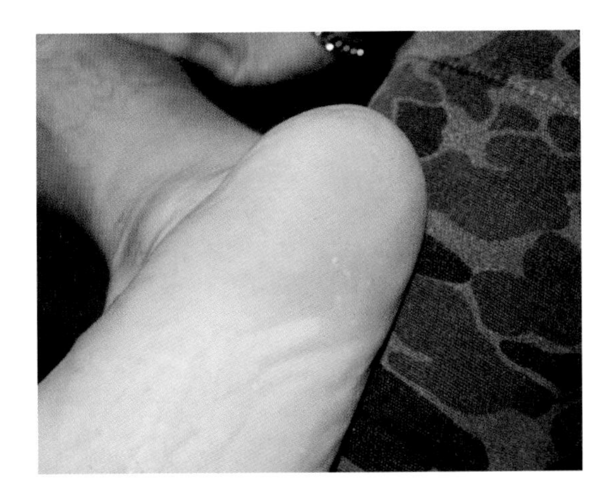

사마귀는 인유두종(human papilloma virus, HPV) 아형(subtype)에 의한 감염으로 한의학적으로는 표습(表濕)에 해당된다. 이 증례에서처럼 천천히 성장하는 경우에는 단순히 표습(表濕)의 마행의감탕(麻杏薏甘湯)과 직접구로 잘 해결된다. 단 급속도로 진행되는 경우는 표습열(表濕熱)이며 마행의감탕(麻杏薏甘湯)에 황금(黃芩), 석고(石膏)를 가미하고 외감풍습열(外感風濕熱)의 침법(鍼法)에 따라 대추(大椎), 폐수(肺兪), 폐정혈(肺井穴) 등을 사혈(瀉血)하고 풍지(風池), 곡지(曲池), 외관(外關), 삼음교(三陰交) 등을 자침(刺針)한다.

기쿠치병 후유증으로 발생한 손바닥의 결절성 홍반

- 34세, 여자
- 진료일: 2019년 10월 21일

환자는 성격이 밝고 건강한 여성으로, 수년 전 안면의 지루성피부염으로 본원에서 치료받은 적이 있어 본원에 대한 신뢰가 상당히 깊었다. 큰 질환이 없이 결혼해서 잘 살고 있었는데, 약 1년여 전 바쁜 업무로 피곤하던 중에 어느 날 오른쪽 목 밑의 림프절이 부어올라서 기쿠치병(Kikuchi disease)으로 진단되었으며, 약 3개월 동안 스테로이드를 복용한 후 개선되었다. 그런데 7, 8개월이 지난 후 재발하여 다시 스테로이드를 2주 정도 복약한 후 개선되었으나, 약 1주일 전부터 손바닥이 빨갛게 되더니 누르면 통증이 나타나 급히 본원에 내원했다.

증상분석

환자의 손바닥은 부분적으로 홍반이 보였으며 색은 선홍색으로 색이 짙은 부분은 약간의 부종감과 경도가 느껴졌으며 압박 시 참을 수 있는 정도의 통증이 나타났다. 발, 발바닥 등 부위에서 홍반이 보이지는 않았다. 최근 1년 동안 극심한 피로를 느끼고 있었으며, 잠을 푹 자지 못하고 하루에도 몇 번씩 깬다고 했다. 맥유부삽(脈濡澁)했다.

이에 여열미진(餘熱未盡)의 혈열(血熱)로 판단하여 지골피음가미방(地骨皮飮加味方[1])을 처방했으며, 침구치료로는 대추(大椎), 폐수(肺兪)를 사혈(瀉血)하고, 풍지

1) 地骨皮, 牧丹皮 各 12g, 當歸, 川芎, 生地, 赤芍 各 4.5g, 黃芩 24g, 石膏 18g, 蒼朮 6g, 甘草 3g

(風池), 수삼리(手三里), 음릉천(陰陵泉)에 자침(刺針)했다.

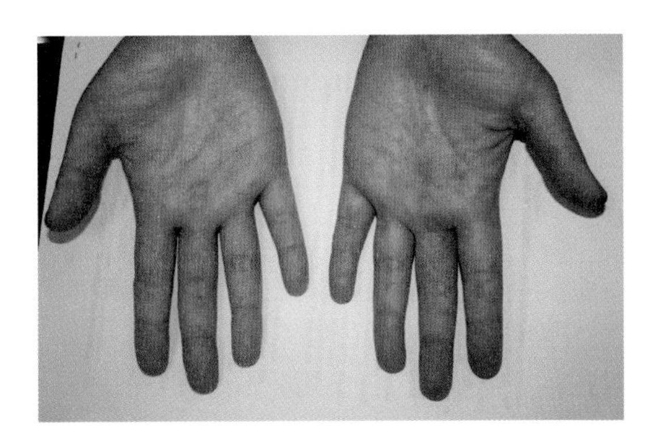

- 2019년 11월 9일: 환자의 손바닥의 홍반 및 결절, 압통이 상당히 개선되었다. 복약 초기 2일째에 갑자기 홍반이 커지는 것 같더니 4일째부터 반(瘢)의 색이 홍색에서 갈색으로 변하면서 작아지기 시작했다고 했다. 10월 21일의 처방에 활혈화어(活血化瘀)를 강화하기 위해 단삼(丹蔘) 12g을 추가하고, 침구치료를 이전과 동일하게 시행했다.

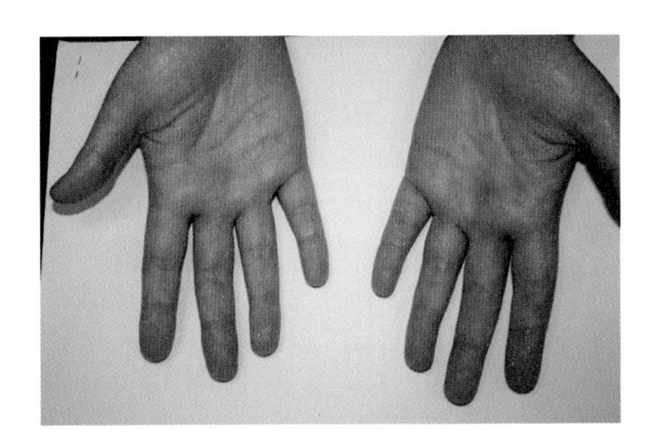

후기 및 고찰

이후 환자의 증상은 모두 소실되었다. 이처럼 바이러스 감염 후의 면역반응에서 발생한 면역복합체가 미세혈관의 혈관염을 유발하는 경우는 소양열(少陽熱), 혈열(血熱)에 해당된다. 소양열(少陽熱)은 말라리아, 결핵 등의 감염질환, 면역열, 신경열, 이식열, 부종양증후군, 종양전증후군, 혈관질환, 항암화학요법 및 방사선치료 등에서 발생할 수 있는 특징적인 발열의 형태를 말한다. 일포발열(日晡發熱)로 표현되기도 하며, 임상적으로 낮에는 미열이 있으며 황혼부터 피로와 권태, 발열이 시작되어 자정 근처에서 발열이 최고조에 이르며 새벽에 땀이 나면서 체온이 하강한다. 이러한 종류의 발열은 서양의학적인 약물에 반응이 적다. 전통적으로 소시호탕(小柴胡湯)이 대표적이지만, 이 때 사용하는 삼(蔘)은 인삼(人蔘)이 아닌 현삼(玄蔘)으로 대신할 수 있다. 또한 비뇨기계감염으로 발생한 소양열(少陽熱)에는 고삼(苦蔘)으로 대체한다. 이러한 열세(熱勢)가 혈관염으로 나타날 경우에는 지골피음(地骨皮飮)으로 대응하되 삼황(三黃) 중의 일미(一味)를 상중하초(上中下焦)로 구분하여 가중(加重)하고, 퇴허혈(退虛熱)의 지모(知母), 청호(靑蒿), 은시호(銀柴胡) 등을 추가한다. 이러한 소양열(少陽熱), 혈열(血熱)이 안정된 후에는 자음청열(滋陰淸熱)의 처방으로 치료를 공고히 한다.

원인미상의 혈열발반(血熱發瘢)

• 26세, 남자
• 진료일: 2018년 3월 22일

환자는 초교시기에 전신성 아토피피부염이 심하여 필자에게 치료를 받고 그동안 잘 지내고 있었다. 문제는 작년 10월경 갑자기 목 주위가 간지럽기 시작하면서 전신(상반신)에 습진이 발생했다. 이에 피부과에서 알레르기 검사를 하니 집먼지 등에 강한 알레르기 반응을 보이고 있어서 스테로이드, 항히스타민제 등을 주사 및 복용하고 제마지스 연고(prednicarbarte) 등을 사용해서 조금 안정되었으나 최근 1개월 전부터 다시 악화되기 시작했다. 이에 급히 인터넷에서 수소문하여 10여 년 만에 본원에 내원했다.

증상분석

환자의 피부는 비교적 건조한 편이었으며, 반진이 크게 올라오지는 않았으며 비교적 편평하고 윗부분의 인설이 심하지는 않았으며 극심한 소양감을 호소했다. 특히 활동을 하여 체온이 올라가거나 야간에 약간만 더우면 너무 가려워서 참을 수가 없을 정도였지만 삼출이 생기지는 않았다. 가만히 있어도 상반신의 열감 및 안면의 상열감이 심했다. 비록 증상은 사진처럼 심했지만 173cm, 65kg의 단단한 몸을 하고 있는, 즐겁고 긍정적인 성격의 청년이었다. 맥부긴삽(脈浮緊澁)하고 대소변, 소화장애 및 기타 이상은 없었다.

이에 혈열겸표풍열(血熱兼表風熱)로 진단하고 지골피음가미방(地骨皮飮加味方[1])

---

1) 地骨皮, 丹皮 各 7.5g, 當歸, 川芎, 赤芍, 生地, 黃芩, 甘草 各 4.5g, 蒼朮 6g, 黃芩 12g, 石膏 18g, 白鮮皮 15g

을 처방했다.

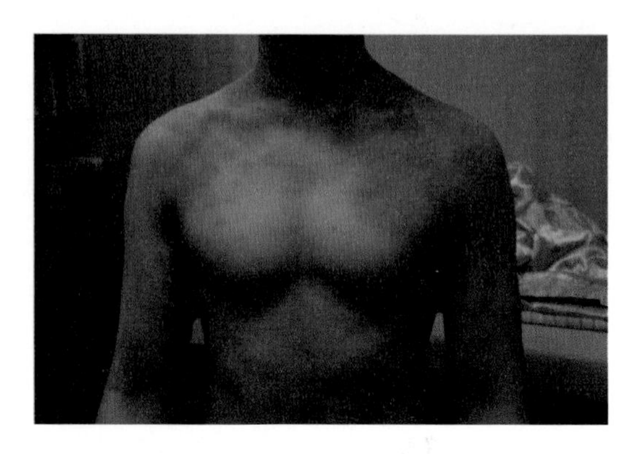

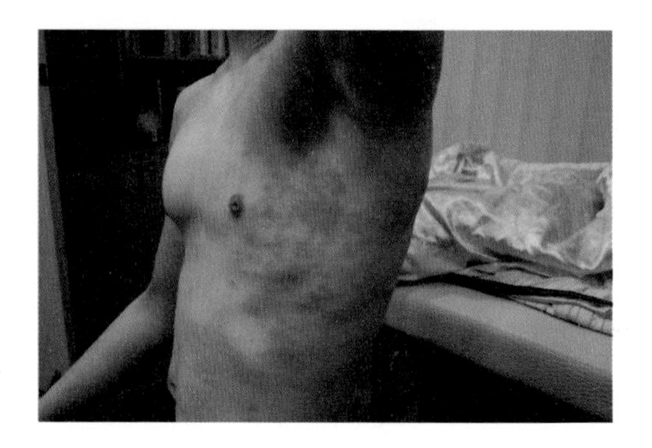

치료경과

- 2018년 4월 27일: 이번 내원 약 2주 전 상황이 갑자기 악화되어 피부과에서 항히스타민제(미상)와 스테로이드(미상)를 처방받았으나 항히스타민제만 1주일 복용하고 스테로이드는 복용하지 않았다. 현재 전신의 병변은 이전보다 상당히 개선되었다. 처방이 적중하였으므로 변경하지 않았다.

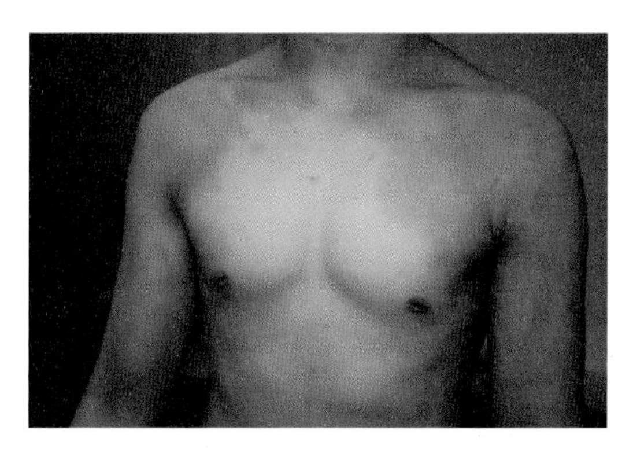

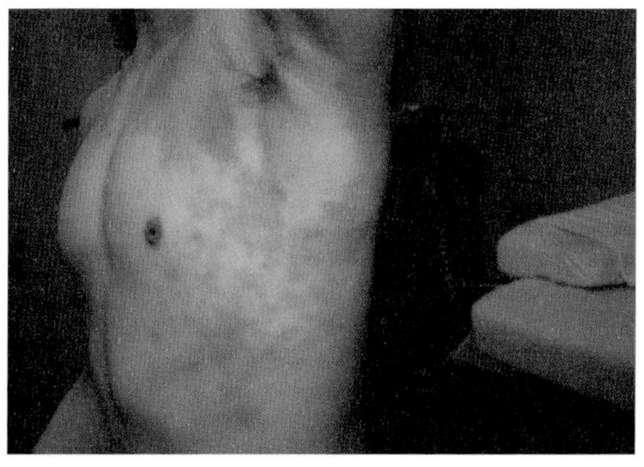

- 2018년 6월 7일: 병변의 색이 옅어졌으며 소양도 이전보다 개선되었으나 피곤하면 양쪽 눈꺼풀이 벌겋게 되면서 상기되는 증상이 있었다. 처방을 변경하지 않았다.

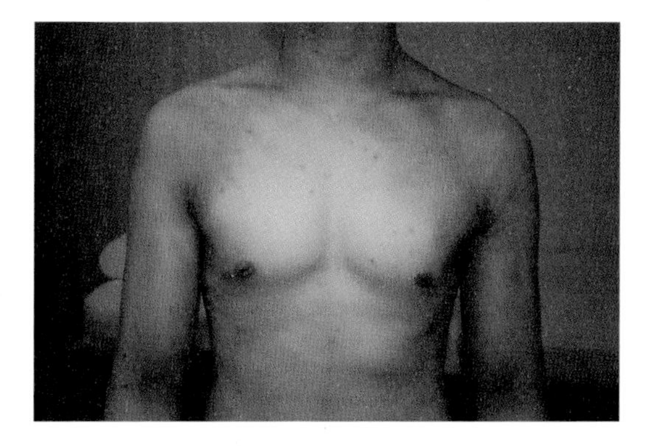

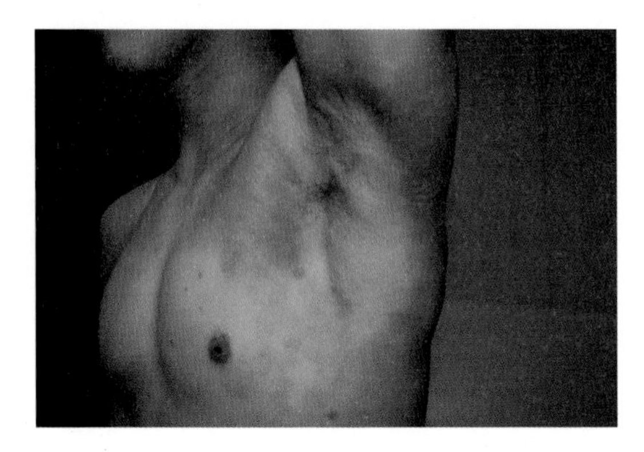

- 2018년 8월 13일: 피부증상은 점진적으로 개선되고 있었으나, 오른쪽 목 주변의 피부가 가끔 심하게 간지러워서 스테로이드가 함유된 연고(미상)를 때때로 사용하고 있었다. 기타 부위에는 사용하지 않았다. 6월 7일의 처방에서 석고(石膏)를 24g으로 증량했다.

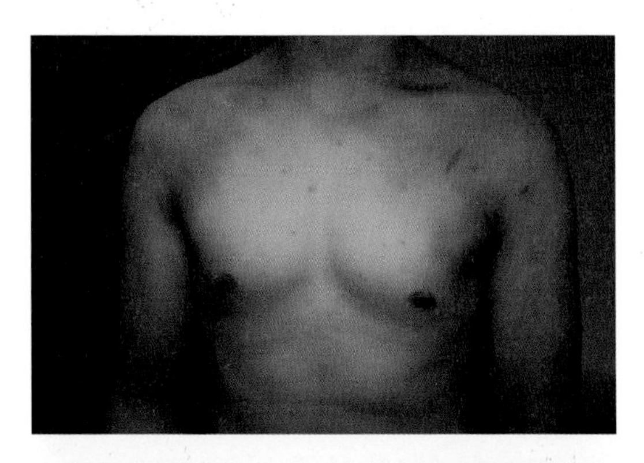

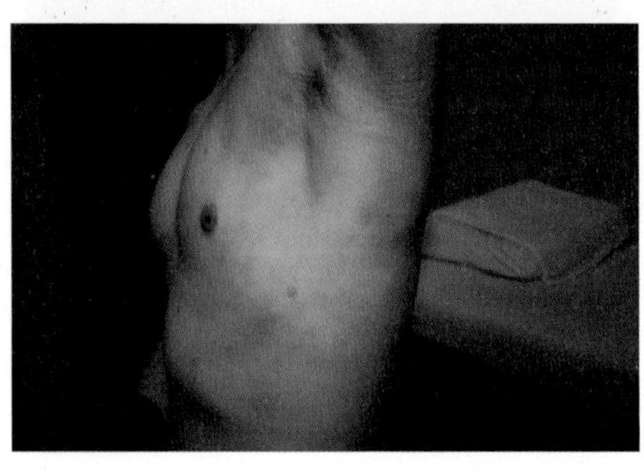

• 2018년 10월 8일: 환자의 피부증상은 상당히 개선되었으며, 아직은 날씨가 덥지만 이전처럼 피부가 뜨거워지지 않았다. 처방을 변경하지 않았다.

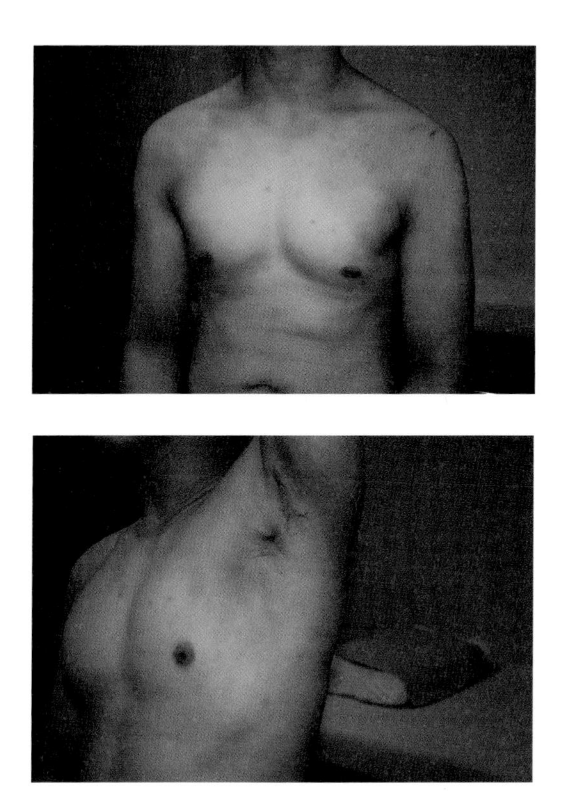

• 2018년 12월 10일: 기본적으로 처음 내원 시에 있었던 증상은 모두 소실되었으나, 현재 겨울철에도 몸이 약간 더워지려고 하면 목 주변이 간지러워질 것 같은 느낌이 있었다. 스테로이드연고는 사용하지 않았다.

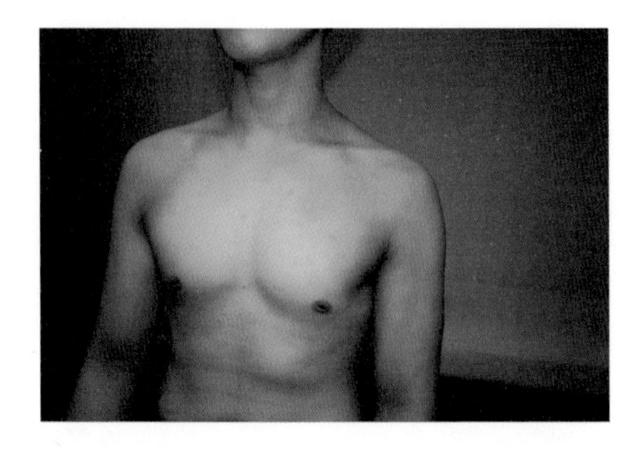

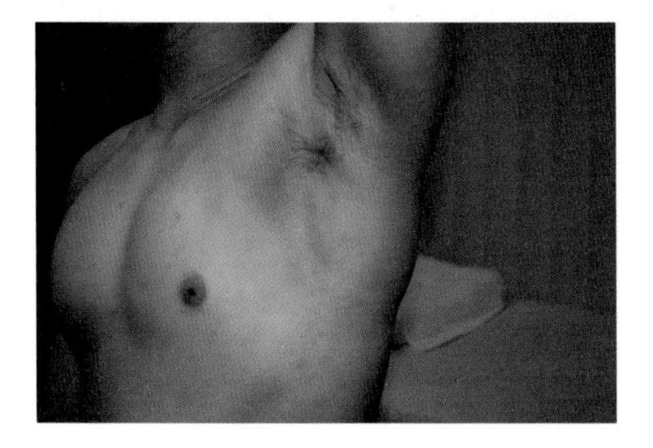

후기 및 고찰

환자는 2019년 2월에 내원했으며 피부병변은 모두 안정되어 있었다. 하지만 어려서부터 있었던 모낭염은 어느 정도 남아 있었다.

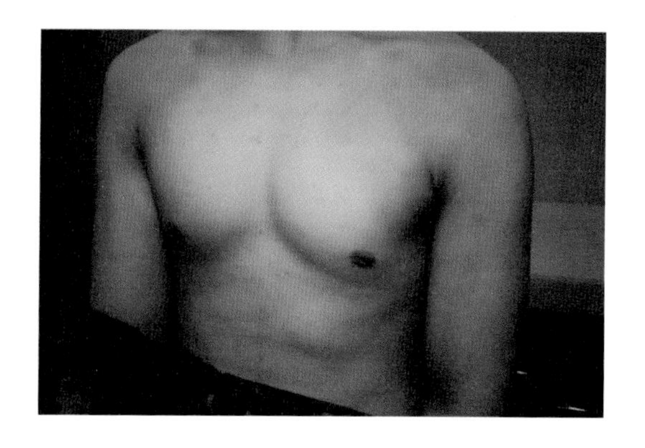

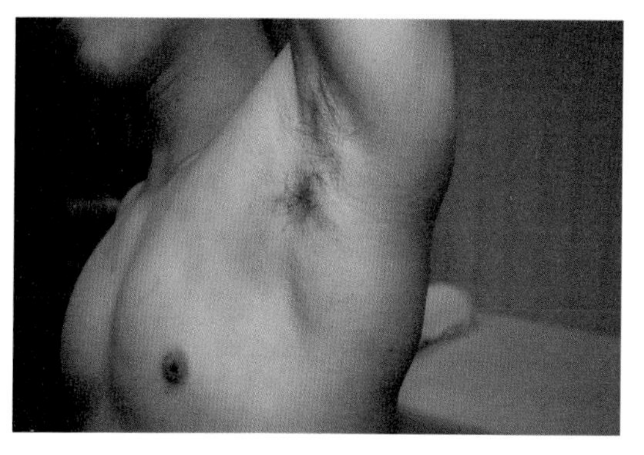

환자의 피부염은 모종의 원인에 의해 촉발된 면역과잉반응으로 볼 수 있다. 이 때 항히스타민제, 스테로이드 등이 사용되기도 하지만 일정시간이 지나게 되면 내성을 보이게 된다.

한의학적으로는 급성기, 아급성기, 만성기 등으로 구분하여 치료해야 한다. 급성기에는 계마각반탕(桂麻各半湯), 월비탕(越婢湯), 대청룡탕(大青龍湯), 청온패독음(淸溫敗毒飮), 용담사간탕(龍膽瀉肝湯) 등의 가감으로 제어하며, 아급성기에는 음허겸표풍열(陰虛兼表風熱), 혈열(血熱)로 지백지황탕(知柏地黃湯), 지골피음(地骨皮飮) 등에 가미한다. 일단 표증이 안정된 후에는 지황탕류(地黃湯類), 칠보미염단(七寶美髥丹), 당귀음자(當歸飮子) 등으로 장기간 동안 보양(保養)한다.

피부질환에서의 보양(補陽)의 치법은 상당히 특수한 경우에만 활용할 수 있다. 예를 들어 경피증(sclerosis)의 경우, 만약 이미 스테로이드가 사용되고 있는 상황이라면 충분히 활용할 수 있지만, 반드시 보양약물(補陽藥物)의 몇 배나 되는 청열약물(淸熱藥物)로 질환 본연의 열증(熱證)을 제어하면서 경화를 제거해야 한다. 건선의 경우에도 이미 상당한 정도의 스테로이드 내복 및 외용을 하여 피부의 허혈상황이 있을 때에만 보양(補陽)의 방법을 고려할 수 있다.

장미색비강진(Pityriasis rosea)의 젊은 여성

- 28세, 여자
- 진료일: 2020년 9월 4일

환자는 약 6, 7주 전 갑자기 몸통에 피부이상이 발견되어 피부과에서 장미색비강진의 진단을 받고 외용연고(파나덤크림: betamethasone dipropionate, clotrimazole, gentamicin sulfate 복합제제) 및 광선치료(자외선)를 받았으나 증상이 개선되지 않고 기타 부위로 진행되어 본원에 내원하게 되었다.

증상분석

환자의 피진(皮疹)은 체간의 여러 부위, 즉 복부, 배부, 서혜부, 액와부 전체에 분포되어 있었으며 그 중에서도 특히 액와부의 병변이 가장 심했다. 소양감은 가끔 나타났고 탈락되지 않는 인설양 병변이 확인되었으나 2차 염증, 기타 피부질환의 합병 등은 보이지 않았다. 기타 건강상의 문제는 없었으나 수년 전부터 밤과 낮이 바뀐 수면장애가 있었다. 이에 계마각반탕가미방(桂麻各半湯加味方[1])을 처방하고 대추(大椎), 폐수(肺俞)를 사혈(瀉血)하고, 풍지(風池), 척택(尺澤), 삼음교(足三里)에 자침(刺針)한 후 경과를 지켜보기로 했다.

1) 肉桂 6g, 麻黃 2.5g, 赤芍 9g, 杏仁 4.5g, 黃芩 15g, 石膏 15g, 板藍根 9g, 蒼朮 6g, 甘草3g

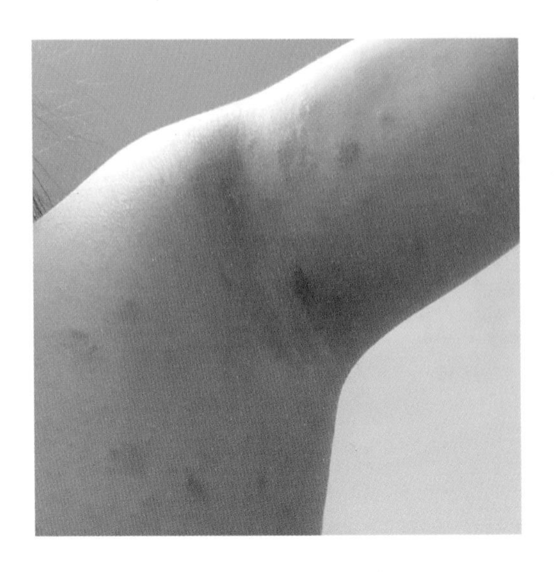

치료경과 및 후기

환자는 복약 후 내원하지 않았으며 약 5개월이 지난 2021년 2월에 어깨의 통증으로 내원하여 그 간의 경과를 알려주었다. 약을 복약하는 동안에는 약간의 변화가 확인될 듯 아닌 듯 했으나 복약을 다하고 다시 진료를 받아야 되겠다는 생각을 한 시점인 복약완료 1주일 후부터 증상이 개선되기 시작하여 2개월 후에는 완전히 소실되었다고 했다.

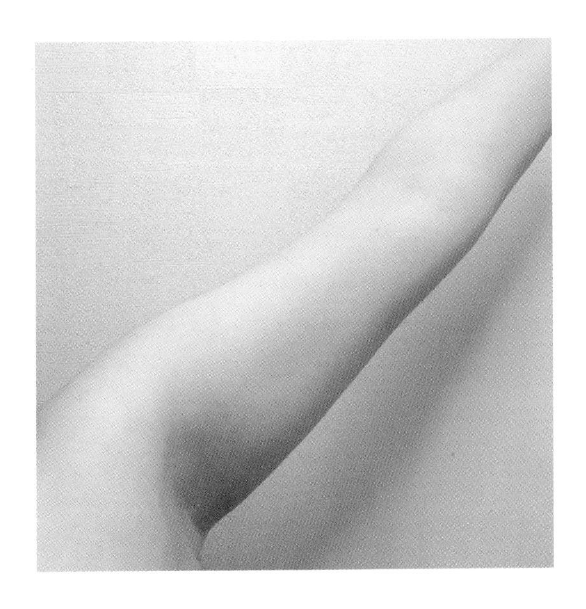

이 증례에 대한 해석이 분분할 수 있지만 한방치료 전 수 주 동안 염증반응이 강하여 전신으로 진행되었으며, 한약 복약 중에 면역매개염증반응이 대폭 개선된 것으로 볼 수 있고, 그 후 남은 잔편들이 자연적으로 대사되어 증상이 소실된 것으로 보는 것이 합당하다. 비록 강력한 바이러스에 대해 한방치료가 유효한 것은 인정할 수 있지만, 일반적으로 장미색비강진은 자연적으로 해소되는 경향이 많기 때문에 반복적인 임상적 검증이 필요하다.

화해영위(和解營衛)의 마계각반탕(麻桂各半湯)은 표층부의 피부질환에 다용된다. 만약 병변이 급속도로 진행 중이라면 양단탕(陽旦湯)의 의미로 황금(黃芩)을 추가 및 증량한다. 기타 피부질환에서 볼 수 있는 혈열형(血熱型)에는 지골피음(地骨皮飮), 화농성의 옹절(癰癤)에는 선방활명음(仙方活命飮), 지저분한 인설들이 많으면 표습(表濕) 또는 표습열(表濕熱)의 마행의감탕(麻杏薏甘湯), 마행감석탕(麻杏甘石湯)의 의미로 대처하면 효과적이다. 이하는 장미색비강진과 유사한 환상홍반증의 혈열형(血熱型) 증례이며, 치료 후의 사진을 얻지 못해 이 증례에 첨부하여 설명한다.

환자는 52세의 남성으로 약 20년 전에 동일한 피부질환이 있었으며 그 당시에 약 2, 3년 동안 서양의학, 한의학 등 각종 치료에도 호전되지 않다가 어느 순간에 자연적으로 소실되었다. 그런데 이번에도 약 4개월 전 갑자기 똑같은 증상이 시작되어 즉시 대학병원에서 수진하였으며 스테로이드, 항히스타민제, 면역억제제(내원 당시, 이미 초기보다는 약물이 감량되어 소론도 40mg, 항히스타민제, 사이폴엔 200mg, 알레그라정 180mg 등)를 복용하는 중에도 최근에 증상이 더 심해져서 내원했다. 치료시작 초기에 마계각반탕가감방(麻桂各半湯加減方)으로 접근했으나 다행이 악화는 되지 않았지만 효과는 전무하였다. 그래서 피부병변 확장부의 색을 참고하여 지골피음가미방(地骨皮飮加味方)으로 전환하니 빠르게 호전되었다. 임상에서는 유연한 사고방식이 가장 중요한데, 임상의 기간이 길어지면서 이전의 틀에서 답을 찾으려고 하는 경향이 생기는 것 같다. 그래서 항상 새로운 분야의 책들을 보지만 임상은 그렇게 간단하지 않다.

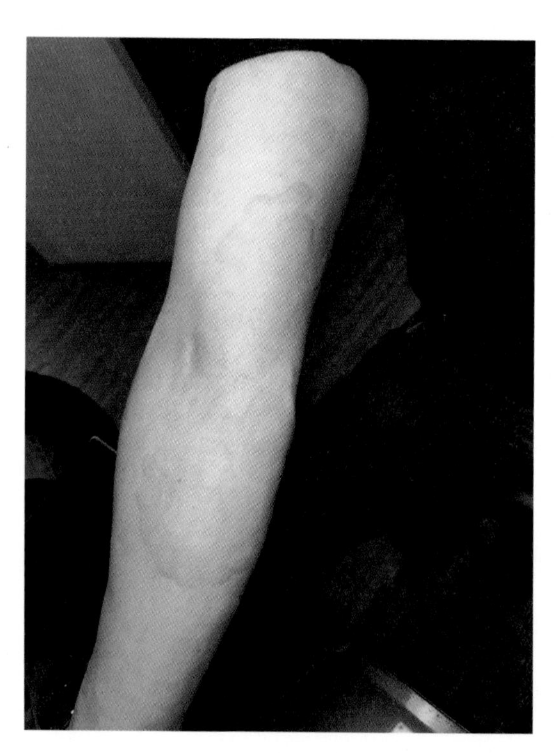

장염약을 복용한 후 발생한 극심한 두드러기

- 11세, 남자
- 진료일: 2017년 9월 25일

환자는 건강한 학생으로 금년 7월 복통, 구토가 발생하여 내과에서 처방받은 장염약(타라부틴정, 메디락에스장용캅셀, 세토펜 325mg)을 복용한 후 갑자기 전신에 두드러기가 나왔다. 그래서 급하게 근처 대학병원에서 치료를 했으나 개선되지 않아 다시 더 큰 대형병원에서 각종 검사를 진행했으나 알러지의 원인은 찾지 못했으며 당시 ESR이 조금 높았다고 했다. 해당 병원에서 치료를 받고는 어느 정도 안정되었으나 다시 9월 6일 이전의 증상에 두통이 더해져서 발생하여 다시 항히스타민제를 복용 중이었지만 증상이 안정되지 않아 본원에 내원하게 되었다.

증상분석

환자의 증상은 내원 시에는 방금 항히스타민제를 복용하여 병변이 보이지 않았다. 그러나 아래 사진과 같이 전신에 발생하는 분홍색의 편평하고 경계가 있는 은진(癮疹)으로, 때로는 구진양으로 나오기도 했다. 7월에 발병한 후 피부가 뜨거워진 것 같다고 했으며 당시의 치료 후에도 두피가 자주 가려웠다고 했다. 문제는 이 증상이 생기면서 두통과 오심이 생겼다고 했다. 이에 외감(外感)의 여열미진(餘熱未盡)으로 판단하고 갈근금연탕가미방(葛根芩連湯加味方[1])을 처방했으며 침구치료는 아이가 두려워하여 생략했다.

---

1) 葛根 12g, 黃芩 15g, 黃連 15g, 石膏 30g, 蒼朮 6g, 吳茱萸 3g, 甘草 3g: 1일 2회 아침 저녁 복용

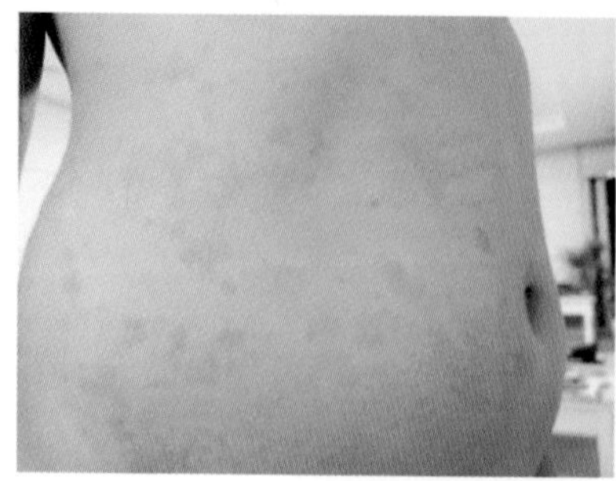
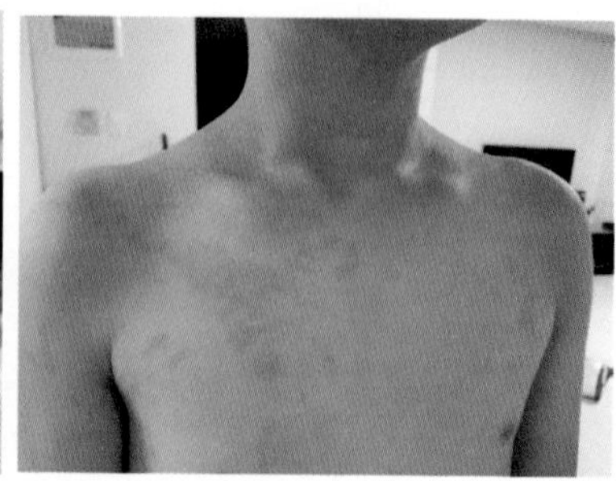
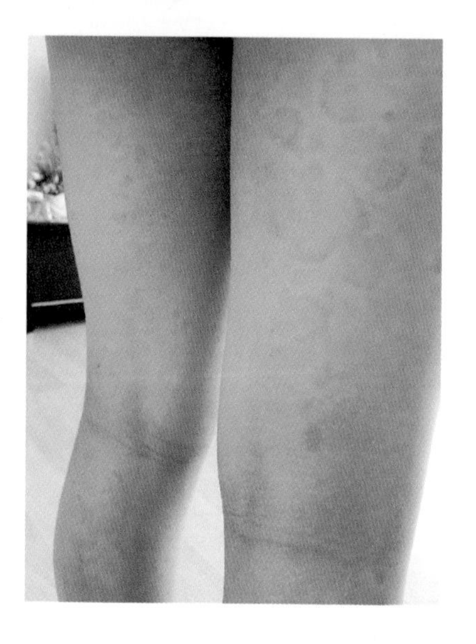

치료경과

- 2017년 10월 10일: 복약 후 2일 동안은 항히스타민제(미상)를 복용했으나 그 후 복용하지 않았으며, 10월 7일까지 은진이 나타나지 않았다. 그러나 8일 저녁 즈음에 얼굴, 어깨 등에 구진양 은진이 발생했으나, 항히스타민제를 복용하지 않고도 다음날 오전에 소실되었다. 이번에도 두드리기가 나오기 직전에 두통, 오심이 있었다. 9월 25일의 처방에서 오수유(吳茱萸)를 4.5g으로 증량하고 황백(黃柏) 9g을 추가했다.

- 2017년 11월 10일: 수일 전 내과에서 검사한 ESR은 정상(13)으로 나왔다. 어제 저녁 다리에 조그만 구진이 나오려고 하다가 안정되었다. 처방을 변경하지 않았다.
- 2017년 11월 27일: 최근까지 두드러기 나오지 않았다. 복용횟수를 1일 1회로 감량하고 치료를 종료했다.

후기 및 고찰

일반적으로 두드러기는 아직 만성화가 되지 않은, 항히스타민제를 복용하는 단계에는 양단탕(陽旦湯), 계마각반탕(桂麻各半湯), 대청룡탕(大青龍湯) 등에 가미하고, 만성화되었을 경우에는 혈허(血虛), 혈고(血枯), 혈고겸양허(血枯兼陽虛) 또는 겸표풍열(兼表風熱)로 보고 치료한다. 그 기전은 혈관신경부종(angioneurotic edema)을 참조하는 것이 좋다. 하지만 이 증례는 일반적인 경우와는 약간 다르다. 즉 두 가지 원인을 생각할 수 있는데 하나는 바이러스 감염으로 인한 외감성 담마진, 또 하나는 약물(세토펜: acetaminophene)의 부작용을 생각할 수 있다. 하지만 급성적으로 발생한 약물중독은 대부분 빠르게 개선된다. 그러므로 외감의 갈근금연탕증(葛根芩連湯證)을 주방(主方)으로 선정했으며 혹시라도 있을 수 있는 약은(藥癮)을 고려하여 금연(芩連)을 강하게 사용하고, 치표풍열(治表風熱)을 강화하기 위해 대청룡탕(大青龍湯)의 의미, 두통에 대하여 오수유탕(吳茱萸湯)의 의미를 추가해서 모든 증상을 빠르게 제어할 수 있었다. 장기간 두드러기가 지속된다면 여러 가지 기타 질환과의 연관성을 의심해야 한다.

08 전신성 피부진균증

- 6세, 여자
- 진료일: 2010년 12월 13일

환자는 매우 건강한 아이로, 약 3개월 전 몸을 긁기 시작하더니 전신의 소양 및 은진이 발생하여 소아과, 피부과에서 내복약(미상), 외용약(스테로이드 함유되었다고 함)을 처방받아 치료했지만 증상이 개선되지 않고 점점 악화되어 한방치료를 위해 본원에 내원하였다.

증상분석

환자는 소아과와 피부과에서 아토피피부염으로 진단되었지만 전형적인 아토피피부염과는 달리 병변이 전신에 분포되어 있지만 분비물이 없으며 피부가 전체적으로 건조하고 병변의 부위가 비교적 제한되어 있으며 군락을 형성하고 있는 것으로 보아 진균에 의한 감염으로 판단했다. 아이가 비교적 더위를 잘 탄다고 했지만 이것은 선천적인 자율신경의 양상이고 질환과는 관련이 없었다. 또한 만성적인 피부감염에 흔히 동반되는 비염, 천식 등의 증상도 없었다.

이에 혈고겸표풍열(血枯兼表風熱)로 판단하여 마행의감탕가미방(麻杏薏甘湯加味方[1])을 처방하고 경과를 보면서 처방을 수정하기로 했다.

현재 사용하고 있는 보습제는 지속적으로 사용하도록 권고하고 너무 조이는 내복

1) 麻黃 2g, 杏仁 6g, 薏苡仁 18g, 白鮮皮 15g, 黃芩 15g, 蒼朮 6g, 當歸 15g, 甘草 3g: 2貼을 3日 分服한다.

은 삼가도록 했다.

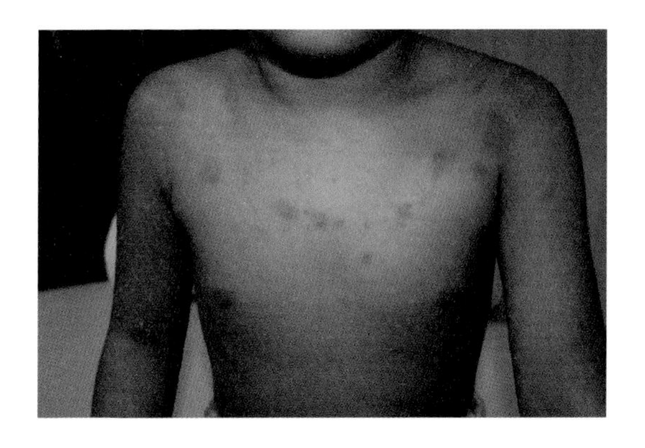

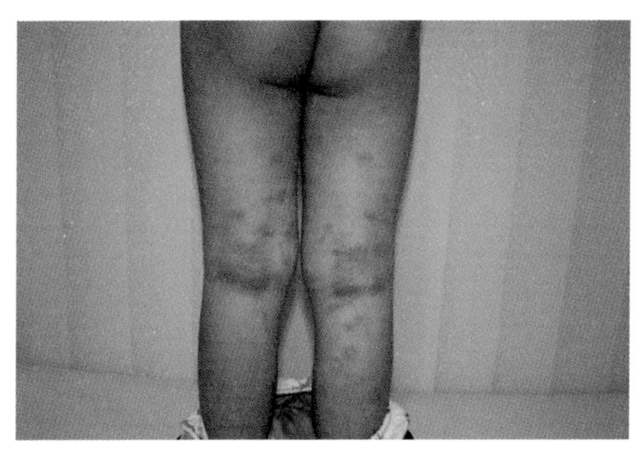

치료경과

- 2010년 12월 28일: 최근에 야간의 극심한 소양이 개선되었으며 피부병변의 색이 약해지고 있었다.
- 2011년 1월 26일: 피부병변의 색이 더욱 분홍색으로 바뀌면서 인설이 떨어지기 시작했다.
- 2011년 3월 2일: 며칠 전에 갑자기 소양이 악화되었으나 피부병변은 붉게 변하지 않았다. 1월 26일의 처방에서 천웅(天雄)을 9g으로 증량했다.

- 2011년 4월 4일: 대부분의 피부병변이 개선되고 있었다. 3월 2일의 처방에 육계(肉桂) 6g을 추가했다.
- 2011년 5월 31일: 전신의 피부병변이 기본적으로 모두 소실되었다. 4월 4일의 처방에 생지황(生地黃) 12g을 추가하고 치료를 종료했다.

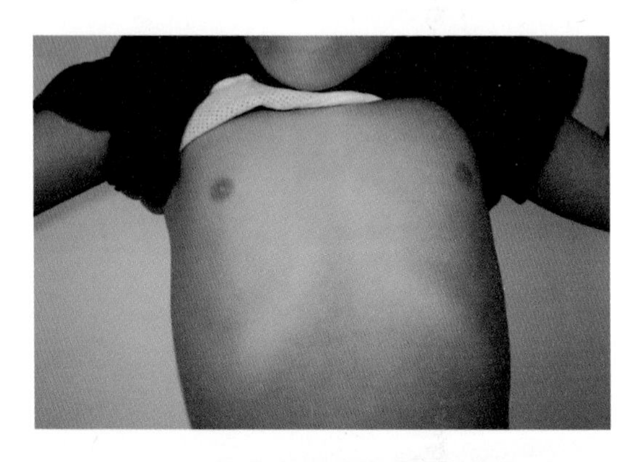

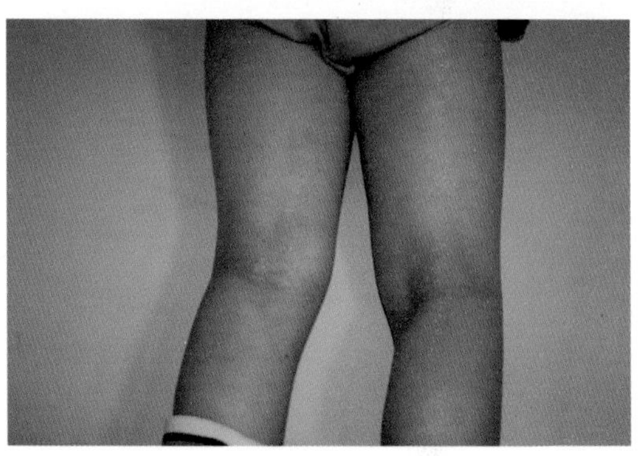

후기 및 고찰

피부의 진균감염은 매우 흔한 일이며 대부분은 자연적으로 개선되지만 면역매개가 발생하여 그 염증이 증폭되는 경우에는 전신으로 확산되어 고질적인 피부질환으로 진행될 수도 있다.

한의학적으로는 초기는 마행의감탕(麻杏薏甘湯)의 표풍열(表風熱)이지만 항진균제, 항히스타민제, 스테로이드 등에도 제어되지 않는 경우에는 표풍열(表風熱)의 장기화에 따라 피부점막손상이 겸해진 혈허(血虛), 혈고(血枯)를 고려해야 한다. 즉 진균의 감염과 조직의 손상이 함께 있는 경우로 본허표실(本虛表實)의 개념으로 접근할 수 있다.

이 증례에서는 마행의감탕합혈고방합사역탕(麻杏薏甘湯合血枯方合四逆湯)으로 안정되었으나 표풍열(表風熱)이 매우 강한 급성 진행기에는 삼황(三黃)과 석고(石膏)를 빠른 속도로 가중해야 그 속도를 잡을 수 있다.

중년여성의 전신성 자반증
(Henoch-Schonlein purpura)

- 47세, 여자
- 진료일: 2017년 3월 3일

환자는 온화한 성품의 중년여성으로 최근 2주 전에 갑자기 전신의 극심한 소양감과 자반, 눈꺼풀부종 등이 발생하여 급히 피부과에서 항히스타민제 혈관주사(미상), 항히스타민제(미상)를 복용했으나 증상이 개선되지 않았으며 증상이 너무 심하여 다른 피부과 2곳에서 스테로이드를 추가하여 치료했으나 호전되지 않았다. 이에 대학병원으로 가기 전에 한방치료를 하기 위해 내원했다.

증상분석

환자의 증상은 전신의 극심한 소양과 복부와 팔다리의 자반으로, 현재 스테로이드와 항히스타민제 복용에도 고통이 극심했으며, 특히 야간에는 너무 가려워서 수건을 차갑게 해서 습포를 해야만 조금이라도 안정되어 잠을 잘 수 있었다.

환자의 피부는 약간 뜨거웠으며 식사와 대소변은 이전과 동일했고 스테로이드를 복용하고 있었으나, 아직은 부종, 혈당상승 등의 부작용은 없었고 맥부긴삽삭(脈浮緊澁數)했다. 그 밖에 발병 수일 전 유방섬유선종(breast fibroadenoma)을 절제했다.

이에 영위불화겸표풍열겸소양열(營衛不和兼表風熱兼少陽熱)로 판단하고 계마각반탕가미방(桂麻各半湯加味方[1])을 처방하여 대추(大椎), 곡지(曲池)를 사혈(瀉血)하

1) 肉桂 6g, 麻黄 2g, 赤芍 6g, 生薑 6g, 大棗 3枚 甘草 6g, 石膏 30g, 黃芩 15g, 青蒿, 地骨皮 各 9g

고 풍지(風池), 완골(完骨), 척택(尺澤), 삼음교(三陰交)에 침구치료를 시행했다.

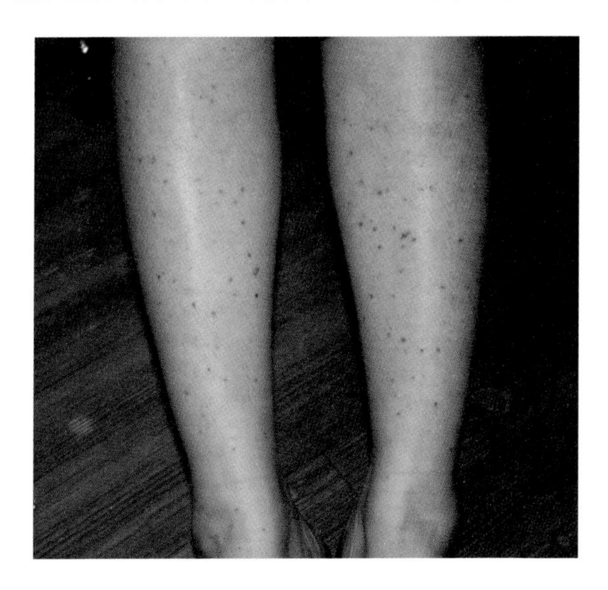

후기 및 고찰

환자는 복약을 다 하고, 2017년 3월 29일 베드민턴을 친 후의 팔꿈치 통증으로 내원했다.

그동안 피부과 약물들은 모두 복용하지 않고 순수하게 한약만을 복용했으며 복용 2일 후부터 증상이 확연하게 개선되기 시작하여 모두 소실되었다고 했다.

H-S 자반증(Henoch-Schönlein purpura)은 급성인 경우에는 대부분 바이러스 및 기타 원인의 감염에 대한 면역체계의 급성반응으로, 표풍열(表風熱)에 해당되어 계마각반탕(桂麻各半湯), 월비탕(越婢湯), 대청룡탕(大靑龍湯) 등을 주방(主方)으로 하고 동반된 증상에 따라 백선피(白鮮皮), 노로통(路路通) 등으로 지양(止痒)한다. 그러나 혈열(血熱)의 급성기에 응급치료를 위하여 서양의학적인 치료를 먼저 실시하여 장기간의 스테로이드 사용으로도 제어가 되지 않아 한방치료로 전환하는 경우에는 혈열(血熱), 혈허(血虛), 혈고(血枯) 등을 고려하고 이에 더해진 증상으로 겸표풍열(兼表風熱), 겸소양열(兼少陽熱) 등을 참작하여 치료방향을 선정한다. 치료

중 장기간 스테로이드, 면역억제제 등을 복용하고 있는 경우라면 약물의 중단에 있어서 신중을 기하는 것이 안전하며, 이전의 피부과 또는 류마티스과 주치의의 판단에 맡기는 것이 좋다. 한방치료와 양방치료를 병행하여 증상이 개선되어 스테로이드, 면역억제제를 중단하면 1-3개월 후에 본태성의 표풍열(表風熱)이 나오는 경우가 있는데(癮疹內陷) 이 때에는 본 증례의 치료법을 사용한다.

화폐상습진의 소녀

- 11세, 여자
- 진료일: 2016년 5월 28일

환자는 아담한 체격의 소녀로 어려서부터 아토피피부염이 지속되었으나 어느 정도 안정되어 일상생활에는 지장이 없고, 손과 다리에 가끔씩 아토피피부염이 발생하곤 하였다. 그때마다 피부과의 연고 및 항알러지제(미상)를 복약하곤 했으나 중단 후에 다시 시작되고 때로는 병원치료를 하고 있는 중에도 새롭게 나타나고 있었다. 아이의 피부가 안쓰러운 아이의 모친이 이번에는 제대로 치료를 하고자 피부전문 한의원의 치료를 받았으나 증상이 제어되지 않고 점점 심해져 피부과 치료도 함께 했으나 그래도 증상은 지속되고 있었다.

증상분석

환자의 피부 증상은 손과 발에 집중되어 있었지만, 몸통과 안면에는 없었고 피부과, 한의원의 어떤 치료 때문인지는 확실하지 않지만 확대된 습진에도 불구하고 분비물은 적었고 소양증도 심하지 않았다(사진 참조). 또한 전체적인 피부의 습윤도, 색조, 병변 이외 부위의 피부온도도 특수한 피부질환을 의심할 수 없었다. 기타 기본적인 음식, 수면 등에는 문제가 없었고 132cm, 27kg이었다.

이에 아직은 표풍열(表風熱)에 머무르고 있는 것으로 판단하고 계마각반탕가미방(桂麻各半湯加味方[1])을 처방하고 피부과의 치료는 유지하도록 했다.

1) 肉桂 6g, 麻黃 2g, 杏仁, 赤芍, 生薑, 生甘草 各 6g, 大棗 3枚, 黃芩 15g, 石膏 30g, 蒼朮 4.5g: 2貼을 3일에 分服했다.

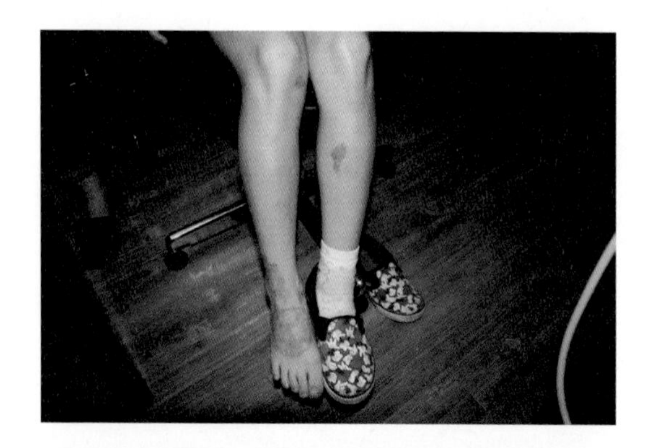

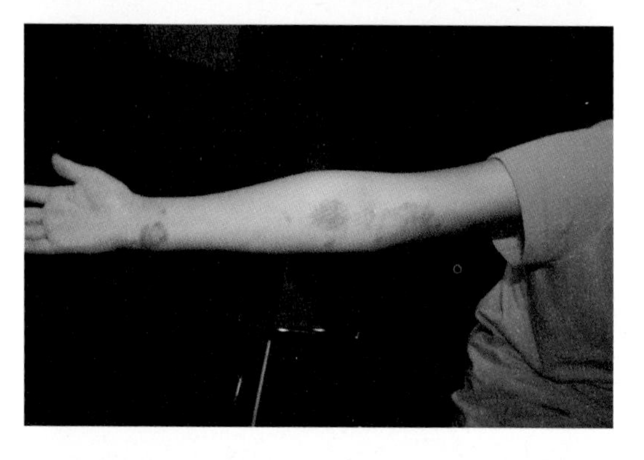

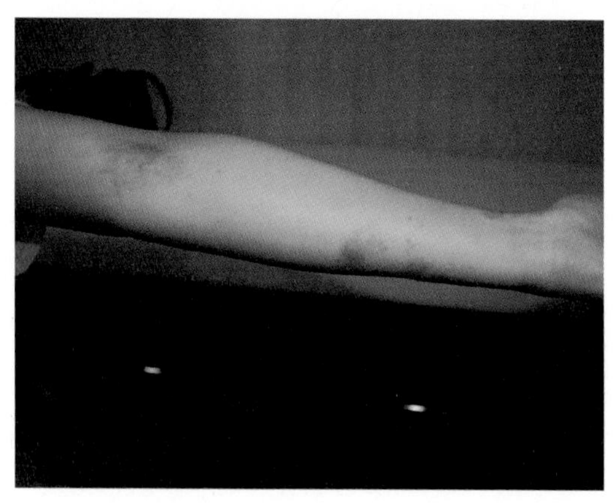

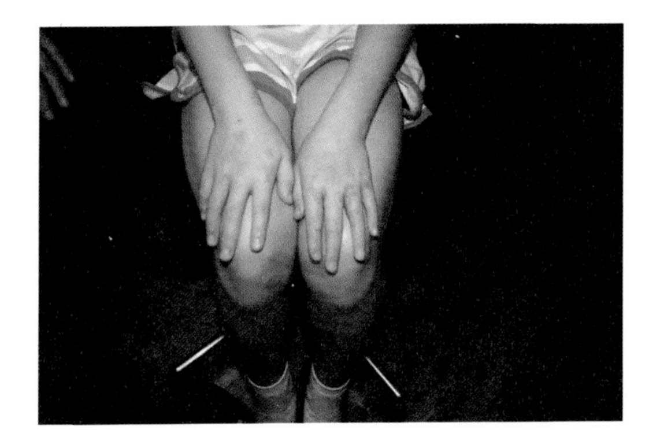

치료경과

- 2016년 6월 27일: 현재 홍색의 피부이상이 대부분 소실되어 가끔 피부과의 연고만 외용하고 있으며 알러지약은 환자 임의로 중단했다. 5월 28일 처방을 변경하지 않았다.
- 2016년 7월 14일: 며칠 전에 오른쪽발의 복숭아뼈 밑의 피부에 1mm 이하의 붉은 반진이 나타났다. 5월 28일 처방에 포공영(蒲公英) 15g을 추가했다.
- 2016년 8월 27일: 최근 물놀이를 많이 한 후에 손가락 끝에 1mm 미만의 수포가 수개 발생했다. 이 밖에 최근 목 안이 약간 따끔거린다고 했다. 7월 14일 처방에 길경(桔梗)과 가자(柯子) 를 9g씩 추가했다.

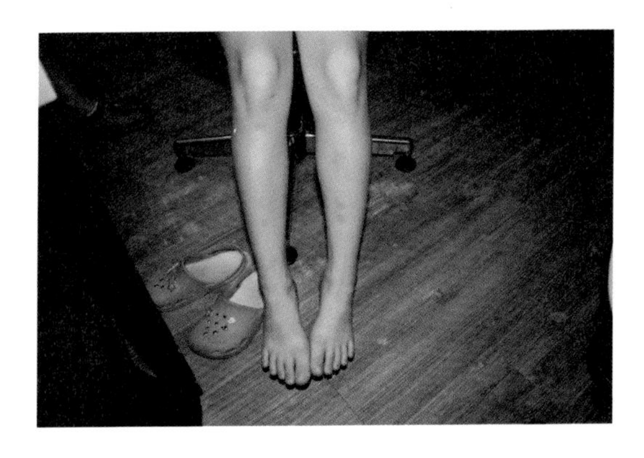

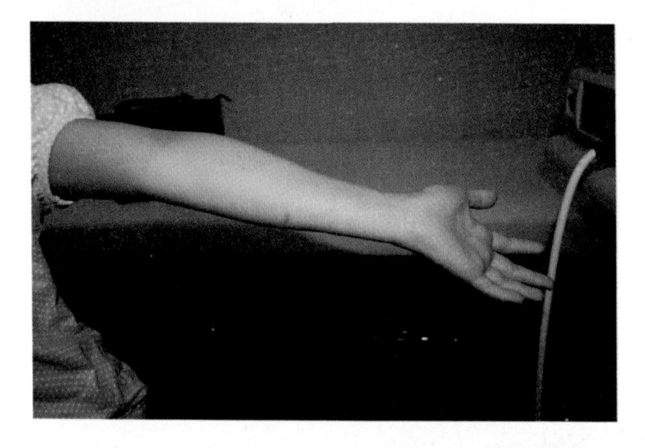

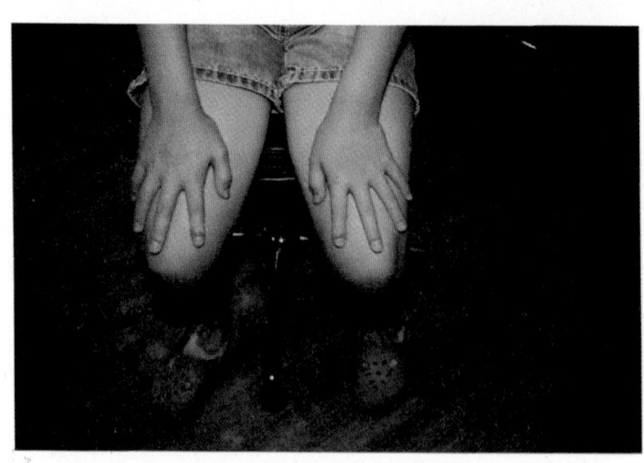

후기

이후 환자의 습진은 모두 안정되어 9월 13일 치료를 종료했으며, 재발하면 다시 내원하도록 했다.

화폐상습진은 송피선(松皮癬), 우피선(牛皮癬)에 해당되며 치료의 방향은 심홍색(深紅色), 삼출, 환부의 열감, 진행성 등의 양상을 보이면 표풍열(表風熱)에 해당되며 계마각반탕(桂麻各半湯)에 황금(黃芩), 석고(石膏), 포공영(蒲公英)을 가미하거나 대청룡탕(大青龍湯), 양단탕(陽旦湯), 월비탕(越婢湯) 등을 사용하며 대추혈(大椎穴), 폐정혈(肺井穴)을 사혈(瀉血)하고 풍지(風池), 천주(天柱), 척택(尺澤), 삼음교(三陰交)에 자침(刺針)한다. 만약 이미 각종 치료를 통해 피부의 태선화가 심하게 진행되었을 경우는 혈허(血虛), 혈고(血枯)에 신양허(腎陽虛) 또는 표양허(表陽虛)가 겸해져 있으므로 당귀음자(當歸飮子), 혈고방(血枯方[1]), 사물탕(四物湯), 성유탕(聖愈湯) 등에 사역탕(四逆湯)의 성분을 가미하고 양열(陽熱)의 상제(相制)를 위해 금연백(芩連柏) 중 일미(一味)를 추가한다. 치료가 진행됨에 따라 피부가 재생되면서 소양증과 인설이 증가되는데 이는 회양(回陽)의 과정으로 볼 수 있다. 회양(回陽)의 과정이 어느 정도 진행되면 본태(本態)의 표풍열(表風熱)이 나타나고 원래의 화폐상습진이 보이게 된다. 이 때 다시 처방을 수정하여 표풍열(表風熱)에 해당되는 처방으로 모두 제압한다. 그 후에 피부의 이상은 없으나 피부의 온도가 상승되어 있음이 확인되는 순간, 다시 육미(六味), 지백지황(知柏地黃) 등에 이문(二門), 사삼(沙蔘), 하수오(何首烏) 등을 가미하여 장기간 보양(補養)하면 안정될 수 있으며, 치료 종료 후 2, 3회의 감모(感冒)가 발생할 때마다 적합한 한방치료를 하면 재발하지 않을 수 있다.

---

1) 當歸, 何首烏, 兎絲子, 白蒺藜, 蒼朮

화학약품을 만진 후 발생한 손가락습진

- 61세, 여자
- 진료일: 2016년 10월 19일

환자는 타일작업(건축)을 하고 있는 즐거운 성격의 노부인으로 금년 8월 손가락에 수포가 생기고 가렵고 손가락 끝이 갈라져서 통증이 심하여 피부과에서 연고와 약물을 처방받아 복용했다. 그러나 증상이 개선되지 않아 본원에 내원했다.

증상분석

환자의 증상은 현재 포진은 보이지 않았으나 모든 손가락 끝이 가렵고 갈라지고 인설이 떨어지고 있었으며 갈라진 부분의 통증이 심했다. 타일작업을 할 때 사용하는 강한 화학물들이 있지만 이미 수년째 동일한 작업을 하고 있었으므로 약물의 원인보다는 일반 감염으로 보는 것이 적당해 보였다. 이에 마행의감탕가미방(麻杏薏甘湯加味方[1])을 처방하고 오지정혈(五指井穴)을 사혈했다.

1) 麻黄 3g, 杏仁 4.5g, 薏苡仁 15g, 黃芩 12g, 黃連 9g, 白鮮皮 15g, 甘草 4.5g

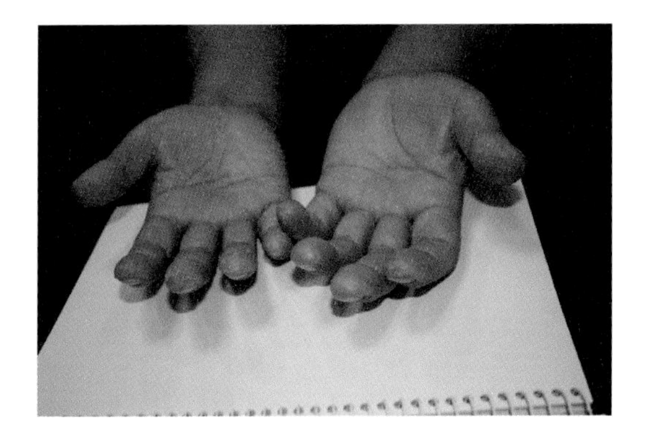

치료경과

• 2016년 11월 4일: 환자의 손가락 습진이 상당히 개선되었다. 이에 동일한 약물 및 침구치료를 시행했다.

후기 및 고찰

환자는 그 후 내원하지 않다가 2017년 1월 26일 내원했으며 손가락의 습진은 모두 소실되었다.

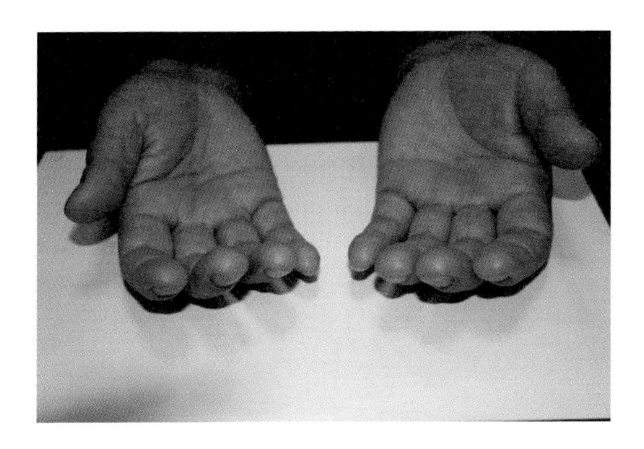

손가락의 습진은 대부분 한포진에 해당되며 한포진이 오래되면 포진은 덜 나오지만 피부가 갈라지게 된다.

한방치료에 있어서 발병 후 시간이 얼마 흐르지 않고 내원하여, 포진을 확인할 수 있다면 표습(表濕)의 마행의감탕(麻杏薏甘湯)에 금연(芩連)을 가미하고 오지정혈사혈(五指井穴瀉血), 대추사혈(大椎瀉血) 및 풍지(風池), 곡지(曲池), 삼음교(三陰交)에 침구치료를 병행한다. 하지만 상당 기간의 스테로이드, 항진균제 치료 후 피부가 각화되어 한방치료를 시작하는 경우에는 칠보미염단(七寶美髥丹), 혈고방(血枯方), 당귀음자(當歸飮子) 등으로 보혈(補血)하여 표면에 있는 각질층을 제거하고 그 후에 표증(表症)인 포진이 나타나기 시작하면 초기 표습(表濕)의 한방치료로 전환한다. 물론 후자의 경우는 치료에 상당한 시간이 필요하다.

CHAPTER

03

자가면역질환

11년 전 시작된 해산물 두드러기와 안구건조증

- 59세, 여자
- 진료일: 2018년 10월 16일

환자는 목, 허리 등의 근육통으로 가끔 내원하던 유쾌한 부인으로, 이번에 내원한 것은 자신의 고질적인 증상을 치료할 수 있는지 문의하기 위해 내원했다.
차례대로 정리하면 약 5년 전 시작된 안구건조증과 그 전부터 있었던 비문증, 손발의 냉증, 11년 전부터 시작된 해산물 두드러기 등이었다.

증상분석

환자의 안구건조증은 이미 5년 동안 인공누액을 사용하고 있었지만 그래도 뻑뻑했으며, 약 7년 전 왼쪽 눈에 비문증이 생겼는데 아직 남아 있었다. 또한 언제부터 시작되었는지는 모르지만 손발이 차가워지기 시작하여, 여름에도 야간에는 발이 너무 차가워서 잠을 자주 깨고 있었다. 피부의 두드러기는 11년 전 어느 날 시작되었는데, 처음에는 짠기가 많은 생선을 먹을 때만 손에서부터 두드러기가 시작되어 전신으로 퍼졌으며, 그 이후에는 모든 종류의 해산물을 먹을 때마다 양쪽 팔뚝 안쪽에서 두드러기가 올라와서 그 때마다 피부과에서 처방받은 항히스타민제(미상)를 복용하면 2일 후에는 없어진다고 했다. 또한 피부는 전반적으로 약간 건조해서 항상 보습제를 사용하고 있었다. 대소변은 이상이 없었으나, 가끔 잠이 오지 않은 날들이 있었다. 157cm, 54kg이었으며, 혈압은 130/80, 기타 2011년 갑상선결절을 제거했고, 2012년 공황장애가 발생하여 한 동안 신경과 약물치료를 받았었다.

이에 일관전가감방(一貫煎加減方[1])을 처방하고, 침구치료는 생략했다.

치료경과

- 2018년 11월 6일: 환자는 환하게 미소를 지으면서 진료실로 들어왔다. 자신은 원래 한약을 잘 먹지도 않고, 믿지도 않는데 이번에 참으로 신기하게 증상이 개선되어 다시 내원했다고 했다. 안구건조도 상당히 개선되기는 했지만, 해산물에 대한 두드러기가 너무 많이 개선되어 감사하다고 했다. 이전에는 해산물을 조금만, 심지어 멸치가루만 들어가도 두드러기가 올라왔었는데, 지금은 멸치볶음을 먹어도 문제가 없다고 했다. 하지만 아직 직접 생선이나 게, 새우 등은 먹어볼 용기가 나지는 않는다고 했다. 이에 10월 16일의 처방에서 생지(生地)를 12g으로 증량했다.

후기 및 고찰

2019년 5월 25일 환자는 골프를 친 후 발생한 우측 경항통으로 내원했으며, 지난번 한방치료 후에 안구건조증은 인공누액을 가끔 사용할 정도로 개선되었고, 두드러기가 완전히 개선되어 현재는 새우와 게를 먹을 수 있을 정도가 되었다고 매우 즐거워했다.

이 증례는 음허형(陰虛型)의 쇼그렌증후군에 해당되었으며, 신음허(腎陰虛)가 아닌 폐신음허겸심화(肺腎陰虛兼心火)의 상황으로 판단했다. 이에 일관전(一貫煎)을 주방(主方)으로 선정하고 가감했다. 즉, 타액선의 협착을 해결하기 위해 조각자(皂角刺)를 추가하고(皂角刺는 藥性이 그렇게 강하지 않다), 피부의 혈고(血枯)를 감안하여 당귀(當歸)를 중용했으며, 불면증에 대해 안신(安神)의 의미로 용골(龍骨), 모려(牡蠣)를 추가하여 비교적 좋은 결과를 얻을 수 있었다.

쇼그렌증후군은 전신의 어느 부위에도 침범할 수 있는, 쉽지 않은 질환이다.

일차성 쇼그렌 증후군의 증상은 크게 선증상(glandular manifestations)과 선외

---

1) 沙蔘, 麥門 各 6g, 生地 12g, 當歸 7.5g, 赤芍 12g, 皂角刺 15g, 龍骨, 牡蠣 各9g, 梔子 1.5g, 丹皮 7.5g, 蒼朮 4.5g, 黃芩 9g, 甘草3g; 一貫煎(柳州醫話) 沙蔘, 脈門, 當歸, 生地, 枸杞子, 川楝子

증상(extraglandular manifestations)으로 나뉜다.

선증상(glandular manifestations)은 안구건조, 구강건조, 이하선종대 등이며, 전신에 대한 영향의 선외증상(extraglandular manifestations)은 피로, 관절염, 피부증상(피부건조, 질건조, 환상홍반, 레이노드증상, 자반, 점상출혈, 궤양, 반복적인 두드러기 등), 호흡기증상(마른기침, 간질성 폐렴 등), 신장증상(신세뇨관뇨 신증), 말초신경증상(하지의 감각신경장애 등), 중추신경증상(반신부전마비, 가로척수병증, 무균성 수막염, 다발성 경화증, 감각신경 난청 등), 만성갑상선염, 원발성 담즙성 간경변, 림프종 등이 있으며 기타 증상들도 가능하다. 그래서 아래와 같이 진단기준이 마련되어 있기는 하다.

American College of Rheumatology/European League Against Rheumatism classification criteria for primary Sjögren's syndrome: The classification of primary Sjögren's syndrome (SS) applies to any individual who meets the inclusion criteria,* does not have any of the conditions listed as exclusion criteria,† and has a score of ≥4 when the weights from the five criteria items below are summed[1)]

Item	Weight/score
Labial salivary gland with focal lymphocytic sialadenitis and focus score of ≥1 foci/4 mm^2	3
Anti-SSA/Ro-positive	3
Ocular Staining Score ≥5 (or van Bijsterveld score ≥4) in at least one eye	1
Schirmer's test ≤5 mm/5 min in at least one eye	1
Unstimulated whole saliva flow rate ≤0.1 mL/min	1

1) 2016 American College of Rheumatology/European League Against Rheumatism classification criteria for primary Sjögren's syndrome A consensus and data-driven methodology involving three international patient cohorts Caroline H Shiboski,1 Stephen C Shiboski,1 Raphaèle Seror,2 Lindsey A Criswell,1 Marc Labetoulle,2 Thomas M Lietman,1 Astrid Rasmussen,3 Hal Scofield,4 Claudio Vitali,5,6 Simon J Bowman,7 Xavier Mariette,2 the International Sjögren's Syndrome Criteria Working Group

그러나 이러한 진단기준에 미치지 못하는 경우에도 임상적인 치료를 위해서는 쇼그렌증후군으로 추정하고 치료해야 하는 경우가 적지 않다. 만성 두드러기 또는 만성 피부소양증을 치료할 때에는 쇼그렌증후군의 가능성을 충분히 고려해야 한다.

쇼그렌증후군은 면역의 공격에 의한 염증이 기저에 있는 질환이다. 이러한 염증이 진행되는 상황은 표풍열(表風熱), 삼초실열(三焦實熱) 및 허열(虛熱), 혈열(血熱) 등의 열증(熱證)이며, 염증과 조직회복의 균형이 어느 시점에서 움직이지 않고 있는 경우가 소양열(少陽熱), 소양열겸신음허열(少陽熱兼腎陰虛熱) 등으로 생각하면 된다. 쇼그렌증후군과 같은 자가면역질환에서 발생하는 레이노드현상을 기허(氣虛), 양허(陽虛)로만 생각하게 되면 매우 곤란한 상황이 발생할 수 있으니 철저한 파악이 중요하다. 자가면역질환에서의 기허(氣虛), 양허(陽虛)는 장기간의 스테로이드, 면역억제제, 항암제 등이 투여된 후 보체계(C series), 조혈기능(WBC, HB), 영양흡수(Vit B, Na, K 등), 진정한 레이노드에 의한 탈저 등의 이상이 있지 않은 경우에는 신중해야 하며, 사용 시에는 반드시 소량부터 시작하되 자음청열(滋陰清熱)로 보조해야 한다.

02 극심한 안구건조증의 여사

- 74세, 여자
- 진료일: 2017년 2월 22일

환자는 비록 고령이지만 고혈압, 당뇨 등 어떠한 질환도 없는 건강한 노부인으로, 일상생활을 하는데 어떠한 지장도 없이 잘 살고 있었다. 문제는, 약 10여 년 전부터 눈물이 적어져서 인공눈물을 사용하면서 지내고 있었는데, 약 1년 반 전부터 갑자기 눈 건조함이 심해져서 인공눈물을 많이 사용하기 시작했고, 그래도 눈이 너무 뻑뻑하고 힘들어서 외출하기가 힘들 정도가 되었다. 안과에서 미상의 시술을 받았지만 증상은 전혀 개선되지 않고 점점 심해져서, 안구건조증을 치료한다고 광고하는 한의원에서 반년 정도 약물 및 침구치료를 했으나 증상은 여전했다. 이에 이전에 환자분의 아들이 본원에서 종양치료를 받았던 것이 생각나서 내원하게 되었다.

증상분석

환자의 증상은 하루 종일 눈 안에 모래가 굴러다니는 것처럼 뻑뻑하며, 인공눈물을 넣어도 조금만 지나면 다시 증상이 원위치로 된다고 했다. 실내에서도 자주 인공눈물을 넣고 있었으며, 불빛이 조금만 환해도 눈이 아프고 약간의 바람이 눈에 들어가도 눈이 시리고 아팠다. 아침에는 눈 뜨기가 너무 힘들고 아래 위의 눈꺼풀이 붙어서 잘 떠지지가 않을 때가 많았다. 그 밖에, 취침 중에는 입마름도 심해서 자주 물을 마셔서 입을 적시고 있었으며, 가끔은 혀가 뚱뚱 부어오르는 느낌, 데인 것 같은 느낌도 발생했다. 극심한 안구건조증이 장기간 지속되면서 불안하고 답답하고 가끔 가슴도 뛴다고 했다. 맥부긴삽(脈浮緊澁)하고 설반유치흔미백태(舌胖有齒痕微白苔) 했다.

이에 자음청열(滋陰淸熱)의 지백지황탕가미방(知柏地黃湯加味方[1])을 처방하고 찬죽(攢竹), 사죽공(絲竹空)을 사혈하고 풍지(風池), 찬죽(攢竹), 사죽공(絲竹空), 합곡(合谷), 삼음교(三陰交)에 자침(刺針)했다. 침구치료는 1주일 2회 시행하기로 했다.

치료경과

- 2017년 3월 8일: 눈의 건조함이 조금 개선되어 이전에는 바깥에 나가기가 어려웠으나, 최근에는 조심스럽게 다니고 있었다. 2월 22일 처방에 황금(黃芩) 12g을 추가했다.
- 2017년 3월 22일: 눈 건조함이 처음보다 약 20% 정도 개선되었다고 했으며, 최근 미세먼지가 많은 날 멀리 여행을 다녀온 상태였다. 하지만, 인공눈물을 사용하는 횟수는 줄어들지 않았다. 3월 8일 처방에서 맥문동(麥門冬)을 9g으로 증량하고, 황연(黃連) 6g을 추가했다.
- 2017년 4월 5일: 눈 건조함이 이전과 동일한 상태로 유지되고 있었다. 3월 22일 처방에서 황금(黃芩)을 18g으로 증량했다.
- 2017년 4월 18일: 증상이 개선되어 인공눈물 사용횟수가 많이 줄어들었으며, 일상생활 중의 고통도 개선되었다. 치료의 방향이 적중한 것으로 판단하고 4월 5일 처방에서 황금(黃芩)을 24g으로 변경했다.
- 2017년 5월 6일: 눈 건조함이 상당히 개선되어, 미세먼지가 많은 날에도 이전처럼 힘들지가 않고, 1년 반 전의 악화되기 전 상태로 되었다. 이에 한약복약 횟수를 1일 3회에서 2회로 감량했다.

---

1) 知母 12g, 黃柏 12g, 生地, 山藥, 蒼朮, 茯苓 各 4.5g, 麥門冬, 沙蔘, 桃仁 各 6g, 甘草 3g, 大棗 4枚: 沙蔘, 麥門冬을 가미하여 滋陰을 강화하고 누관협착에 대하여 桃仁을 가미했다.

후기 및 고찰

환자는 5월 27일 이후 치료를 종료했으며, 이후 재발할 경우에는 즉시 내원하기로 했다.

안구건조증은 여러 경우에서 발생할 수 있지만, 쇼그렌증후군(Sjogren's syndrome)의 부분 증상에 해당된다. 쇼그렌증후군은 자가면역과 관련되어 대량의 림프구가 타액선과 누선 및 기타 선외부위에 침윤하여 발생하는 일련의 증후군이다. 그 증상으로는 국소증상과 계통성증상으로 나뉜다. 국소증상으로는 구강건조증과 안구건조증, 계통성 증상으로는 피부점막, 관절근육, 신장, 위장관, 간, 호흡기계, 신경계, 림프계의 증상들로 표현된다.

구강건조증은 타액분비감소에 의한 구강의 건조, 작열감 등이 주요 증상이며, 심할 경우에는 연하곤란 등이 있을 수도 있고, 타액의 자정작용이 저하되면서 충치, 치은염이 발생하고 이하선, 악하선의 종창과 염증이 반복되기도 한다.

안구건조증은 눈물 분비 감소로 인하여 건조, 소양, 모래가 들어간 것 같은 느낌 등이 발생하며, 극심할 경우에는 눈물이 전혀 없고 빛을 보기 힘들며, 통증이 나타나고 시력이 저하되기도 하며 때로는 누선이 종대되거나, 결막과 각막의 충혈이 나타날 수도 있다.

피부점막증상으로는 피부의 건조, 소양, 탈설, 태선화 등이 나타나며 구강궤양, 외음부궤양, 레이노드증상, 자반, 은진, 결절양 홍반, 망상청반증 등이 나타나기도 한다.

관절근육증상은 대소관절 모두 영향을 받으며, 대칭성 또는 비대칭성으로 나타나지만 관절변형과 기능장애는 발생하지 않는다. 류마티스관절염에 속발하는 경우에는 류마티스관절염의 관절증상을 보이며 극히 적지만 피부근염이 발생하기도 한다.

신장기능이상도 동반될 수 있으며 약 절반 정도의 쇼그렌증후군에서 신장 손상이 발견되는데 저칼륨성 신세뇨관중독증, 주기성마비, 신성 뇨붕증, 신성 연골증과 비뇨계통의 결석증이 발생할 수 있다.

위장관증상으로는 타액과 소화액분비의 감소로 인하여 연하곤란, 상복부 불편함, 복창, 복통과 변비 등이 있을 수 있다.

간장증상으로는 쇼그렌증후군의 부분 환자에서 간종대, 간효소수치상승 및 황달 등이 발견되며 주요한 것은 간내 담관의 염증이다.

호흡기계통 증상으로는 기관지에서부터 흉막까지 침습될 수 있으며 비강건조, 인후부건조, 성음이상, 만성기관지염, 간질성 폐렴 등이 발생할 수 있다.

신경계통 증상으로는 대뇌, 소뇌, 척수, 뇌신경과 말초신경이 모두 침범될 수 있으며 말초지각신경과 운동신경손상이 가장 많으며 신경혈관염에 기인한다. 중추신경에 이상이 발생하면 편마비, 편맹, 평형실조, 뇌전증, 정신증상, 경련, 운동장애, 횡단성척수염등이 나타날 수 있다.

림프계통에서는 림프종이 발생할 수 있으며, 그 가능성은 정상인에 비해 수십 배에 이른다.[1)]

한방임상적으로는 여러 다양한 변증유형이 있으나, 크게 허실(虛實)로 나뉘며 실증(實證)은 급성기로 조독(燥毒), 습열(濕熱), 풍열(風熱), 열성(熱盛), 혈어(血瘀), 기체(氣滯)이며, 허증(虛證)은 완해기로 기허(氣虛), 음허(陰虛), 혈허(血虛)이다.[2)]

실제 임상에서는 열독치성(熱毒熾盛)과 음허(陰虛)가 결합되어 있으므로 자음청열(滋陰淸熱)의 방법이 대부분 유효하며, 이문동(二門冬), 현삼(玄蔘), 천화분(天花粉), 사삼(沙蔘), 지모(知母), 옥죽(玉竹), 백합(百合), 석곡(石斛)과 삼황(三黃)을 가중하는데 귀경(歸經)에 따라 황금(黃芩), 황연(黃連)을 가중한다. 처음부터 용량을 강하게 하는 것보다는 12g에서 빠른 속도로 가중하는 것이 안전하다. 침구치료는 대추(大椎), 찬죽(攢竹), 사죽공(絲竹空) 등을 사혈(瀉血)하고, 풍지(風池), 찬죽(攢竹), 사죽공(絲竹空), 합곡(合谷), 음릉천(陰陵泉), 삼음교(三陰交)를 위주로 취혈한다.

---

1) 沈丕安主編, 現代中醫免疫病學, pp343-351, 人民衛生出版社, 中華人民共和國, 2003
2) 劑永年編著, 乾燥綜合證的中醫診治與硏究, 人民衛生出版社, 中華人民共和國, 2006

03 갑상선기능항진증

- 38세, 여자
- 진료일: 2018년 3월 16일

환자는 즐거운 성격의 부인으로, 최근 임신이 되었으나 태아의 심음이 들리지 않아 며칠 전에 소파수술을 하고서는 몸조리를 위해 내원하였다. 아직은 자궁출혈이 조금씩 나오고 있었지만 천천히 적어지고 있었으며, 소파수술 후의 전체적인 몸 상태는 크게 이상이 있지는 않았다. 그러나 약간 돌출된 눈, 안면의 미약한 부종, 극심한 피로 등을 호소하여 자세히 물어보니 갑상선기능항진증이 있었다. 이에 수술 후의 몸조리도 중요하지만 더 중요한 갑상선에 대한 치료를 하기로 했다.

증상분석

환자의 증상은 극심한 피로, 갑상선종대, 안구돌출, 안면의 부종, 눈(눈꺼풀)의 부종, 눈이 튀어나올 것 같은 느낌 등이었으며, 기타 수면, 음식, 대소변에는 문제가 없었다. 맥부긴삽삭(脈浮緊澁數)했다. 최근의 혈액검사에서는 TSH≤0.01(0.22-4.22), fT4=1.93(0.9-1.7), T3=1.4(0.8-2.0)로 갑상선기능이 항진되어 있었으며 항체검사는 최근에는 하지 않았고, 메티마졸(methimazole) 5mg을 매일 복용하고 있었다. 이에 갑상선종대를 개선시켜 갑상선호르몬의 과잉생산을 직접적으로 제어하기 위해 도홍사물탕가미방(桃紅四物湯加味方[1])을 처방하고, 추후 검사결과에 따라 약물의

---

1) 續斷, 骨碎補 各 9g, 乳香, 沒藥 各3g, 桃仁 4.5g, 赤芍 9g, 生地 6g, 紅花 2.5g, 黃芩 12g, 夏枯草(夏枯花) 9g, 蒼朮, 茯苓, 澤瀉 各 12g, 甘草, 大棗 3枚; 萬靈丹15個*3回

용량을 조절하기로 했으며, 메티마졸은 임의로 중단하거나 용량을 변경하지 말도록 했다.

치료경과

- 2016년 5월 2일: 극심한 피로가 상당히 개선되었다. TSH=0.05, fT4=1.43, T3=0.9로 갑상선기능이 조금 안정되었다. 환자는 4주 분의 약을 2개월 동안 복용하고 있었다.
- 2016년 7월 25일: 갑상선종대가 개선되어 현재는 잘 만져봐야 약간 느껴질 정도가 되었다고 했다. TSH=0.02, fT4=1.6, T3=0.9
- 2016년 9월 19일: TSH=0.03, fT4=1.53, T3=0.9로 갑상선호르몬이 약간 증가되어 내과에서는 메티마졸을 1.5알로 증가시키려고 했으나, 환자는 1알만 복용했다. 2016년 3월 16일의 처방에서 황금(黃芩)을 15g, 하고화(夏枯花)를 12g으로 증량했다.
- 2016년 11월 16일: TSH=0.99, fT4=1.21, T3=1.0으로 검사결과상 갑상선기능이 상당히 개선되어 너무 기쁜 나머지 환자가 내과의사에게 한약복용사실을 알리니, 의사가 깜짝 놀라면서 그런 것을 먹으면 큰일이 난다고 역정을 내고는 간기능검사 및 기타 혈액검사를 했으나 모두 정상범위에 있었다. 최근 위가 조금 좋지 않다고(心下支結)하여, 9월 19일 처방에 반하(半夏), 복령(茯苓)을 4.5g씩 추가했다.
- 2017년 1월 14일: TSH=1.95, fT4=1.14, T3=1.0으로, 상당히 좋은 검사결과를 보였다. 특히 11월에 TSH가 어느 정도 상승해서 내심 좋은 결과를 예상하고 있었는데 상당히 결과가 좋았다.
- 2017년 3월 24일: TSH=2.36, fT4=1.25, T3=1.0으로, 이제는 갑상선기능항진이 아니라 약물에 의한 갑상선 저하현상이 우려되어 메티마졸은 반알로 감량되었다. 갑상선종대와 피로, 눈꺼풀의 부종, 눈이 튀어 나오려는 느낌 등 처음 내원했을 때의 증상은 모두 소실되었다.

- 2017년 6월 5일: TSH=1.81, fT4=1.31, 모든 일상생활에 지장이 없이 잘 살고 있다고 했다. 메티마졸은 매일 반 알의 복용량을 유지하고 있다.

고찰

갑상선기능항진증은 갑상선에 대한 항체의 공격으로 발생하는 자가면역질환이다.

현재 갑상선기능항진증에 대한 서양의학적인 치료약물은 메티마졸, 카멘정, 안티로이드 등의 항갑상선제제가 사용되고 있으며 그 효과는 양호하다. 단, 아직은 갑상선항체에 대한 근본적인 치료약물이 없으므로, 갑상선수용체항체(TSH receptor ab, TS ab)와 관련없이 단순히 fT4, T3 등만 조절될 수가 있으며, 이 또한 항원항체반응과는 관련이 없으므로 약한 정도의 자가면역상황에서는 갑상선호르몬의 조절이 가능하지만, 만약 강력한 자가면역이 진행되고 있는 상황에서는 혈액 중의 호르몬조절뿐만 아니라 갑상선종대, 갑상선 안병증 등도 예방 또는 통제하기가 매우 어렵다.

한방치료는 영류(癭瘤)에 준하여 치료하는데 기능항진증은 열증(熱證)이며, 메티마졸을 복용하고 있어도 황연해독탕류(黃連解毒湯類)의 처방에 하고초(夏枯草)를 가미하여 대응하며, 항갑상선제제-한방 병행치료 중 fT4, T3가 하강을 하고 TSH가 상승하기 시작하면 천천히 항갑상선제를 감량한다. 만약 갑상선종대가 있다면 활혈화어(活血化瘀), 이수삼습(利水滲濕), 청열해독(淸熱解毒)의 도홍사물탕(桃紅四物湯), 선방활명음(仙方活命飮) 등에 사령(四苓) 및 삼황(三黃), 하고초(夏枯草)를 가미한다. 갑상선 안병증은 급성 활성기에는 청열해독(淸熱解毒)의 치료로 안정되지만 서양의학적인 치료만을 진행하다가 고착화되어 한방치료를 병해하게 되는 경우에는 완전히 다르다. 이미 안구후면근육이 초기의 부종상태에서 비후 또는 경화되거나 안구후면의 공간에 지방이 증식한 상황이므로 치료가 쉽지는 않다. 서양의학에서 면역억제제, 스테로이드를 사용하지만 초기에만 어느 정도의 효과가 있을 뿐 큰 영향은 없다. 한의학적으로는 담음겸어혈(痰飮兼瘀血)에 해당되며 기본적인 처방에 진피(陳皮), 청피(靑皮), 지실(枳實), 나복자(蘿蔔子), 백개자(白芥子) 등 온담탕

(溫膽湯), 삼자양친탕(三子養親湯)의 성분들을 가미하고, 단피(丹皮), 적작(赤芍), 속단(續斷), 유향(乳香), 몰약(沒藥), 은행엽(銀杏葉), 단삼(丹蔘)을 추가한다. 만영단(萬靈丹)은 직접적으로 활성화되어 있는 갑상선조직을 공격하지만 안병증에 대한 영향은 없다.

침구치료는 풍지(風池), 척택(尺澤), 삼음교(三陰交)를 기본으로 사용하며, 대추사혈(大椎瀉血)을 추가할 수도 있다. 갑상선, 안구주위의 직접적인 자침은 피하는 것이 좋으며, 안병증으로 인한 국소통증에 찬죽(攢竹), 사죽공(絲竹空) 사혈(瀉血)은 약간의 도움이 될 수도 있지만 약물치료의 인경(引經)개념으로 활용한다.

산종궤견탕(散腫潰堅湯)의 해조(海藻), 곤포(昆布) 등을 이용한 고전적인 치료방법은 일시적인 효과가 있지만, 서양의학의 요오드요법과 비교하여 우위에 있지 않다.

임신 중 발생한 갑상선이상

- 29세, 여자
- 진료일: 2017년 2월 7일

환자는 5개월 전 첫아이를 출산한 여성으로, 수심이 가득한 얼굴로 내원했다. 환자는 임신 중에 갑상선호르몬에 이상이 있어서 씬지로이드(synthyroid)를 복용했으며, 출산 후의 검사에서 문제가 없어서 약물을 중단했다. 그러나 출산 후 3개월 전후부터 갑상선이 조금씩 부어 오르더니 상당한 크기가 되어, 약 10일 전부터 다시 씬지로이드(synthyroid Tab 0.15mg)를 복용하기 시작했다. 지난 번에는 갑상선은 부어 오르지 않았는데, 이번에는 호르몬이상뿐 아니라 갑상선까지 커져서 불안이 극심했다. 조금 기다려 보는 것도 좋다고 하면서 위로해주고 싶었지만, 그런 말이 도움이 될 상황은 아니었다. 이에 한방치료를 병행하기로 했다.

증상분석

환자의 증상은 갑상선종대 이외에, 출산 후부터 감정이 매우 가라앉았으며, 가끔은 하루 종일 울기도 하고, 기분이 저하되면 잘 회복되지 않았다. 체중의 변화 및 식사, 수면에 이상은 없었으나, 씬지로이드 복용 후부터는 변비가 심해져서 약국에서 변비약을 구입하여 가끔씩 복용하고 있었고, 모유수유 중이었다. 맥긴삽(脈緊澁)했다. 이에 아직 갑상선질환이 만성화되지 않은, 초기의 열증(熱證)으로 판단하고 황연해독탕가미방(黃連解毒湯加味方[1])을 처방했다.

---

1) 黃芩 18g, 黃連 7.5g, 黃柏 7.5g, 續斷, 碎補 各12g, 茯苓, 澤瀉 各 9g, 蒼朮 6g, 甘草 4.5g

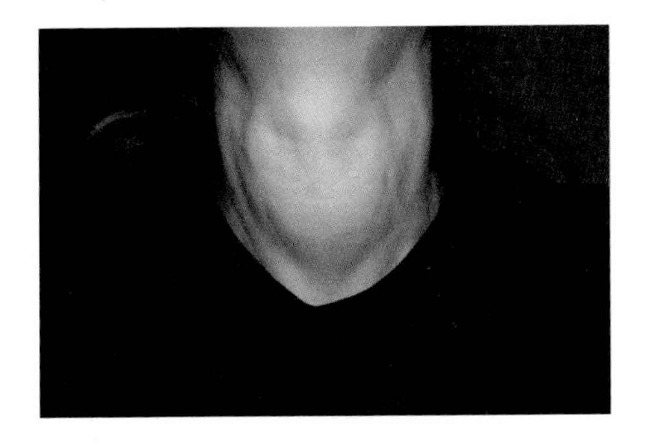

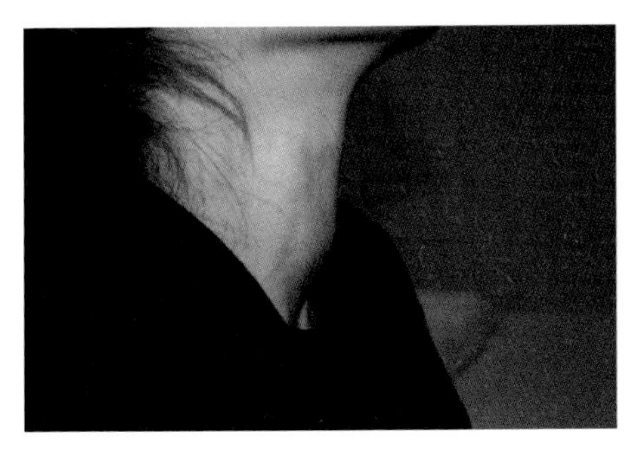

치료경과

- 2017년 3월 6일: 환자는 2주일 분의 약을 한 달에 걸쳐 복용한 후 내원했다. 복용 후부터 기분이 좋아지고 갑상선이 빠르게 축소되는 것 같다고 했지만, 육안상으로는 비슷했다. 이에 2월 7일의 처방에 단피(丹皮) 15g을 추가했다.

후기 및 고찰

그 후 환자는 내원하지 않았으며 필자도 잊고 있었는데, 2017년 12월 14일 부친과 함께 내원하여 그 간의 사정을 알려줬다. 지난 번 3월 복약 중에 갑상선종대가 모두 소실되었으며, 씬지로이드는 잘 복용하지 않았고, 몇 달 전부터는 완전히 잊고 있다고 했다. 지난 여름 검사한 갑상선호르몬 관련 검사는 정상이었다고 했다.

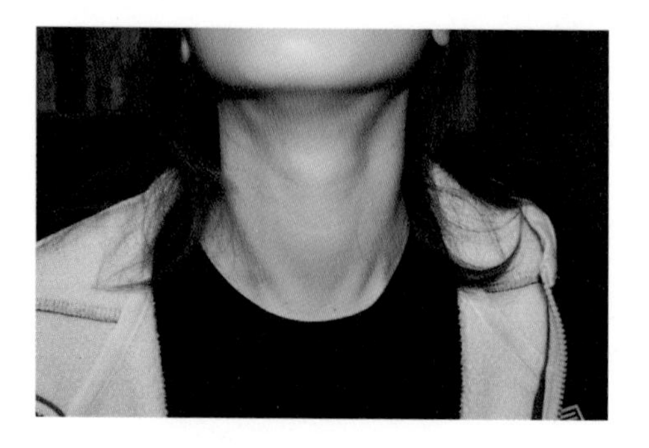

이 환자의 증상은 산후갑상선염에 해당되며 자가면역성 갑상선염 중에서 무통성 갑상선염의 하나이다. 산후 갑상선염은 대부분 자연적으로 소실되지만, 여러 증거들을 통해 최근에는 하시모토 갑상선염의 초기단계 또는 변형으로 보는 견해가 많다.[1] 하지만 모든 산후갑상선염이 자연적으로 소실되는 것은 아니며, 만성화되면 갑상선기능저하증으로 진행되므로 초기의 풍열(風熱)을 빨리 제어하는 것이 중요하다.

이 증례의 환자는 열증(熱證)의 영류(癭瘤)에 해당된다.

갑상선종은 영류(癭瘤)이며 십육미류기음(十六味流氣飮), 산종궤견탕(散種潰堅湯), 해조옥호탕(海藻玉壺湯) 등이 상용되는 처방이다. 전통적으로 기류(氣瘤), 육류(肉瘤)로 구분하여 치료할 수도 있지만, 임상적으로 변증(辨證) 및 기타 혈액검사를 참조하지 않고 대처하기는 매우 어렵다. 이럴 때의 변증(辨證)은 갑상선기능검사 및 항체검사를 통해 이뤄지게 되는데, 만약 항체가 검출되지 않을 때 단순히 TSH, T3, fT4 등의 TFT만으로 처방하는 것은 또 문제가 있다. 이 환자의 경우 자가면역의 가능성을 염두에 두지 않고, 씬지로이드의 복용만을 고려하여 보기보양(補氣補陽)으로 치료한다면, 진정한 역치(逆治)가 되어 상당히 곤란한 상황에 빠질 수 있다.

1) 대한내분비학회, 내분비대사학, pp188-190, 군자출판사, 한국, 2011

궤양성 대장염의 중년부인

- 51세, 여자
- 진료일: 2016년 8월 9일

환자는 오래된 지인으로 이런저런 문제가 있을 때마다 서로 도와주던 사이였다. 이번에는 3일 전 전화로 문의를 했는데 대략 2, 3주 전부터 하복통과 배변 시 갈색 분비물이 점점 많이 나오기 시작했는데, 7월 28일 정도에 장염과 비슷하게 복통과 얇은 변을 자주 보는 증상이 발생했으며, 내과에서는 장염이라고 하여 항생제를 3일 복용했지만 복통이 진정되지 않아, 다른 내과에서 다시 2일분의 약을 복용한 후 대변을 자주 보는 것은 개선되었지만 배변 시 방귀가 나오면서 동시에 갈색 분비물(혈변?)이 나와서 8월 5일 대장내시경에서 직장의 염증이 확인되어 어떻게 하면 좋을지 상의하기 위해 연락이 왔다. 이에 즉시 대형병원에서 다시 대장내시경검사를 한 후 내원하도록 권고했다.
환자는 어제(8월 8일) 대형병원에서 진료를 받고, 오늘 본원에 내원했다.

증상분석

환자의 증상은 금일 오전에도 배변 시 붉은 피덩어리와 실 같은 점액이 나왔으며, 2회 정도 대변에 흰색의 분비물이 보이기도 했다. 배변의 횟수는 1일 1, 2회 정도였으며, 혈변을 보기 시작한 후 신경이 매우 예민해졌다고 했다. 기타 복약 중인 약물은 없었고, 체중변화, 음식섭취의 변화도 없었다.

이에 대장열독(大腸熱毒)으로 판단하고 황연해독탕가미방(黃連解毒湯加味方[1])을

1) 황금, 황연, 황백 各 12g, 茯苓, 澤瀉 各 7.5g, 地楡, 槐花 各 6g, 側柏葉 15g, 防風, 白芷 各 4.5g, 甘草 3g, 大棗 4枚

처방하고 풍지(風池), 합곡(合谷), 족삼리(足三里) 등에 자침(刺針)하고 이간(二間), 삼간(三間), 위대장경정혈(胃大腸經井穴)을 사혈(瀉血)했다.

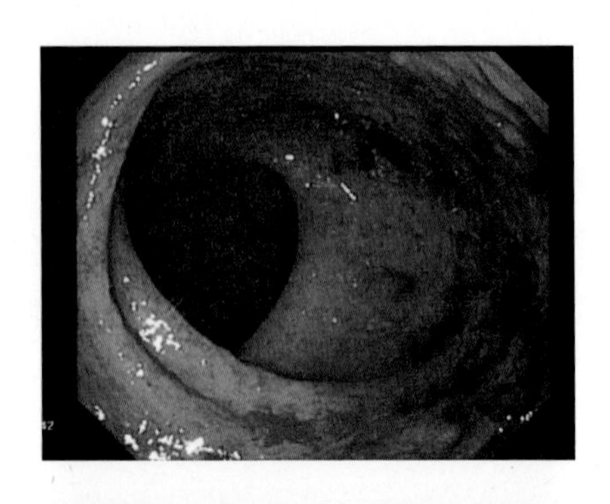

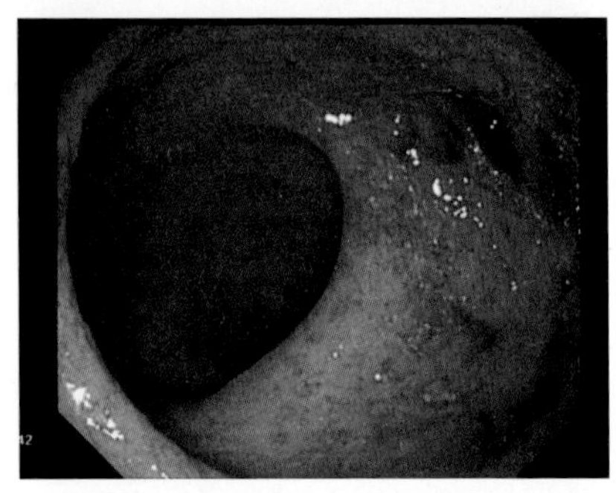

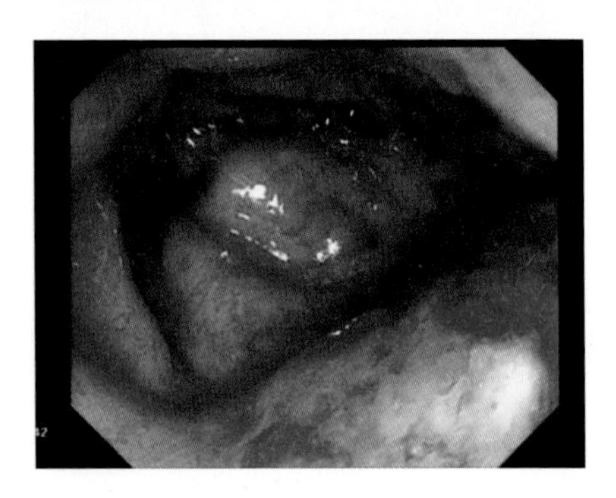

치료경과

- 2016년 8월 30일: 현재 배변 시 출혈은 없었으며, 배변은 1일 1회, 그러나 대변의 양상은 처음에는 굳게 나오지만 그 후에는 묽게 나온다고 했다.

어제 대형병원에서 대장내시경 결과를 확인했으며 판독은 다음과 같았다. ulcerative proctitis(#1-rectum); chronic active proctitis with cryptitis and crypt distortion. 해당 병원에서는 아사콜디알정(내복 mesalazine), 아사콜좌약(Mesalazine) 등을 처방받았다.

증상이 개선되었지만 아직 대장열독(大腸熱毒)은 소실된 것이 아니므로 8월 9일의 처방에서 황금(黃芩), 황연(黃連)을 모두 18g으로 증량했다.

- 2016년 9월 29일: 싸르르한 복통이 없어지고 대변도 1일 1회 잘 나오기는 하지만 뒤에는 풀어진다고 했다. 금일 대형병원에서 검사했던 자료에서는 Hb, ESR, CRP, AST/ALT 등 모두 정상 범위에 있었다.

- 2016년 10월 26일: 혈변도 없고 복통도 없어서 수일 전부터 한약복약을 중단했으나, 대변의 상태도 발병 전과 거의 동일하며, 매우 활동을 많이 하고 있고 마음도 편하다고 했다.

이에 치료를 종료하고 재발하게 되면 즉시 내원하도록 했다.

후기 및 고찰

- 2017년 1월 12일: 환자는 최근 감기 및 과식 후 위염이 생긴 것 같아 내원했으며, 그 동안 궤양성대장염이 재발하지 않았다. 그 후 2019년 6월에 검사한 대장내시경 소견은 이전의 궤양 및 염증은 모두 없었다.

궤양성대장염, 궤양성직장염은 자가면역성 점막궤양질환이며 aminosalicylates (sulfasalazine), steroids, immunesuppressors 등이 사용되고 있으며 반응이 좋은 경우도 있지만 그렇지 않은 경우도 적지 않다.

한의학적으로는 대장열독(大腸熱毒)이 가장 합당하며, 각종 청열해독(淸熱解毒),

이수삼습(利水滲濕), 지혈(止血), 청대장열(淸大腸熱)의 의미가 들어간 처방은 모두 사용할 수 있다. 또한 치료에 대한 반응도 매우 좋다. 그러나 수십 년이 지나도록 지속되고 있을 경우에는 다른 방향으로의 생각도 필요하다. 즉, 장기간 동안의 염증으로 인하여 활성 중인 염증조직은 적으면서, 점막의 섬유화로 인해 새로운 점막재생이 이뤄지지 않는 악순환이 지속되고 있는 상황도 가능하다. 이 때에는 탁리소독음(托裏消毒飮)에서 탁리(托裏)의 개념을 추가해서 생각해 볼 필요가 있다. 이에 해당되는 증례는 다음 기회에 보고하도록 하겠다.

류마티스로 인한 손가락 관절염의 여사

- 56세, 여자
- 진료일: 2017년 7월 8일

환자는 십수 년 전부터 손가락의 원위지절관절(DIP)의 통증이 있어서 가끔 너무 아프면 정형외과, 한의원 등에서 치료를 받았다. 그러던 중 통증이 너무 심하고 손가락이 지속적으로 변형되고 있어서 본원에 내원했으며, 이에 비록 퇴행성관절염으로 보이지만 최근에 나타난 근위지절관절(PIP)의 종통은 류마티스성 관절염과도 관련이 있을 것으로 판단하여 대학병원에서 검사 후 치료를 하기로 하고 진료를 의뢰했다.
환자는 이후 대학병원에서 혈액검사를 했으며 류마티스인자(rheumatoid factor)는 100 정도로 상승되어 있었고 ESR이 50 정도로 상승되어 있는 것으로 확인되어 류마티스로 진단되었으며, 약물을 처방받아 복용했다. 처방된 약물들은 이하와 같다. 메토트렉세이트정(methotrexate 2.5mg, 1주일 1알), 펠루비서방정(pelubiprofen, 1알 2회), 메치론정(methylprednisolone 5mg, 0.5알 1회), 옥시클로린정200 (hydroxychloroquinine sulfate, 1알 1회), 판토록정(pantoprazole sodium sesquihydrate, 1알 1회), 종근당리마틸정(bucilamine, 1알 2회), 무코스타정(rebampide, 1일1회). 그러나 문제는 약물을 복용한 후부터 가슴이 마구 뛰고 혓바닥의 감각이 이상해지고, 전신의 근육이 아프고, 특히 머리카락이 너무 많이 빠지기 시작하여 도저히 약을 복용할 수가 없었다.
이에 한방치료로 전환하기 위해 다시 내원했다.

증상분석

환자의 증상은 양쪽 손가락의 원위지절관절(DIP)의 미약한 통증 및 관절변형(가끔 더 튀어나와서 통증이 심해지기도 했다), 양쪽 손목의 통증은 오래된 증상이라 본인도 크게 신경을 쓰지는 않았지만, 최근 심해진 양측 손가락 3지의 근위지절관절(PIP) 및 중수지절관절(MCP)의 극심한 통증 및 부종, 양쪽 손목(陽池穴 부근)의 열감과 통증, 병원약을 복약한 후 발생한 전신근육통, 극심한 피로와 소화장애가 있었으며, 특히 약물 복용 후 발생한 탈모(손으로 두피를 긁으면 머리카락이 상당히 많이 뽑혀 나온다고 했다)로 인하여 너무 힘들어하고 있었다. 그 밖에 증상 발생 반년 전부터 입이 많이 말랐으며, 수년 전에 간, 신장의 낭종, 담낭의 결석이 발견되었으나 변화도 없었고, 그에 따른 증상도 없었다. 기타 배변은 4, 5일 1회, 165cm, 58kg의 체형이었다.

이에 역절풍(歷節風)의 열증형(熱證型)으로 판단하여 황연해독탕가미방(黃連解毒湯加味方[1])을 처방하고, 대추(大椎)폐수(肺俞), 중충(中衝) 등을 사혈(瀉血)하고 풍지(風池), 수삼리(手三里), 삼음교(三陰交) 등에 침구치료를 하되, 환부(患部)를 직접 취혈(取穴)하지는 않았다.

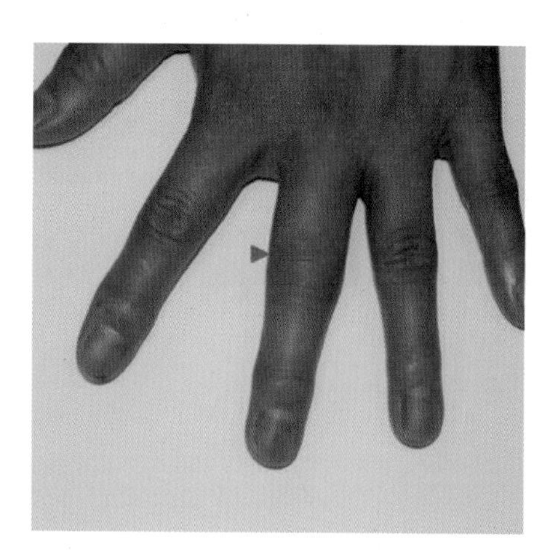

1) 黃芩, 黃連, 黃柏 各 9g, 蒼朮 6g, 茯苓, 澤瀉 各 9g, 丹皮, 赤芍 各 9g, 甘草 3g, 大黃(後下) 4.5g, 天花粉 15g; 活絡丹-4個*3回

치료경과

- 2017년 7월 24일: 양측 손가락 근위지절의 통증이 개선되었다. 아직 탈모는 줄어들지 않았다. 7월 8일의 처방에서 황금(黃芩)을 18g으로 증량하고 활혈화어(活血化瘀)의 속단(續斷) 12g을 추가했다.
- 2017년 8월 7일: 양측 손가락의 근위지절관절의 종통이 더 개선되었으며 중수지절관절의 종통도 개선되었다. 양쪽 손목관절의 통증도 개선되었다. 7월 24일의 처방에서 황금(黃芩)을 21g, 황백(黃柏)을 12g, 적작(赤芍)을 12g으로 증량했다.
- 2017년 9월 4일: 양쪽 손가락 제3지 근위지절관절의 부종과 통증이 상당히 개선되었으며, 이전부터 지속되었던 원위지절관절의 염증이 개선되어 돌출된 부위의 통증이 개선되고 추가적으로 튀어나오지 않고 있었다. 병원약 복용 후 발생한 심각한 탈모가 안정되었다. 9월 4일의 처방에서 단피(丹皮)와 적작(赤芍)을 15g으로 증량했다.
- 2017년 10월 14일: 최근 손가락 관절염이 상당히 개선되어 일상생활에 지장이 없을 정도가 되었다. 9월 4일의 처방에 생지황(生地黃), 지모(知母)를 7.5g씩 가미했다.

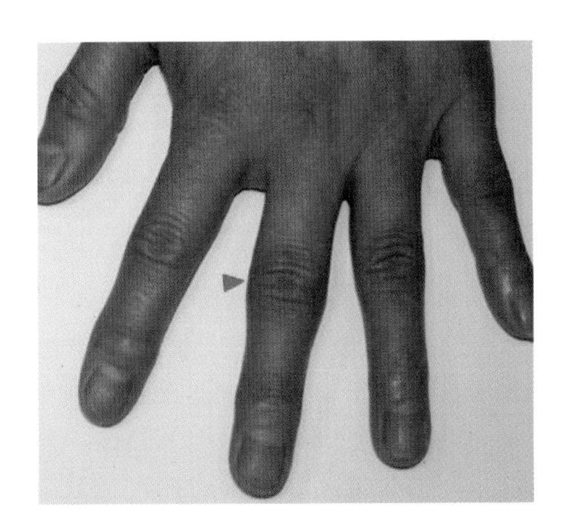

후기 및 고찰

이후 환자의 증상은 안정되어 있으며, 추후 재발하게 되면 다시 내원하도록 했다.

손가락의 관절염은 침범된 관절에 따라 구분하기도 하지만, 그런 분류법은 특별한 의미가 없다. 류마티스관절염을 대표로 하는 자가면역성관절염과 과도한 사용으로 발생하는 퇴행성관절염으로 나누는 것도 한방임상에서는 큰 의미는 없으며, 관절염의 양상(紅腫熱痛의 양상)에 따라 한증(寒證)과 열증(熱證)으로 나누는 것이 가장 합리적이다. RF(rheumatiod factor), CRP, ESR, CPK, LDH, ferritin 등은 염증의 강도를 의미하며, 청열해독(淸熱解毒)의 강약을 조절하고 치료 후에 남은 예후에 대한 대처를 결정하는 데 도움이 될 수 있지만 절대적인 인자는 아니다. 특히 증상이 안정된 후 각종 항체들이 잔존한다고 해도 절대적인 염증인자(ESR, CRP)가 안정되어 있다면 RF, anti ds DNA ab 등은 크게 신경쓰지 않아도 되며 추적검사만 하면 된다. 증상이 가장 중요하다.

한방치료에 있어서, 급성기에는 갈근탕가금연(葛根湯加芩連), 갈근금연탕(葛根芩連湯), 월비가출탕(越婢加朮湯), 만성기에는 계작지모탕(桂芍知母湯), 지황탕(地黃湯)의 기초개념을 갖고 시작한다. 즉 초기에는 청열해독(淸熱解毒), 활혈화어(活血化瘀) 또는 파혈(破血), 담삼리습(淡滲利濕) 등의 방법으로 급성 염증을 흡수시키면 ESR, CRP 등의 염증인자가 하강하게 된다. 하지만 환자가 이미 양방치료를 시행하여 장기간 MTX, 면역억제제, 스테로이드, 단클론항체 등을 사용하는 중에도 증상이 개선되지 않아 한방치료를 시작하게 되는 경우에는 약간은 주의할 점이 있다. 즉 관절의 종열(腫熱) 유무가 치료법 선택의 핵심이 된다. 만약 아직도 종열(腫熱)이 있다면, 위에 설명한 치료법을 사용하되 기존에 복용하던 병원약물들은 갑자기 중단하지 말고 천천히 중단하면서 치료해야 증상의 급격한 리바운드를 예방할 수 있다. 이미 부분적으로 석회화된 곳이 있고, 부분적으로 새로운 종열(腫熱)이 있는 경우에는 급성기의 치료법에 파혈(破血)의 속단(續斷), 쇄보(碎補) 등을 가미하여 진행성 경화를 예방하며, 증상이 안정된 후에는 지황탕류(地黃湯類)로 보양(補養)한다. 류마티스성 관절염에 있어서 보기보양(補氣補陽)을 사용하게 되는 경우는 그리 많지 않지만, 모든 관절의 염증이 안정되었으나 환부의 온도가 저하되어 있는 경우, 날씨가 추우면 통증이 심한 경우, 관절의 구축 등이 있을 경우 등에 사용할 수 있다. 그러나

ESR, CRP 등을 참고하고 한열착잡(寒熱錯雜), 열다한소(熱多寒少), 한다열소(寒多熱少)의 가능성도 고려하여 신중하게 결정해야 한다.

침구치료는 급성기에는 환부의 직접적인 자극을 피하는 것이 좋으며, 원위취혈(遠位取穴) 및 원위정혈사혈(遠位井穴瀉穴)을 위주로 한다. 만성기에는 병변 부위의 직접적인 자침보다는 근위혈위온침(近位穴位溫針) 또는 환부의 간접구(間接灸)가 적당하다.

07 극심한 소화장애, 역류성 위염의 여성

- 29세, 여자
- 진료일: 2016년 6월 4일

환자는 유쾌한 성격의 여성으로, 이전에 본원에서 부인과질환으로 진료받은 적이 있었다. 그 후 특별한 이상없이 잘 지내고 있었으나, 2015년 9월 갑자기 소화가 되지 않아 내과에서 역류성 위염으로 진단되어 약물을 복용했다. 하지만 증상이 개선되지 않아 위장질환을 전문으로 치료하는 한의원에서 약 5개월 동안 한약물 치료를 받았다. 그러나 어느 정도까지 안정된 후에는 악화와 개선을 반복했다. 그렇게 지내다가 2016년 4월 어느 날 야간에 극심한 복통이 발생하여 위내시경검사 및 복수CT검사를 하니 위궤양, 화생성 위염, 복강내 소량의 복수 등이 확인되어 2개월 동안 내과약물을 복약했지만 증상이 개선되지 않았으며, 이에 본원에 내원하게 되었다.

증상분석

환자는 발병 후부터 구취가 지속되고 있었으며, 입이 조금 마르고, 심하의 통증, 속쓰림, 공복 시 위장에서의 물소리, 약간만 식사가 이상해도 발생하는 설사 등이 있었다. 장기간 증상이 지속되고 있어서인지 피곤하고 약간 어지러웠다. 체중이 42kg 정도 였으나 최근에는 35kg 정도를 유지하고 있었다. 이에 상한론(生薑瀉心湯)의 생강사심탕가미방(生薑瀉心湯加味方[1])을 처방했다.

1) 半夏 7.5g, 茯苓 12g, 生薑 6g, 蒼朮 6g, 蘿蔔子 9g, 黃連, 黃芩, 甘草 各 4.5g, 大棗 8枚

치료경과

- 2016년 7월 20일: 공복 시 통증이 개선되었다가 며칠 전 갑자기 심하부의 통증이 발생하면서 트림이 자주 나오게 되었다. 기상 직후의 통증은 소실되었다. 6월 4일의 처방에서 황금(黃芩)을 12g으로 증량했다.
- 2016년 8월 20일: 지난 주 수요일 돈가스를 과식한 후 갑자기 심하부의 통증 및 복부의 창만이 발생했다. 이에 오늘 위내시경, 복부CT로 다시 확인했지만 이상은 발견되지 않았다. 하지만 가끔 대변이 검게 나오곤 한다고 했다. 7월 20일의 처방에 유향(乳香), 몰약(沒藥)를 6g씩, 해표초(海螵硝) 12g을 추가했다.
- 2016년 10월 8일: 최근 혈액검사에서 염증수치(?)가 약간 상승되어 있어서 항생제(미상)를 복용했었다. 9월 초에 식사를 평소보다 조금 더 한 후 속이 좋지 않아서 4일 동안 물만 먹기도 했었으나 최근에는 조금 안정되었다. 아직도 항상 배에서 물소리가 난다고 했다. 처방을 변경하지 않았다.
- 2016년 10월 31일: 조금만 과식을 하면 소화제를 먹어야 했으며, 배에서는 물소리가 나고 있었고, 트림이 자주 나오는데 대변은 정상변이었다. 처방에서 반하(半夏)를 12g으로 증량했다.
- 2016년 12월 14일: 최근에는 소화장애가 개선되어 잘 살고 있으며, 이후에 문제가 되면 다시 내원하기로 했다.

후기 및 고찰

환자의 소화기증상은 상한론(生薑瀉心湯)의 생강사심탕(生薑瀉心湯)에 부합했다. 傷寒汗出解之後, 胃中不和, 心下痞鞕, 乾噫食臭, 脇下有水氣, 腹中雷鳴, 下利者, 生薑瀉心湯主之. 하지만 치료에 대한 반응이 그렇게 좋지는 않았으며, 여러 약물을 가미한 후 간신히 안정되었다. 물론 환자가 복약을 천천히 해서 치료기간이 길어졌다고도 할 수 있지만 일반적인 위장장애와는 많이 다른 느낌이었다. 그 이유는 약 2년 후 밝혀졌다. 단순한 위염, 위궤양이 아니라 베체트병의 위장증상이었다.

베체트병의 관절통

- 32세, 여자
- 진료일: 2018년 1월 18일

환자는 조용한 성격의 여자로 1년 전 5월에 오른쪽 무릎의 통증이 발생하여 정형외과에서 치료를 받았으나 호전되지 않았다. 그 후 무릎 MR영상검사를 하니 무릎 관절에 관절액이 증가되어 있어서 관절강내 주사 및 기타 약물치료를 지속했으나 증상이 호전되지 않고 아침의 손가락 강직이 발생했다. 그 후 대학병원으로 의뢰되었으며, 대학병원에서 시행된 검사에서 HLA B51양성의 베체트병으로 인한 관절염으로 진단되어 소론도(prednislone 5mg, 0.5T/qod), 콜킨정(0.6mg/qd), 가스론앤구강붕해정, 메가트루정 등을 복용하면서 아침 손가락 강직은 개선되었으나 오른쪽 무릎의 통증은 변하지 않았다. 또한 3주 전에 아침에 일어날 때 왼쪽 두 번째 손가락의 강직이 발생하여 소론도의 복용량을 매일 반알로 증량했다. 이에 치료에도 개선되지 않는 오른쪽 무릎의 통증으로 본원에 내원했다.

증상분석

환자의 오른쪽 무릎 통증은 자발통과 열감은 없었으나, 무릎을 구부렸다가 펼 때, 앉았다가 일어날 때 항상 통증이 발생했으며 계단을 오르내릴 때에도 가끔씩 통증이 나타났다. 무릎 윗쪽의 부위(梁丘, 血海, 鶴頂 부위)가 약간 부어 있었으며, 손으로 누르면 왼쪽과 비교할 때 누르면 묵직한 느낌이 있었으나, 관절액이 삼출된 것은 아니었다. 기타 약 1년전 여름 극심한 소화장애가 발생하여 수개월 동안 내과의 치료 후 약간 개선되었다가 2017년 12월부터 더 악화되었으며, 그 증상은 항상 심하부가 불편하고, 트림이 나오려고 하는데 나오지 않고, 조금만 먹어도 윗배가 상당히 부어올라서 음식을 조금씩 밖에 먹을 수 없었다. 이 밖에 대학교 때부터 씬지로이드(Synthyroid 0.05mg 1T/d)를 복용하고 있었다. 맥부긴(脈浮緊)했다. 1년 전부터 체중이 감소하여 현재 152cm, 35kg이었다.

소화장애가 심각하여 약물의 용량조절에 문제가 있을 것으로 판단하고, 치료에 상당한 시간이 소요될 수 있는 점에 대해 환자에게 양해를 구한 후 치료를 시작했다.

약물은 삼묘산가미방(三妙散加味方[1])으로 하고, 양구(梁丘), 혈해(血海)를 사혈(瀉血)하고 풍지(風池), 신문(神門), 삼음교(三陰交), 태충(太衝), 지오회(地五會)에 침구치료를 실시했다.

치료경과

- 2018년 2월 6일: 오른쪽 무릎의 통증은 여전했으며, 트림도 많이 나오고 있었다. 1월 18일의 처방에 반하(半夏)를 7.5g으로 증량하고 황금(黃芩) 12g을 추가했다.
- 2018년 3월 5일: 체중은 아직 늘어나지 않고 있으나, 음식 섭취는 조금 편안해졌다. 오른쪽 무릎의 통증은 여전했다. 2월 6일의 처방에서 우슬(牛膝)을 9g으로 증량했다.
- 2018년 4월 2일: 최근 오른쪽 무릎의 통증이 조금 심해졌으며, 소화장애는 배고픔을 느낄 수 있을 정도로 좋아졌으나, 지난 주 과식 후 다시 조금 악화되어 약간의 복통이 있었다. 3월 5일에 한약을 복약한 후 초기 며칠 동안은 1일 3-5회 정도의 당변(溏便)이 있었으나 그 후 소실되었다. 3월 5일의 처방에 해표초(海螵蛸) 4.5g을 추가했다.
- 2018년 6월 15일: 환자는 약 2개월 만에 내원하였으며, 4월 중순부터 5월 중순까

1) 蒼朮, 黃柏, 牛膝, 茯苓, 澤瀉 各 6g, 麻黃 1g, 石膏 9g, 半夏 3g, 茯苓 4.5g, 甘草 3g: 체중과 소화기문제로 약물을 강하게 사용하지 않았다.

지 오른쪽 무릎의 통증이 통증이 심해져서 구부리거나 펼 때, 보행시 많이 불편하여 정형외과치료를 받았으나, 호전되지 않았다. 오른쪽 무릎이 많이 부어있지는 않았으나, 왼쪽 무릎과 비교하면 대퇴 전면의 무릎 위쪽의 근육이 더 커져 있었으며, 양구혈(梁丘穴) 및 혈해혈(血海穴)의 압통이 현저했다. 소화장애는 이전처럼 심하지는 않았지만, 조금만 과식을 하면 복부가 많이 부어오르고 통증이 나타났다. 체중은 37kg이었다. 4월 2일의 처방에서 복령(茯苓), 택사(澤瀉)를 각 9g, 석고(石膏)를 12g으로 증량하고, 나복자(蘿蔔子) 7.5g을 추가했다.

- 2018년 7월 25일: 소화는 좀 개선되었으나 가끔 트림이 있었으며, 오른쪽 무릎의 통증은 어느 정도 안정되었지만 없어지지는 않고 있었다. 6월 15일의 처방에서 석고(石膏)를 18g, 마황(麻黃)을 2g, 황백을 12g으로 증량했다.
- 2018년 9월 11일: 오랜만에 내원한 환자의 상황은 매우 좋았으며 우측 무릎의 통증이 대부분 소실되어 보행 및 운동에 지장이 없었다.

후기 및 고찰

이 증례는 치료가 간헐적으로 진행되어 적지 않은 기간이 소요되었지만, 증상은 만족스럽게 안정되었다. 환자는 증상이 나타나면 다시 내원하기로 했다.

베체트병은 구강궤양, 피부증상, 안구증상, 외음부궤양의 4대 주증상 및 소화기, 혈관, 중추신경, 관절, 부고환 등에 염증을 유발할 수 있는 질환으로, 만성 재발성 경과를 보인다. HLA B51양성인 경우가 많고, 염증기에는 ESR, CRP, WBC, complement 등이 변동될 수 있다. 증상 및 그 경중이 다양하기 때문에 진단하기가 쉽지는 않지만 아래의 표를 참고할 수 있다.

베체트병 임상진단기준

(1) 주증상	① 구강점막의 재발성 아프타성 궤양 ② 피부증상 (a) 결절성홍반양 피진 (b) 피하의 혈전성 정맥염 (c) 모낭염양 피진, 좌창양 피진 참고소견: 피부의 피자극성항진 ③ 안구증상 (a)홍체모양체염 (b)망막포도막염(망막맥락막염) (c)다음의 소견이 있으면 (a), (b)에 준한다. (a), (b)를 경과했다고 생각되는 홍체후유착, 수정체상색소침착, 망맥락막위축, 시신경위축, 합병백내장, 속발백내장, 안구로(phthisis bulbi) ④ 외음부궤양
(1) 부증상	① 변형이나 경직을 수반하지 않은 관절염 ② 부고환염 ③ 회맹부궤양 ④ 혈관병변 ⑤ 중등도 이상의 중추신경병변

(병형진단의 기준)

① 완전형: 경과 중에서 4대 주증상이 출현한 것

② 불완전형

(a) 경과 중에서 3가지 주증상, 또는 2가지 주증상과 2가지 부증상이 출현한 것

(b) 경과 중에서 전형적 안구증상과 그 밖의 1가지 주증상, 또는 2가지 부증상이 출현한 것

③ 의심: 주증상의 일부가 출현하지만, 불환전형 조건을 충족시키지 못하는 것, 전형적인 부증상이 반복 또는 악화되는 것

④ 특수병형

(a) 장관형 베체트병: 복통, 잠혈반응의 유무를 확인한다.

(b) 혈관형 베체트병: 대동맥, 소동맥, 대소정맥장애의 차이를 확인한다.

(c) 신경형 베체트병: 두통, 마비, 뇌척수증형, 정신증상 등의 유무를 확인한다.

베체트병의 중증도 기준

Stage	내용
I	안구증상 이외의 주증상(구강점막의 아프타성 궤양, 피부증상, 외음부궤양)이 나타나는 것
II	Stage1의 증상에 안구증상으로 홍채모양체염이 추가된 것 Stage1의 증상에 관절염이나 정소상체염(부고환염)이 추가된 것
III	망막맥락막염이 나타나는 것
Ⅳ	실명의 가능성이 있거나 실명에 이른 망막맥락막염 및 그 밖의 안구합병증이 있는 것 활동성 내지 중도의 후유증을 남기는 특수병현(장관베체트, 혈관베체트, 신경베체트)
V	생명예후에 위험이 있는 특수병형 베체트병 중등도 이상의 지능저하가 있는 진행성 신경베체트병
Ⅵ	사망(a. 베체트병 증상에 근거한 원인 b. 합병증에 의한 것 등, 원인을 기재할 것)

* Stage Ⅰ, Ⅱ에 관해서는 활동기병변이 1년 이상 나타나지 않으면, 고정기(완화)라고 판정하는데, 판정기준에 맞지 않는 경우는 고정기에서 제외한다.
* 실명이란 양눈의 시력의 합이 0.12이하 또는 양눈의 시야가 각각 10도 이내인 것을 말한다.
* 포도막염, 피하혈전성정맥염, 결절성홍반양피진, 외음부궤양(여성의 성주기에 연동하는 것은 제외), 관절염증상, 장관궤양, 진행성 중추신경병변, 진행성 혈관병변, 정소상체염(부고환염) 중의 하나가 나타나고, 이학소견(안과적 진찰소견 포함) 또는 검사소견(혈청 CRP, 혈청 보체가, 수액소견, 장관내시경소견 증)에서 염증징후가 확실한 것.

주요 치료제 [1)]

분류	일반명	약효발현의 기전	주요부작용
발작치료제	콜히친	호중구기능억제작용 등	설사, 근증상(장딴지근경련), 간장애, 최기형성 등
부신피질 호르몬제	트이람시놀론	항염증작용 등	구강감염, 속발성부신피질기능부전 등
	프레드니솔론	항염증작용, 면역억제작용 등	감염, 감염의 악화, 속발성부신기능부전, 당뇨병, 소화관궤양 등

1) 군자출판사, 인체의 구조와 기능에서 본 병태생리4, 2015:45-46

비스테로이드성 소염제	록소프로펜	항염증작용 등	소화관궤양, 신기능장애, 간기능장애, 기관지천식발작 등
	디클로페낙		
면역제제	사이클로스포린	면역억제작용 등	감염증, 신기능장애 등
생물학적 제제	인플릭시맙	항 TNF-a 작용 등	감염증 등

베체트병은 상한론(傷寒論)의 고혹(狐惑)과 유사하며, 감초사심탕(甘草瀉心湯), 고삼탕(苦蔘湯), 웅황훈법(雄黃熏法) 등의 기본적인 대처방법이 기재되어 있다. 단, 질환에 대한 연구의 결과로, 베체트병의 정의가 분명해지면서 한의원에 내원하는 베체트병의 범위가 넓어지고 있다. 단순한 구내염이 아니라 침범한 부위에 따라 증상들이 다양하게 나올 수 있으므로, 고혹(狐惑)의 개념, 치료법만으로는 대처하기가 어렵다.

베체트병의 치료는 서양의학의 어떠한 약물을 복용하고 있던 간에 환자의 혈액검사를 기준으로 치료방향을 정하면 안전하다. 스테로이드, 면역억제제를 장기간 복용했다고 하더라도 WBC, PLT, ANC, complement 등이 극도로 하강한 경우를 제외하고는 열증(熱證)으로 볼 수 있으며, 여기에 ESR, CRP, Ferritin, LDH 등이 상승해 있으면 열증(熱證)을 더욱 확신할 수 있다. 상용하는 처방으로는 황연해독탕(黃連解毒湯), 온청음(溫淸飮), 시호청간탕(柴胡淸肝湯), 형개연교탕(荊芥連翹湯), 방풍통성산(防風通聖散), 양격산(凉膈散) 등을 사용할 수 있으며, 증상이 집중된 부위에 따라 가미하고, 증상의 강약에 따라 용량을 결정한다. 포도막염이 주증상인 베체트병에 감초사심탕(甘草瀉心湯)을 사용할 수는 없다. 음부(陰部)에는 용담초(龍膽草), 황백(黃柏), 구설(口舌)에는 단피(丹皮), 치자(梔子), 적작(赤芍), 포황(蒲黃), 인후(咽喉)에는 길경(桔梗), 위(胃)에는 반하(半夏), 복령(茯苓), 해표초(海螵蛸), 나복자(蘿蔔子), 직장항문(直腸肛門)에는 지유(地楡), 괴화(槐花), 관절에는 황백(黃柏), 우슬(牛膝), 사령(四苓), 활락단(活絡丹), 안구(眼球)에는 은화(銀花), 포공영(蒲公英), 단피(丹皮), 적작(赤芍), 뇌(腦)의 경우에는 그 증상에 따라 뇌압이 높은 경우에는 중진(重鎭)의 용골(龍骨), 모려(牡蠣), 대자석(代赭石), 변비형(便秘型)에는 승기탕류(承氣湯類), 수축(水蓄)에는 오령산(五苓散)의 성분, 전간(癲癇)에는 전갈(全蠍), 오공(蜈蚣), 백강잠(白殭蠶), 천마(天麻), 조구등(釣鉤藤), 죽여(竹茹), 현훈에는 천마(天

痲), 반신불수(半身不遂)에는 황기(黃耆), 적작(赤芍), 단삼(丹蔘) 등을 가미한다. 이미 장기간 스테로이드, 면역억제제, 생물학적제제 등을 사용하던 중에 한방치료를 병행하는 경우에는 증상개선의 정도에 따라 매우 천천히 기존의 서양의학약물들을 중단하며, 중단 후 리바운드 현상이 나타나게 되면 즉시 청열해독(淸熱解毒)을 강하게 하여 증상을 제어하면 천천히 모든 증상들이 안정될 수 있다. 또는 일시적으로 최소용량의 서양의학약물을 다시 사용하면서 보조하는 방법도 있다. 안구증상은 빠르게 제어하지 않으면 실명의 위험이 높으므로 금연사물(芩連四物), 양격산(凉膈散), 지골피음(地骨皮飮) 등에 가미하고, 찬죽(攢竹), 사죽공(絲竹空), 대추(大椎), 위중(委中), 협척혈(夾脊穴)의 사혈(瀉血), 풍지(風池), 합곡(合谷), 삼음교(三陰交), 태충(太衝)의 침구치료로 보조한다. 베체트병의 장기 이환(罹患)은 종양발생과의 연관성이 제기되고 있는 만큼 증상의 빠른 제압이 중요하다.

베체트병의 남학생

- 13세, 남자
- 진료일: 2018년 4월 21일

환자는 155cm, 42kg, 유쾌한 성격의 중학생으로, 이전부터 구내염이 자주 발생하곤 했지만 큰 문제없이 건강하게 잘 살고 있었다. 그러나 금년 2월 말부터 아침에 일어날 때 양쪽 손목과 손가락(근위지절관절DIP, 중수지절관절MCP), 양쪽 발의 외측(金門, 京骨穴 부위) 등에서 통증이 생겼지만, 오후가 되면 통증은 자연적으로 없어졌다. 이 증상이 3주 이상 반복되어 대학병원의 류마티스과에서 검진을 받았으며, 검사결과는 각종 염증 및 기타 항체검사에서는 문제가 없었지만 HLA B51 양성으로 판정되었다고 했다. 그러나 그 당시에는 증상이 없었으므로 치료는 진행하지 않고 경과를 지켜보기로 했다. 하지만 문제는 지난 주 수요일부터 아침에 일어나면 양측 고관절, 손가락, 손목, 무릎, 발목 등에 미약한 열감 및 통증이 발생하여 보행시 통증을 호소했으며, 운동을 하면 양쪽의 고관절, 무릎, 발목의 통증이 심해져서 운동을 할 수가 없었다. 이에 지인의 소개로 본원에 내원하게 되었다.

증상분석

환자는 농구를 상당히 즐겼는데, 최근 1주일 전부터 시작된 양측의 손목, 손가락, 고관절, 무릎, 발목의 통증으로 농구를 못하고 있었다. 아침의 통증이 시간이 지나면서 조금 안정되어 다시 농구를 하고 싶어졌으나, 막상 운동을 하고 나면 그 다음날 통증이 더 심해져 운동을 못하게 되었다.

진료 중 고관절의 운동제한, 손목과 발목의 압통 및 열감은 없었다. 하지만 무릎의 내측(膝眼穴부위)을 압박하면 참을 수 있을 정도의 통증을 호소했다. 척추관절의 통증은 없었으며, 신경계 및 소화기계의 이상을 의심할 수 있는 증상도 찾을 수 없었다. 한방변증에 참고가 될 만한 특이한 증상은 없었으며 맥부긴삽(脈浮緊澁)했다.

이에 계작지모탕가미방(桂芍知母湯加味方[1])으로 시작하고, 침구치료는 환자의 거주지가 멀어서 생략했다.

치료경과

- 2018년 5월 7일: 복약 중에 어금니 대측(對側) 구강점막에 작은 궤양이 발생했으며 잘 없어지지는 않았지만 확산되지도 않았다. 아직은 아침에 일어나면 양측 발목과 무릎의 통증으로 절뚝거리지만, 시간이 지나 정오 정도가 되면 통증이 개선되었다. 최근 관절통으로 나프록센을 2회 복용했었다. 4월 21일의 처방에 황백(黃柏) 12g, 포황(蒲黃) 15g을 추가했다.
- 2018년 5월 19일: 1주일 전 목, 토, 일 오전에 양쪽 발목, 고관절의 통증이 상당히 심했으나 현재는 안정되었으며, 어제 우측 뺨 안쪽의 구강점막에 약 5mm 정도의 궤양이 발생했다. 5월 7일의 처방에서 황금(黃芩)을 24g, 석고(石膏)를 24g으로 증량했다.
- 2018년 6월 5일: 최근 1개월 동안 통증 및 구강궤양이 발생하지 않았다. 5월 7일의 처방을 변경하지 않았다.
- 2018년 7월 10일: 최근 상태는 매우 안정적이었으며, 7월 2, 3일 양측 고관절의 미세한 통증만이 있었으나 바로 소실되었으며, 구강궤양도 없었다. 5월 19일의 처방을 변경하지 않았다.
- 2018년 7월 28일: 며칠 전 우측 견관절, 좌측 두번째 손가락의 원위지절관절에 미약한 통증이 발생했으나 금방 소실되었다. 이전에는 한 번 구강궤양이 발생하면

1) 肉桂 7.5g, 赤芍 9g, 知母 9g, 麻黃 3g, 石膏 18g, 牛膝 12g, 黃芩 18g, 丹皮 9g, 蒼朮 6g, 茯苓, 澤瀉 各 7.5g, 甘草 3g: 2貼分3日服

10여 일 이상 지속되었으나, 약 1주일 전 발생한 3mm 정도의 구강궤양은 3일 정도 지속된 후 소실되었다. 5월 19일의 처방을 유지했다.

- 2018년 9월 1일: 최근 관절의 통증과 궤양이 발생하지 않았다.

이후 치료를 종료하고 재발할 경우 다시 내원하기로 했다.

후기 및 고찰

환자는 2019년 3월 16일 내원했는데, 당시 오른쪽 손가락의 골절으로 왼쪽 손가락을 많이 사용한 후 좌측 엄지의 어제혈(魚際穴) 부위의 근육에 통증이 발생하여, 혹시 재발하는 것이 아닌가 우려되어 내원했다. 치료 종료 후 내원 전까지 관절통과 구강궤양은 나타나지 않고 있었다.

이 환자는 부친도 동일한 증상이 있었으며, HLA B51양성으로 유전적인 성향을 가진 베체트병으로 진단되었으나, 한방치료에 잘 반응하여 양호한 치료경과를 보였다. 이 경우에 사용된 처방의 개념은 비교적 단순하여, 계작지모탕(桂芍知母湯), 백호탕(白虎湯), 이묘산(二妙散), 오령산(五苓散) 등이 동원되었다. 하지만 치료 후 HLA의 음성전환까지는 확인하지 못했다.

임상적에서 약물을 처음부터 대량으로 사용하기는 쉽지 않다. 우선 방향을 정한 후 점진적으로 가중하는데, 어느 정도 가중해도 증상이 제어가 되지 않을 경우에는 거기에서 더 가중한다. 이 때 일반적으로 염증과 관련된 수치(marker)를 참고하면 좋지만, 때로는 이런 수치(marker)들이 정상범위에 있지만 통증이 심한 경우도 있다. 그러므로 압통, 통증발생의 시간 및 유발요인, 열감, 홍조, 부종 등을 반드시 참고하여 처방을 수정한다.

10 재발성 구강궤양, 한랭두드러기, 레이노드의 베체트병

- 17세, 여자
- 진료일: 2011년 11월 19일

환자는 162cm, 50kg의 똑똑한 여고생으로 극심한 피로를 호소하면서 내원했다. 학생이 잠도 잘 자지 않고 너무 열심히 공부를 해서 피곤한 것은 자연스러운 증상이었으므로 휴식시간에 낮잠을 조금씩 자는 것이 좋다고 하고는 돌려보내려고 하였으나 너무 피곤해서 잠을 자도 피곤하고, 피로의 강도가 공부를 할 수 없을 정도로 너무 심하고 기타 증상이 있어 치료받기를 원했다.
이 환자의 증상은 극심한 피로, 피로하거나 공부를 많이 하면 발생하는 코피, 자주 발생하는 구강궤양, 추우면 발생하는 두드러기, 손이 하얗게 될 정도로 손이 차가워지는 증상으로 더위와 추위에 모두 힘들어하는 증상들이었다.

증상분석

환자의 증상은 극심한 피로, 그 다음으로는 구강궤양, 한랭두드러기, 손발 차가움 등이었으며, 피로의 정도는, 너무 피곤해서 수업시간에 쉴 새 없이 조는 날도 있고, 일요일에 잠을 푹 자도 피곤함이 없어지지 않았다. 구강의 궤양은 조금만 더 피곤하거나 아무 이유없이 생기기도 하고 대부분 수일 내에 소실되지만 때로는 수 주 동안 지속되기도 했다. 한랭두드러기의 경우에는 자신이 느끼기에 기온이 차갑거나 에어컨을 맞으면 차갑게 느껴지는 곳에 어김없이 나타났다가, 따뜻하게 하면 없어졌다. 손발의 차가움도 추위를 느끼면 손발이 차가워지고 핏기가 없어지고 작은 수포가 생기면서 손발이 아프다고 했다. 기타 음식, 월경은 문제가 없었으며, 7세 때까지 야제증(夜啼症)이 있다가 자연적으로 없어졌다.

이에 비록 날씨가 추워지고 한랭두드러기와 레이노드현상이 있었지만, 우선 자주 발생하고 있는 구강궤양을 목표로 하여 황연해독탕가미방(黃連解毒湯加味方[1])을 처방하고 추후 처방을 수정하기로 했다.

치료경과

- 2011년 12월 19일: 입 안의 궤양이 크게 호전되어 최근에는 잘 발생하지 않았고, 손가락의 통증도 감소했다. 한랭두드러기는 매우 추운 날에만 나오곤 했다. 치료 방향이 틀리지 않은 것으로 판단하고, 11월 19일 처방에서 황금(黃芩)을 12g으로 증량했다.
- 2012년 1월 25일: 최근 날씨가 춥지만 두드러기가 거의 나오지 않았으나, 설날에 추운 곳에 가니 손가락관절이 약간 부어 오르는 느낌이 있었다. 이전의 처방으로 구강궤양이 모두 소실되었으나, 한랭두드러기가 제어가 되지 않아 한열잡잡(寒熱錯雜)의 편열(偏熱)로 판단하고, 2011년 12월 19일 처방에 천웅(天雄) 4.5g, 오수유(吳茱萸) 3g, 마황(麻黃) 3g을 추가했다.
- 2012년 3월 2일: 구강 궤양은 소실되었으며, 얼굴에 두드러기가 나온 적이 한 번 있었다고 했다. 1월 25일 처방을 변경하지 않았다.
- 2012년 8월 13일: 몇 달만에 내원한 환자의 상태는 구강궤양은 이미 나오지 않고 있었는데, 최근 날씨가 더워지면서 운동 후에 샤워를 하고 난 후, 에어컨을 강하게 맞으면 두드러기가 대퇴에서 올라온다고 했다. 특히 집에 있을 때는 조금 열이 식으면 에어컨을 끄지만 학교에서는 에어컨이 너무 강해서 두드러기가 자주 나온다고 했다. 이에 혈고겸양허(血枯兼陽虛)로 판단하여 혈고방가미방(血枯方加味方[2])을 처방했다.

---

1) 黃連 9g, 黃芩 9g, 黃柏 6g, 靑蒿, 地骨皮 各 4.5g, 蒲黃 15g, 蒼朮 6g, 丹蔘, 銀杏葉 各 4.5g, 生甘草 3g, 大棗 3枚

2) 當歸, 何首烏, 兎絲子 各 12g, 白蒺藜, 蒼朮, 乾薑, 天雄 各 4.5g, 黃芩, 吳茱萸 各 3g, 白鮮皮 15g, 生甘草 4.5g, 大棗 3枚

- 2012년 9월 8일: 독서실의 자리가 에어컨 바로 앞이라 에어컨을 직접적으로 맞고 있었지만, 손발이 차가워져도 두드러기가 잘 나오지 않고 있었다. 8월 13일의 처방을 변경하지 않았다.
- 2012년 10월 20일: 날씨가 춥다고 느껴지면 두드러기가 나왔는데, 요즘은 춥게 느껴도 두드러기가 잘 나오지 않고 나오려다가도 바로 없어졌다. 기온이 하강하고 있어 8월 13일의 처방에서 천웅(天雄)과 건강(乾薑)을 9g씩으로 증량하고 상제(相制)의 의미로 황금(黃芩)도 9g으로 증량했다.

후기 및 고찰

환자는 2013년 여름, 고3이 되어 매우 피곤하다면서 내원했으며, 지난 겨울과 금년 봄에는 두드러기가 발생하지 않았고, 구강궤양도 없었다.

환자의 증상은 여러 증상이 혼합되어 있었으나, 구강궤양의 열증(熱症), 한랭두드러기, 레이노드의 한증(寒症)으로 정리할 수 있다. 이렇게 치료의 선후를 구분할 수 없는 경우에는 급한 증상을 먼저 치료하는 방법도 있으나, 다시 한 번 생각하면 환자의 증상이 비록 한열(寒熱)이 혼합되어 있었지만, 아직 스테로이드, 면역억제제, 항말라리아제제 등의 약물을 복약하지 않았으므로 미상의 외감(外感)이 잠복하고 있었던 상황일 수도 있었으므로, 우선은 열증(熱症)을 제어하는 방향으로 치료를 진행했다. 삼황(三黃)에 청허열(淸虛熱)약물을 추가하여 심열(心熱)을 다스리고, 단삼(丹蔘), 은행엽(銀杏葉)으로 활혈화어(活血化瘀)를 더해 말초혈관을 보호했다.

이 환자의 증례처럼 한열(寒熱)이 혼재하는 상황에서 처방의 결정이 어려울 경우에는 우선 열증(熱症)에 치중하고 그 후 천천히, 조심스럽게 한증(寒症)을 치료하는 것도 하나의 방법이 될 수 있다. 갑작스러운 처방변경이나 대용량의 편중된 사용은 때로는 매우 위험할 수도 있다.

소아의 면역성 혈소판감소증(Immune or Idiopathic thrombocytopenic purpura)

- 3세, 여자
- 진료일: 2018년 6월 23일

환자는 3세 여자아이로, 4일 전인 수요일 오전에 양쪽 팔에 깨알 같은 자반이 발생하여 근처 소아과에서 진료를 받은 후 상급 의료기관으로 전원되어 목요일 비교적 큰 병원에서 검진을 받았다. 당시 혈소판 수치는 4천으로 급히 상급 의료원으로 전원되었으며, 입원 당시 혈소판수치는 9천이었으며 면역글로불린 2회 주사 후인 금일 오전의 혈소판수치는 3만 8천 정도였다. 평소에 자주 감기에 걸렸기 때문에 항상 긴장을 하고 있던 아이의 부모들은 급히 인터넷에서 질환에 대한 내용을 검색하고는 만약 면역글로불린의 효과가 저하될 경우에는 난치성의 만성 혈소판감소증으로 진행될 수도 있다는 것을 보고는 급히 본원에 내원했다.

증상분석

아이의 증상은 병원에 입원하여 주사도 맞고 답답해서 인지 짜증을 조금 내는 것 외에는 자반증및 기타 혈소판감소와 관련된 특수질환을 의심할 만한 이상 증상이 없었으며, 37도 전후의 미열이 있었다. 이 밖에 2년 전에는 가와사키병을 앓은 적이 있어서 부모님의 근심이 매우 컸다.

이에 외감미해유열(外感未解有熱)의 계마각반가미방(桂麻各半湯加味方[1])을 처방

1) 肉桂 7.5g, 赤芍, 甘草, 生薑 各 6g, 麻黃 3g, 靑蒿, 知母, 地骨皮 各 12g, 黃芩, 側柏葉 各 15; 2貼分3日服

하고 경과를 지켜보기로 했다.

치료경과

- 2018년 6월 25일: 환아는 본원에서 진료 후 다시 발열 및 해수가 발생하여 근처 종합병원 응급실 수진했으며, 당시의 혈소판수치가 7만 정도였기 때문에 다시 면역글로불린을 투여받고 퇴원했다. 퇴원 시의 혈소판수치는 30만이었다.
- 2018년 7월 10일: 환자는 6월 27일부터 한약을 복약했으며 오늘 검사한 혈소판 수치는 38만이었다. 처음 면역글로불린투여 후 얼마 지나지 않아 혈소판이 급속도로 하강했었으므로 근심이 컸으나 다행스럽게도 하강하지는 않았지만 아직 안심할 수는 없었다. 처방을 변경하지 않았다.
- 2018년 7월 31일: 금일 검사결과는 혈소판 40만으로 하강하지 않았다.
- 2018년 8월 30일: 2일 전 측정한 혈소판도 이전과 비슷한 수준으로 38만을 유지하고 있었다. 병원에서는 2개월 후 다시 검사하기로 했다.
- 2018년 10월 31일: 어제 측정한 혈소판은 38만이었으며 안정적으로 유지되고 있었다. 한약은 2주 분을 1개월 동안 복용하고 있었다.
- 2019년 1월 29일: 오늘 측정한 혈소판은 41만으로 매우 안정적이었다.

고찰

특발성 또는 면역성 혈소판감소증은 유아에서는 흔히 발생하는 질환이며 유소아의 경우에는 급성적인 과정을 거쳐 빠르게 개선되는 경우가 흔하다. 최근의 서양의학적인 치료법은 초기 면역반응을 조정하고자 면역글로불린(IVIG)을 투여하고 있으며 이에도 증상제어가 잘 되지 않으면 만성화의 경과를 보이게 된다.

이 환자의 경우에는 초기 면역글로불린의 효과가 좋지 않았으며 만성화될 수도 있는 상황이었는데 다행스럽게도 경과가 좋았다.

혈소판감소증은 급성기에는 자가면역에 의한 파괴가 우위에 있으나, 각종 치료 및 경과시간에 따라 면역의 파괴뿐 아니라 혈소판 생성기전에도 문제가 발생하게 된다. 즉 초기에는 계지탕(桂枝湯), 양단탕(陽旦湯), 계마각반탕(桂麻各半湯), 월비탕(越婢湯) 등을 사용할 수 있으며, 지골피음(地骨皮飮), 서각지황탕(犀角地黃湯), 청영탕(淸營湯), 청호별갑산(靑蒿鼈甲散) 등의 의미를 추가할 수도 있다. 단 만성화되었을 경우에는 일이 복잡해진다. 장기간 스테로이드 및 각종 면역억제제, 간헐적으로 시행하는 면역글로불린에도 반응이 적어진 경우에는 생성과정에 문제가 있는 것으로 판단해야 한다. 물론 서양의학에서도 이에 대한 고려를 하여 Romiplastin, Eltrombopag 등이 사용되고는 있지만 그 효과는 수 만의 혈소판을 유지하는 정도이다.

만성화된 혈소판감소증의 한방치료도 그렇게 쉽지는 않다. 비양허(脾陽虛)의 향사육군자탕(香砂六君子湯), 간혈허(肝血虛)의 사물탕(四物湯), 성유탕(聖愈湯), 혈고방(血枯方), 당귀음자(當歸飮子), 신양허(腎陽虛)의 신기환(腎氣丸), 팔미환(八味丸) 등을 고려하되, 여열혈열(餘熱血熱)의 경우도 있으니 치료에 대한 반응에 따라 처방을 빠르게 수정해야 한다.

기타 유형의 증례는 한방임상이야기 2, 3권을 참조하기 바라며 현재 진행 중인 증례는 추후에 기재 또는 발표할 예정이다.

난치성질환 한의치료 증례집 제4권

CHAPTER 04

종양질환

삼차신경 신경초종의 극심한 구토, 복시의 여자

- 32세, 여자
- 진료일: 2015년 11월 2일

환자는 조용한 성격의 여성으로, 이전부터 잠이 많고, 피곤하면 약간 어지럽고, 먼 곳의 물체를 보면 약간 뿌옇게 보이는 경우가 있었으나, 일상생활에서 큰 문제가 되지는 않아 학업을 마친 후 대기업에 취직하여 잘 지내고 있었다.

그런데, 금년 4월 회사에서 갑자기 쓰러져서 지역의 대형병원에서 뇌에서 종양이 발견되었으며, 서울의 대형병원에서 다시 MRI검사를 한 후 삼차신경초종(schwannoma of trigeminal nerve)으로 진단되었다. 당시 어지럼증과 복시가 있어 병원으로부터 방사선치료를 권고받았으나, 환자는 여러 매체를 통해 방사선치료의 후유증 등을 접한 후 두려움에 치료를 거부했다. 하지만, 약 1주일 전부터 식사 시 발생하는 극심한 오심구토, 복시(複視) 등의 증상이 점점 심각해져서 이런저런 고민을 하다가 본원에 내원하게 되었다.

증상분석

환자의 증상은 극심한 구토(식사량이 1/3로 줄었다), 아침에 일어날 때 또는 피로 시 악화되는 어지럼증, 물체가 두세 개로 보이는 복시였다. 진료 중에도 복시로 인하여 집중할 수가 없어서 힘들어했다. 기타 특이한 신경학적 증상은 없었다. 161cm, 51kg이었으며 이전에 비해 체중이 좀 줄었다고 했다. 이에 어열형(瘀熱型)의 종양에 필자가 상용하는 도홍사물탕가미방(桃紅四物湯加味方[1])을 처방하고, 사정상 침

1) 乳香, 沒藥, 生地, 當歸, 川芎, 赤芍 各 4.5g, 桃仁, 紅花 各 3g, 蒼朮, 茯苓, 澤瀉 各 9g, 半夏 7.5g, 黃芩 12g, 續斷 12g, 生甘草 4.5g, 萬靈丹 1g—各包

구치료는 생략했다.

내원 전 최근의 Brain MRI는 아래와 같다.

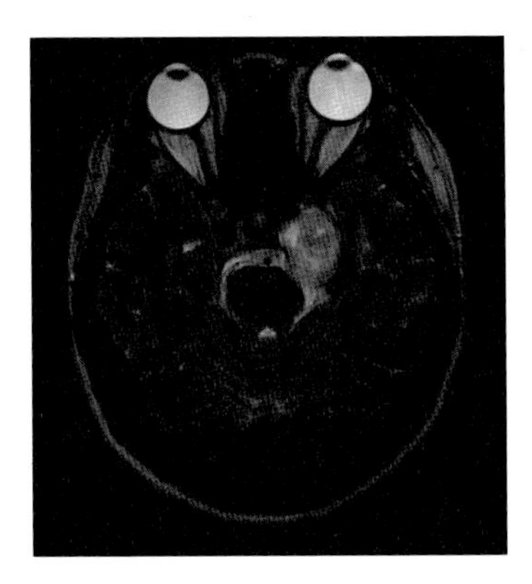

Fig. 1 2015년 4월 26일

치료경과

- 2015년 12월 2일: 치료 전에는 밥을 1/3 공기 정도밖에 먹지 못했으나 1/2공기 정도 먹을 수 있게 개선되었으며, 구토가 오심 정도로 약해졌다. 이전부터 면류의 음식을 좋아했으나 증상이 시작된 후부터는 전혀 먹을 수가 없었다. 피곤할 때 멀리 보면 뿌옇게 보이는 것은 여전했으며, 현훈이 아직 있기는 하지만 발생 빈도는 적어졌다. 11월 2일의 처방을 변경하지 않았다.
- 2016년 1월 2일: 최근에는 식사가 더 편해져 반공기보다 좀 더 먹을 수 있게 되었다. 현훈은 전체적으로 강도와 빈도가 개선되었지만, 어제 저녁 갑자기 심해졌었다. 복시가 개선되기 시작하여 보행 시 손으로 더듬으면서 걷지는 않게 되었다. 2015년 11월 2일의 처방에서 황금(黃芩) 15g, 속단(續斷)15g, 만영단(萬靈丹) 1.5g으로 증량했다.
- 2016년 2월 2일: 최근 구토, 설사의 바이러스성 장염으로 고생했으나, 장염이 발생하기 전까지는 음식섭취에 문제가 없어서 면(麵)음식도 먹을 수 있었으며, 복시 및 시야이상도 없었다. 단지 가끔 새벽이나 아침에 약한 정도의 현훈이 있었다.

2016년 1월 2일의 처방에 골쇄보(骨碎補) 12g을 추가했다.

- 2016년 3월 7일: 최근 약 1회 정도 시야가 흐릿했었다. 어지럼증의 횟수는 비슷하게 나타나지만 일상생활에 큰 지장을 주지는 않았다. 2월 2일의 처방을 변경하지 않았다.

- 2016년 4월 6일: 식사는 1일 3회 규칙적으로 하고 있었으나 식사량이 많지는 않았으며 체중은 54kg이었다. 현훈은 가끔, 불규칙적으로 발생하고 있으며, 수일 전 심한 현훈으로 힘들기도 했지만 휴식 후 소실되었다. 2월 2일의 처방에서 속단(續斷)을 18g으로 증량했다.

환자의 증상이 상당히 안정되었으며, 3월 30일 Brain MRI에서 종괴 주변의 부종이 현저하게 소실된 것으로 확인되었다.

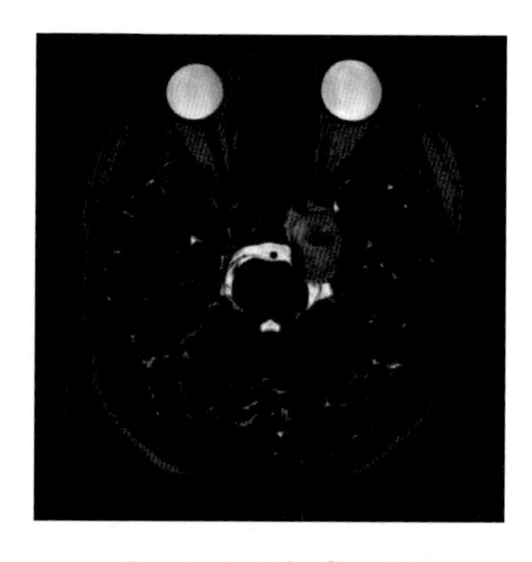

Fig. 2 2016년 3월 30일

- 2016년 5월 4일: 식사량은 이전과 비슷했고, 가끔씩 뿌옇게 보이는 것도 이전과 동일했다. 4월 6일의 처방에 천마(天麻) 12g을 추가했다.

- 2016년 6월 13일: 가끔 현훈 및 뿌옇게 보이는 경우가 있다고 했다(이전과 비슷하며, 월, 화요일까지는 괜찮다가 목, 금요일이 되면 심해졌고, 조금 멀리 있는 피사체는 심할 때는 형체만 보이는 것 같기도 한데 한참 보면 정확하게 보인다고 했다). 장조(臟躁)가 겸해있는 것으로 판단하여, 5월 4일의 처방에 대조(大棗) 10매(枚)를 추가했다.

- 2016년 7월 27일: 눈이 많이 좋아졌으며, 현훈도 개선되어 1주일 1, 2회 정도 약하고 짧게 발생하곤 했다. 6월 13일의 처방을 변경하지 않았다.
- 2016년 8월 29일: 최근 직장의 과도한 업무로 현훈의 횟수가 늘어났으나, 식사량은 조금 개선되어 1공기보다 조금 덜 섭취하고 있었다. 6월 13일의 처방을 변경하지 않았다.
- 2016년 9월 13일: 3, 4일 전 활동 중 갑자기 현훈이 발생했지만 곧 안정되었다. 최근에는 시야이상이 발생하지 않고 있었다.
- 2016년 10월 15일: 그 동안 현훈은 약하게 1회 발생했으며, 시야이상도 없고, 식사도 발병전과 동일한 양을 섭취할 수 있었다. 체중은 52.9kg이었다. 9월 13일의 처방에 나복자(蘿蔔子), 맥아(麥芽) 각(各) 9g을 추가하고 한약의 복용횟수를 1일 2회로 감량했다.
- 2016년 11월 19일: 최근 직업을 변경한 후 과도한 스트레스로 수일 전 현훈이 발생했었으며, 2주 전에는 위염으로 고생했었다. 10월 15일의 처방을 변경하지 않았다.
- 2016년 12월 31일: 최근 약한 정도의 오심과 현훈이 있었으나 크게 힘들지는 않았다.
- 2017년 1월 21일: 가끔 현훈이 발생하지만 버틸 수 있는 정도였으며, 식사는 조금씩 자주 하고 있었다. 눈은 이전처럼 뿌옇게 보이는 것도 없고, 신경 쓰지 않아도 되었다. 체중은 55kg이었다.
- 2017년 2월 25일: 최근 식사횟수가 늘었으나 식사량은 늘어나지 않았다. 또 직장을 바꾼 후 스트레스를 받아서 자꾸 음식을 먹게 되었다. 약 2주 전 과식을 한 후에 많이 움직인 후 현훈이 발생했었다. 10월 15일의 처방을 변경하지 않았다.
- 2017년 3월 27일: 현재 피로나 스트레스의 상황에서 미약한 어지러운 기운을 느끼는 것을 제외하면 뇌신경과 관련된 어떠한 증상도 없었다. 금년 3월 17일 촬영한 뇌 MR에서는 slight decreased tumor mass Lt cav sinus schwannoma의 소견으로 확인되었다. 이에 한약을 1일 1, 2회로 복용하면서 천천히 치료를 종료하

도록 하고, 이후 증상발생 시 연락하기로 했다.

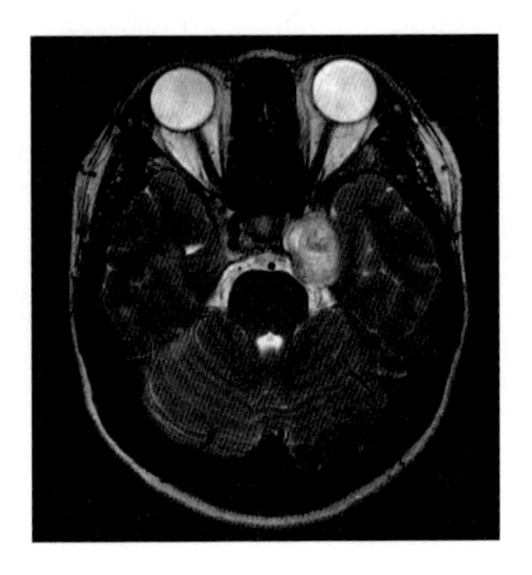

Fig. 2 2017년 3월 27일

- 2017년 5월 1일: 1일 1회 복약 중이며 어떤 증상도 없었으나, 가끔 아침에만 순간적인 현훈이 나타날 때가 있었다.

후기 및 고찰

그 후 환자는 정상적인 생활을 하고 있으며, 치료 종료 약 5년이 지났으나 큰 문제없이 잘 지내고 있다.

환자의 증상은 종양의 급성 확장으로 인한 주변조직의 압박증상인 어지럼증과 보행실조, 오심구토였다. 이럴 경우에는 구토로 인하여 한약도 잘 복용하지 못하는 경우가 흔한데, 이 환자의 경우 조금씩 성실하게 복용하여 약 5개월 후에는 모든 증상이 일상생활에 전혀 지장이 없을 정도로 개선되었고, 뇌 MRI영상에서의 영상변화와 증상의 개선이 일치하는, 양호한 결과를 얻을 수 있었다.

뇌종양의 대응에 있어서는 뇌압에 대한 고려가 중요하다. 뇌압이 상승되어 있을 경우에 서양의학은 mannitol, glycerol, steroids를 사용하여 뇌압을 하강시키지만, 한의학에서는 흉륵만창(胸肋滿脹)의 대시호탕(大柴胡湯), 수정위외(水停胃外)의 소반하가복령탕(小半夏加茯苓湯), 반하백출천마탕(半夏白朮天麻湯), 수역(水逆)의 오령산(五苓散), 삼초실열(三焦實熱)의 황연해독탕(黃連解毒湯), 담음(痰飮)의 온담탕(溫膽湯), 양항(陽亢)의 건령탕(健瓴湯), 어혈(瘀血)의 도홍사물탕(桃紅四物湯), 비폐(秘閉)의 대승기탕(大承氣湯), 대황부자탕(大黃附子湯), 보기활혈(補氣活血)의 보양환오탕(補陽還五湯), 황기계지오물탕(黃耆桂枝五物湯), 방향통규(芳香通竅)의 청심우황환(淸心牛黃丸), 피온단(避瘟丹), 자설단(紫雪丹), 보기보양(補氣補陽)의 우귀(右歸), 신기환(腎氣丸) 등 여러 각도에서 대처법을 고려할 수 있다.

이 증례의 환자는 신경초종에 의한 주변조직의 압박, 부종으로 인하여 오심구토, 보행실조, 복시,현훈이 발생했다. 이에 소반하가복령탕(小半夏加茯苓湯), 오령산(五苓散) 등으로 뇌압에 대해 대응했으며, 비교적 저용량에서 반응이 나타나기 시작했다. 변비가 없었으므로 사하법(瀉下法)은 사용하지 않았고, 모든 증상이 안정된 후에도 현훈이 해결되지 않아 천마(天麻)를 가미했다.

종양에 대한 직접적인 공격을 위하여 도홍사물탕가미방(桃紅四物湯加味方)으로 시작하여, 천천히 파혈(破血)의 속단(續斷), 쇄보(碎補)를 추가했다.

종양을 완전히 소멸시키는 것도 좋지만, 증상이 없는 종양은 경과관찰이 치료의 기본이다. 그러므로 이 환자에게서 증상을 유발했던 상황이 안정된 후에는 정기적인 관찰만이 필요했다.

전정신경 신경초종 수술 후의 안면감각이상 및 미각이상

- 52세, 여자
- 진료일: 2018년 3월 14일

환자는 온화한 성격의 중년 부인으로, 수년 전부터 청력이 조금씩 약해져서 거의 들리지 않는 상태가 되었으며, 이에 **병원에서 뇌영상검사를 시행했다. 검사 결과 전정신경(CN8, vestibulocochlear N.) 부위에 상당한 크기의 종양이 발견되어 수술을 시행할 수밖에 없었다. 이에 2018년 1월 29일 해당 병원에서 외과적 절제술을 시행하고, 약 2주 동안 스테로이드를 복용했다. 수술 후 전체적인 경과는 매우 좋았으나, 수술 후 좌측 안면의 마비 및 좌측 혓바닥의 감각소실 등이 회복되지 않고 지속되고 있어 본원에 내원하게 되었다.

증상분석

환자의 좌측 안면마비는 완전한 마비는 아니었으며 불완전 마비의 양상을 보이고 있었고, 안면의 감각도 약간 저리면서 무뎌진 것 같다고 했다. 미각은 혀의 좌측 반쪽에서 단맛과 신맛, 쓴맛 등이 미세하게 느껴지기는 한다고 했다. 기타 다리(비골 근위부)에도 종괴(mass unidentified)가 있었으나, 통증과 증상이 없었으므로 관찰하고 있었다.

이에 보양환오탕가미방(補陽還五湯加味方[1])을 처방하고, 좌측의 풍지(風池), 사

1) 黃耆 15g, 丹蔘 12g, 當歸, 川芎, 赤芍 各 4.5g, 天雄, 肉桂, 人蔘 各 4.5g, 黃芩 15g, 蒼朮, 甘草 各 5g, 麻黃 3g

죽공(絲竹空), 찬죽(攢竹), 지창(地倉), 협거(頰車), 관료(顴髎), 합곡(合谷), 족삼리(足三里) 등에 침구치료, 안면의 혈위(穴位)에는 간접구(間接灸)를 시행했다.

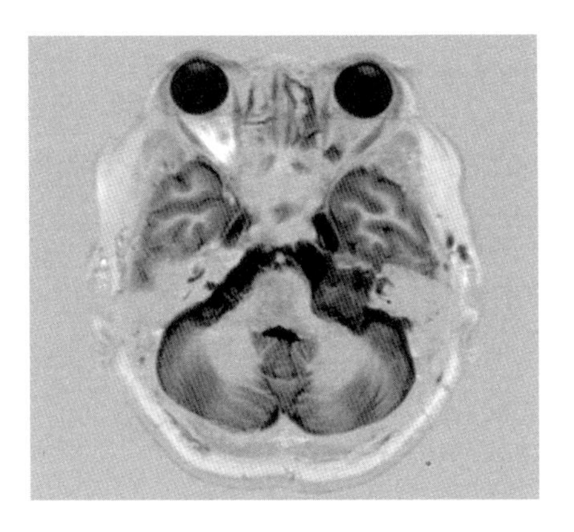

Fig.1 수술 전, 좌측 전정(vestibular)의 종괴

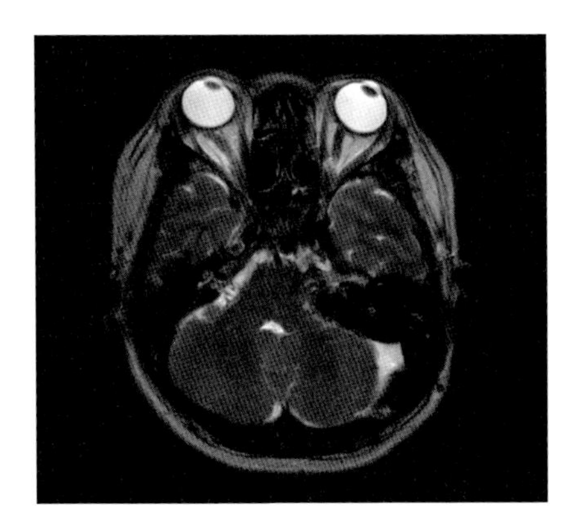

Fig. 2 수술 후

치료경과

- 2018년 4월 3일: 좌측의 안면마비가 이전보다 움직임이 부드러워졌지만, 혓바닥의 이상은 여전했다. 3월 14일의 처방에서 황기(黃耆)를 24g, 천웅(天雄)을 6g으로 증량했다.

- 2018년 4월 20일: 좌측 혀의 감각도 조금씩 개선되고 있으나, 맛은 아직 잘 느끼지 못하고 있었으며, 좌측 안면의 마비와 감각이상은 지속적으로 개선되고 있었다. 4월 3일의 처방에서 황기(黃耆)를 30g, 마황(麻黃)을 6g으로 증량하고, 세신(細辛) 3g을 추가했다.
- 2018년 5월 28일: 좌측 혀의 감각이 많이 개선되어 짠맛을 전혀 느낄 수 없었는데 느낄 수 있게 되었고, 단맛, 신맛도 느낄 수 있다고 했다. 하지만 가끔은 어떤 음식을 먹지도 않았는데 신맛, 단맛이 느껴지는 경우가 있다고 했다. 좌측 안면마비는 치료 전에 비해 약 80% 정도 개선되었다고 했으며, 왼쪽 입 가장자리에서만 약간 둔한 느낌이 있다고 했다. 4월 20일의 처방을 크게 변경하지 않았다.

후기 및 고찰

이후 환자의 증상은 일상생활에 지장이 없을 정도로 개선되어 잘 지내고 있다.

신경초종(Schwannoma)은 소뇌교각부(cerebellopontine angle, CP angle) 종양의 80%를 차지하며, 청신경초종(acoustic neurilemoma/schwannoma)은 제8뇌신경(CN8)의 전정신경부위(vestibular portion)에서 유래된다. 소뇌교각부에 위치하기 때문에 추체(petrous body), 교뇌(pontine), 소뇌(cerebellum) 등의 기능장애를 초래하여, 편측후두부통증, 감각신경성 난청, 현훈, 이명 등의 증상이 있을 수 있으며, 2cm이상의 경우에는 제5뇌신경(CN5) 손상으로 인한 안면통증, 이상감각 등이 나타날 수 있으며 각막반사저하도 있을 수 있다. 뇌척수액의 관(aqueduct) 및 제4뇌실이 압박되면 수두증(hydrocephalus) 및 뇌압상승의 징후가 나타날 수도 있다. 종양이 큰 경우에는 제9, 10, 11 뇌신경(CN9, 10, 11) 손상으로 인하여 연하장애, 음성변조(vocal change), 구개위약(palatal weakness) 등이 발생할 수 도 있다. 종괴가 4cm이상으로 매우 클 경우에는 소뇌압박으로 운동실조, 동측 조정운동장애, 안진 등이 있을 수 있으며, 교뇌를 압박하여 반대측 근위약이 나타날 수 있다.

신경초종은 성장이 느리고 악성도가 높지 않으며, 50%에서는 정기적인 관찰에도 성장하지 않으나, 증상이 발생하여 진단되면 이미 2-3cm을 넘는 경우가 적지 않다.

이에 대한 서양의학적인 치료로는 정위적 방사선 수술(stereotactic radiosurgery), 수술적제거(surgical resection) 등이 있다. 그러나 크기가 3cm 이상에서는 수술적 치료가 표준치료이기 때문에 수술 후 청력소실, 안면신경손상이 발생할 가능성이 매우 높다.[1)]

수술 후 발생한 신경손상의 한방치료는 중추신경계손상에 준하여 치료를 진행한다. 수술 직후 부종이 있는 시기에는 청혈화어(淸熱化瘀), 삼담리습(滲淡利濕)의 방법으로 황연해독탕(黃連解毒湯), 온청음(溫淸飮), 소시호탕(小柴胡湯), 온담탕(溫膽湯), 속명탕(續命湯), 방풍통성산(防風通聖散) 등에 단삼(丹蔘), 삼칠(三七), 유향(乳香), 몰약(沒藥), 도인(桃仁), 홍화(紅花) 등을 사용할 수 있지만, 이런 치법(治法)을 사용할 수 있는 기간은 한정되어 있으며, 현재는 대부분 수술 후 부종과 염증을 억제하기 위하여 스테로이드를 사용하고 있으므로 더욱 그 사용범위가 제한된다. 하지만 스테로이드로 인한 염증억제는 제한적이기 때문에 염증억제뿐만 아니라 염증노폐물의 흡수와 배설을 위해서는 수술 후 약 4주 내의 기간에는 이러한 처방들을 사용할 수 있다.

스테로이드를 중단한 후에도 증상이 개선되지 않는 경우에는 이미 신경이 손상되었음을 의미한다. 이 때에는 신경재생과 종양억제의 두 가지 목표를 갖고 치료에 임하게 하는데, 이 두 가지 상반된 치료법의 균형을 유지하는 것이 중요하다.

이 증례처럼 이미 급성 종열기(腫熱期)에서 벗어난 경우에는 직접적으로 보기활혈(補氣活血), 보양(補陽)의 방법을 사용할 수 있지만, 보양약(補陽藥)에 의한 종양의 활성화를 최대한 억제하기 위해 황금(黃芩)이 중용되고, 초기에는 보기보양약(補氣補陽藥)을 소량만 사용한 후 매우 천천히 증량했다. 중국의 어떤 의사는 보기보양약물(補氣補陽藥物)의 이러한 작용을 최소화하기 위해 석고(石膏)를 함께 중용하기도 하지만 석고(石膏)에는 항염, 항종양작용이 없다.[2)] 이렇게 청열해독약물(淸熱解毒藥物)을 중용(重用)하여 종양을 억제하면서, 보기보약약물(補氣補陽藥物)을 천천히 가중하면 좀 더 안전하다. 단, 이 증례의 뇌종양은 비교적 악성도가 낮은 편에 속하기 때문에 신경손상을 고려할 시간이 있지만, 악성 뇌종양의 급성 악화기에는 신

---

1) 이광우교수 편저, 임상신경학 제5판, 한국, 범문에듀케이션, 2015년 3쇄 pp452-455.
2) 李津津 中药黄芩药理作用的研究进展 内蒙古中医药 第37卷 2018年 10月 第10期

경손상에 대해서 고려할 수 있는 시간적인 배려가 전혀 없으니 그 때는 전적으로 종양에 대한 치료만을 생각한다.

위암 수술 후 극심한 구토로 힘들었던 덤핑증후군

- 76세, 남자
- 진료일: 2019년 4월 15일

환자는 매우 힘이 없어 보이는 중년신사였으며, 원래는 170cm, 64kg의 체격이었으나 몇 년에 한 번씩 췌장염으로 입원을 하면 5kg씩 감량되곤 했다. 최근에도 이전의 췌장염 때와 비슷하게 식사를 잘 할 수 없게 되어 금년 3월 초에 입원을 했는데, 이번에는 췌장염이 아니라 위암이 발견되어 3월 31일 위절제술을 받았다. 이 때 위의 2/3 정도를 절제했는데, 문제는 퇴원 후부터 극심한 구토가 시작되어 모든 종류의 음식을 잘 먹지 못하고 체중이 급속도로 하강하고 있었다. 이에 지인의 소개로 내원하게 되었다.

증상분석

환자의 증상은, 위수술 직후부터 음식을 먹기만 하면 구토하게 되었으며, 맑은 죽을 조금씩 넘길 수 있는 정도였지만, 그것마저도 두 숟가락이 넘어가면 구토가 발생했다. 수술 후 체중이 급속히 감소하고 있어, 현재는 57, 8kg 정도의 체중이었으며 모든 기력이 저하되어 일상생활을 하지 못하고 하루의 대부분을 누워있었다. 기타 당뇨, 통풍, 고지혈증 등이 있었다.

이에 지음(支飮)의 소반하가복령탕가미방(小半夏加茯苓湯加味方[1])을 처방하고 침구치료는 생략했다.

---

1) 반하, 복령 각 9g, 생강 4.5g, 인삼 3g: 약 1봉을 한 번에 다 마시는 것이 아니라 조금씩 천천히 복용한다(少少與之). 또는 하루에 3봉을 다 마시는 것을 기준으로 하되 조금씩 나눠 복용한다.

치료경과

- 2016년 5월 9일: 환자는 약을 매우 천천히 복용하고 있으며, 복약 후 현재 식사를 조금씩 할 수가 있게 되었고, 체중감소가 정지되었으나, 아직 기력을 회복하지는 못하고 있었다. 4월 15일의 처방에서 인삼을 6g으로 증량했다.
- 2016년 6월 16일: 식욕, 음식섭취, 체중 등이 모두 수술 전의 80%정도로 회복되었으며, 점점 기력이 회복되고 있었다. 5월 9일의 처방을 변경하지 않았다.

후기 및 고찰

이후 환자는 수술 전과 동일한 일상생활을 하고 있으며, 2019년까지 위암의 재발은 없었다.

덤핑증후군은 크게 2종류로 나뉘는데, 이 환자의 경우에는 비교적 일반적인 극심한 구토의 유형에 해당된다.

원칙적으로는 소반하가복령탕(小半夏加茯苓湯)을 제1선 처방으로 선정하고, 1차 처방에 순응하지않을 경우에는 이한(裏寒)을 고려하여 소반하가복령탕가건강(小半夏加茯苓湯加乾薑)으로 수정한다. 기허(氣虛)가 겸했을 때는 이번 증례처럼 소반가하복령탕가건강인삼(小半夏加茯苓湯加乾薑人蔘)을 사용한다. 만약 덤핑증후군이 장기간 동안 지속되어 양허(陽虛)로 진행되었을 경우에는 다시 사역탕(四逆湯)을 추가한다. 만약 더욱 진행되어 영양신경병증(neutritional neuropathy)으로 진행되었을 경우에는 반하천마백출산(半夏天麻白朮散), 보양환오탕(補陽還五湯), 인삼양영탕(人蔘養營湯), 삼령백출산(蔘苓白朮散) 등을 사용할 수 있다.

소반하가복령탕(小半夏加茯苓湯), 오령산(五苓散), 건강반하인삼환(乾薑半夏人蔘丸)의 구분은 새한방처방해설[1]의 소반하가복령탕(小半夏加茯苓湯)을 참조하기 바란다.

---

1) 失數道明, 새한방처방해설, 한국, 의방출판사, 2008.

설암의 재발이 의심되던 여사

- 48세, 여자
- 진료일: 2021년 6월 5일

환자는 차분한 중년여성으로, 3년 전 혓바닥의 중앙에 종괴가 발생하여 대학병원 진료 후 기타 부위에서의 전이는 확인되지 않아 종괴만 절제했다. 그 후로 수술한 부위의 유착 때문에 약간 거슬리기는 했으나 크게 문제가 없었는데, 최근 수개월 전부터 수술 주변이 부어서 커지는 양상이, 마치 종괴가 재발하는 것 같은 느낌이어서 지인의 소개로 본원에 내원하게 되었다.

증상분석

환자의 혀 중앙에는 이전 수술의 흔적이 있었으며, 그곳에서 보이는 부은 듯한 부위를 손으로 누르니 저항감 및 압통을 동반한 약 1cm 정도의 종괴가 만져졌다. 환자의 주관적 증상으로는 혀가 항상 부어 있는 것 같고, 조이는 느낌, 오그라드는 느낌이 지속되었다. 주변조직의 궤양 및 태선화, 조직괴사로 인한 악취, 치과적인 이상, 기타 인후, 성대 등에서는 문제가 없었다. 이에 우선 컴퓨터단층촬영(computered tomography, CT)을 권고했으나, 이전에 해봤으니 한방치료를 선행하고 개선이 되지 않으면 정밀검진을 하기로 했다.

기타 좌측 슬관절의 통증(슬개골의 상방에 수회의 충격파치료를 했으나 개선되지 않았다), 수족냉증, 갱년기가 되면서 전신의 관절이상 등이 있었으나 크게 문제가 될 정도는 아니었으며, 초경 후 시작된 월경 1주일 전부터 월경 종료 시까지 안구통,

두통, 피로 등의 월경전증후군이 있었다.

이에 양격산가미방(凉膈散加味方)[1]을 처방하고 풍지(風池), 내관(內關), 신문(神門), 삼음교(三陰交)에 침구치료를 시행했다.

치료경과

- 2021년 6월 19일: 혀의 조이고 오그라드는 느낌, 매일 부어 있는 느낌 등이 개선되었다.
- 2021년 7월 10일: 환자는 이전에 느꼈던 혓바닥의 불편함이 모두 소실되었다고 했으며, 필자가 손으로 눌러보아도 이전의 이물감은 느낄 수 없었다.

후기 및 고찰

비록 본원과의 거리가 멀기는 하지만, 자주 다른 문제로 내원하고 있어 자세히 관찰하고 있으며 재발하지 않고 있다.

혀(舌)는 한의학적 이론에 의하면 심(心)에 속하지만, 다른 사장(四臟)과도 연결되어 있으며, 세의득효방(世醫得效方)에 心之本脈 繫於舌根, 脾之絡脈繫於舌傍, 肝脉循陰器絡於舌本, 腎之津液出於舌端, 分布五藏心實主之.의 표현으로 상세하게 기술되어 있다.

이 증례의 경우에는 1차 수술시 다행히도 궤양이 형성되지 않았고, 연령, 음주, 흡연 및 영양상태가 양호하여 수술만으로도 제어되었지만, 그 부위에서 다시 부종과 자각증상이 발생하여 한방치료를 통해 안정되었다. 처방의 구성은 기타 치료를 통해 협잡(挾雜)되지 않은 어열형(瘀熱型)의 종독(腫毒)에 양격산(凉膈散)을 기본처방으로 하여, 혈열(血熱)의 단피(丹皮), 적작(赤芍), 위열(胃熱)의 석고(石膏) 및 활혈화어(活血化瘀)를 강화하기 위해 속단(續斷)을 증량 및 가미했다. 환자의 증상은 비교적 위급하지 않고, 치료후유증이 없었기 때문이 이 정도의 처방으로 대응했으며, 만

---

1) 黃芩 12g, 黃連 7.5g, 連翹 7.5g, 梔子 4.5g, 桔梗 3g, 石膏 18g, 赤芍 12g, 續斷 12g, 甘草 3g

약 방사선요법, 항암화학요법 등이 선행되었거나 진행 중이라면 처방은 수정되어야 한다. 이 때 구강궤양에는 포황(蒲黃), 구강건조에는 맥문동(麥門冬), 생지(生地), 천화분(天花粉), 구강점막화상에는 맥문동(麥門冬), 천문동(天門冬), 사삼(沙蔘), 현삼(玄蔘), 조혈억제에는 단기간의 황기(黃耆), 인삼(人蔘), 천웅(天雄), 육계(肉桂) 등 보기보양(補氣補陽), 모든 치료종료 후에는 사삼맥문동탕(沙蔘麥門冬湯), 지백지황탕(知柏地黃湯) 등으로 장기간 관찰한다.

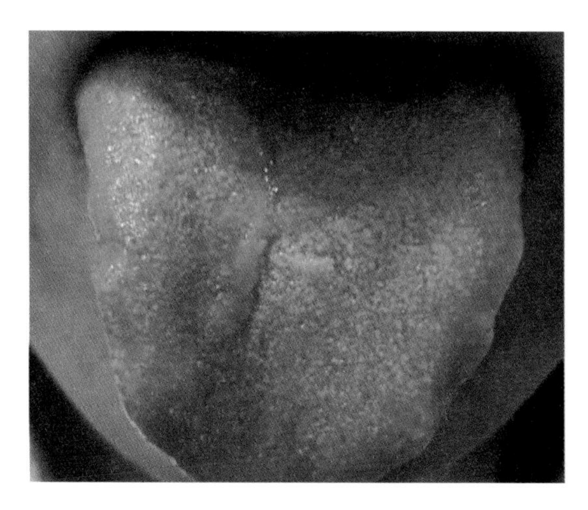

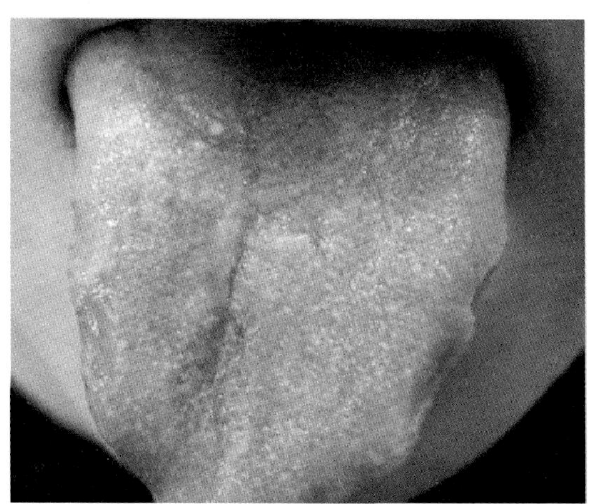

CHAPTER 05

관절질환

갱년기의 전신근육 및 관절통

- 50세, 여자
- 진료일: 2018년 8월 6일

환자는 활기찬 성격의 중년부인으로, 금년 3월 배드민턴을 하기 시작하면서 오른쪽 팔꿈치의 통증이 시작되었다. 정형외과에서 테니스엘보로 진단받아 물리치료, 해당부위 국소 주사치료, 내복약물치료, 한의원에서도 침구치료, 약침, 봉침치료를 했지만 증상은 개선되지 않았으며, 시간이 갈수록 전신의 근육과 어깨, 무릎, 등, 목, 허리, 손가락 등의 관절에서도 통증이 나타나기 시작했다. 그러나 류마티스검사에서는 음성으로 판정되었다. 혹시 이런 증상이 갱년기와 관련이 있을 수도 있는 것으로 생각되어 부인과에서 여성호르몬을 복용했으나 증상은 변하지 않았다. 이에 지인의 소개로 내원했다.

증상분석

환자의 증상은 단순한 테니스엘보(팔꿈치 외측 상과염; lateral epicondylitis) 이외에 전신의 근육 및 관절통증이 있었으며 기타 극심한 피로와 무기력 등이 있었다. 오른쪽 팔꿈치의 통증부분에서는 압통이 있었지만 열감은 없었으며, 기타 관절 및 근육의 통증부위에서는 시큰거리고 조이는 통증이 위주였고, 조금만 무리를 해도 통증이 강하게 나타났다. 기타 이상은 없었으며 163cm, 55kg의 정상적인 체격 및 가족력도 특별이 없었고, 비록 연령적으로 갱년기에 해당되었지만 상열(上熱), 수면이상 등의 갱년기 자율신경증상은 없었다.

이에 귀기건중탕가미방(歸耆健中湯加味方[1])을 처방하고, 침구치료로는 풍지(風池), 합곡(合谷), 족삼리(足三里), 삼음교(三陰交)에 자침(刺針)하고 우측 곡지(曲池), 수삼리(手三里)에는 온침(溫鍼)을 시행했다.

치료경과

- 2018년 8월 23일: 팔꿈치의 통증 및 전신 근육, 관절의 통증이 상당히 개선되어 예정된 골프여행을 다녀올 수 있을 것 같다고 매우 기뻐했다. 처방과 침구치료를 변경하지 않았다.

이후 환자는 열심히 골프를 치면서 즐겁게 생활하고 있다.

여성의 갱년기증후군은 크게 3가지 유형으로 나타난다. 첫 번째로 가장 흔한 유형은 안면홍조, 불시에 출몰하는 상열감, 불안, 초조, 화를 냄, 혈압상승 등이며, 이런 증상들은 그 증상에 따라 혈열(血熱), 간울(肝鬱), 간양상항(肝陽上亢), 양월(陽越)에 해당되며, 지골피음(地骨皮飮), 청위산(淸胃散). 사역산(四逆散), 억간산(抑肝散), 시호가용골모려탕(柴胡加龍骨牡蠣湯), 건령탕(健瓴湯) 등을 사용한다. 두 번째로 자율신경 및 신경정신적인 증상들은 적으면서 근육통, 관절통 및 관절염 등의 근골격계에 그 증상이 집중되는 경우가 있으며, 이는 습열(濕熱), 신음허(腎陰虛), 기허겸양허(氣虛兼陽虛), 신양허(腎陽虛) 등이며 삼묘산(三妙散), 사묘산(四妙散), 지백지황탕(知柏地黃湯), 좌귀음(左歸飮), 귀기건중탕(歸耆健中湯), 견비탕(蠲痺湯), 십전대보탕(十全大補湯), 신기환(腎氣丸) 등의 가미방(加味方)을 사용할 수 있다. 세 번째로 인지변화(기억력저하가 가장 흔하다.)가 위주가 되는 유형은 담궐(痰厥), 기체혈어(氣滯血瘀) 등에 해당되며, 천마구등음(天麻鉤藤飮), 반하천마백출산(半夏天麻白朮散), 보양환오탕(補陽還五湯) 등으로 대처한다.

1) 黃耆 24g, 天雄, 肉桂, 赤芍 各 6g, 乾薑, 黃芩, 蒼朮, 當歸, 甘草 各 3g; 紫河車 3g

02 극심한 통증의 테니스엘보

- 42세, 여자
- 진료일: 2015년 6월 2일

환자는 백화점의 매장에서 무게가 있는 의류를 다루는 사원이었는데, 약 2년 전 무거운 옷들을 다루기 시작하면서 통증이 시작되었다. 환자는 평소에 오른손을 많이 사용하고 있었으므로 처음에는 오른쪽 팔꿈치 바깥쪽에서 통증이 시작되었으며, 통증으로 오른손을 사용하지 못하고 왼손을 많이 사용하면서부터는 왼쪽 팔꿈치의 바깥쪽도 아프기 시작했다. 그 후 바깥쪽에만 있던 양쪽의 팔꿈치 통증이 안쪽까지도 아프기 시작하여, 여러 정형외과에서 국소 부위에 스테로이드 주사 3회, 고주파치료, 고정치료(캐스트 고정) 및 한의원치료 등을 시행했으나 증상이 개선되지 않았으며, 최근 팔꿈치 MRI 검사를 하니 양측 팔꿈치관절내측, 외측의 조직손상이 확인되어 수술을 권고받았으나, 매장에서 일을 해야 하기 때문에 망설이다가 지인의 소개로 본원에 내원하게 되었다.

증상분석

환자의 양쪽 팔꿈치 부위는 부어 있었으며 특히 바깥쪽(曲池穴 부위)이 많이 부어 있었다. 그렇지만 아직 팔꿈치 관절의 변형은 보이지 않았다. 살짝만 만져도 극심한 통증을 호소했지만 외견상의 염증소견은 없었다. 이에 연조직 손상을 동반한 만성염증으로 판단하고 보기보양청열해독이수삼습(補氣補陽清熱解毒利水滲濕)의 귀기건중탕가미방(歸耆健中湯加味方[1])을 처방하고 소해(小海), 곡지(曲池)를 사혈(瀉血)하고 풍지(風池), 수삼리(手三里), 합곡(合谷)에 침구치료를 시행했다.

치료경과

- 2015년 8월 28일: 환자는 2주분의 약을 약 2개월 동안 천천히 복용하고 내원했는데, 양쪽 팔꿈치의 부종과 통증이 개선되어 현재는 무거운 옷을 걸고 내리는데 이전처럼 힘들지 않았으며, 특히 야간의 극심한 통증이 감소하여 좀 더 치료하기 위해 내원했다. 이에 6월 25일의 처방에서 황기(黃耆)를 24g으로 증량하고 천웅(天雄) 7.5g, 인삼(人蔘) 3g을 추가하고, 침구치료는 6월과 동일하게 시행했다.
- 2015년 10월 13일: 환자는 이번에도 2주 분의 약물을 1개월 이상 복용하고 내원했는데, 양쪽 팔꿈치의 통증이 상당히 개선되었지만, 무거운 옷을 하루 종일 다루면 통증이 심해진다고 했다. 이에 8월 28일의 처방에서 황기(黃耆)를 27g, 천웅(天雄)을 9g으로 증량했다.

후기 및 고찰

이후 환자는 수술을 하지 않고도 일상생활을 할 수 있을 정도로 개선되어 이전의 일을 잘 하고 있다.

속칭 테니스 엘보, 골프 엘보라고 불리는 팔꿈치 외측, 내측 상과염(lateral, medial epicondylitis)은 외상, 감염 등에 의해서도 발생할 수 있지만, 대부분은 만성적인 과도 사용에 의한 건염에 해당된다.

한방치료에 있어서는 홍종열통(紅腫熱痛)의 증상양상에 따라 치료방법을 선택, 변경해야 한다.

우선 이 환자에 있어서 이미 단순 건염의 단계를 벗어나 건의 부분적인 손상을 동

1) 黃耆 15g, 黃芩 18g, 續斷 12g, 茯苓, 澤瀉 各 9g, 赤芍, 肉桂, 蒼朮 各 6g, 乾薑, 甘草 各 4.5g, 當歸 3g, 大棗 3枚; 活絡丹 4個-每回

반하고 있었으므로 치료는 한열착잡(寒熱錯雜)의 방향에서 시작하게 되었다. 그래서 보기보양(補氣補陽)의 귀기건중탕(歸耆健中湯)을 선택했으나, 종열통(腫熱痛)의 강도를 고려하여 황금(黃芩)을 가중하고, 활혈(活血)의 속단(續斷), 이수삼습(利水滲濕)의 복령(茯苓), 택사(澤瀉)를 중용(重用)하고, 활락지통(活絡止痛)의 활락단(活絡丹)을 추가했다. 처음의 치료방향이 적중하여 어느 정도 통증이 안정되는 것을 확인하고는, 황기(黃耆), 천웅(天雄) 등을 통해 보기보양(補氣補陽)을 강화하여 아직 손상되지 않은 건조직을 보호할 수 있도록 했으며, 결과적으로는 유효했다. 침구치료는 종열통(腫熱痛)이 심할 경우에 국소부위를 직접 사혈(瀉血)하게 되면 통증이 악화될 수 있으니 지양하는 것이 좋으며, 국소부위는 점자(點刺)하여 출혈하는 정도로 하고, 해당 경락(大腸經 또는 心經)의 정혈(井穴)을 사혈(瀉血)하는 것이 좋다. 이미 스테로이드 국소주사 또는 기타 요법 등이 시행되어 홍종열통(紅腫熱痛)은 없이 통증만 있을 때에는(대부분 취침시 또는 기온하강시에 통증이 심해지는 경우) 염증에 대한 고려는 할 필요가 없으며, 직접 한비(寒痺)로 판단하고, 보기보양(補氣補陽)의 각종 처방 및 주관절의 관절강 온침(溫鍼) 또는 통증부위 간접구(間接灸) 및 직접구(直接灸)를 실시한다.

급성 석회성 견관절염의 중년 남성

- 50세, 남자
- 진료일: 2018년 12월 15일

환자는 단단한 체격의 중년 남성으로, 평소 매우 건강한 편이었다. 그런데 3일 전 헬스클럽에서 운동을 하고 스트레칭을 하던 중 왼쪽 어깨의 통증이 발생하여 근육통으로 생각했으나, 그 통증이 점점 심해져서 왼쪽어깨를 조금이라도 움직이면 극심한 통증이 나타날 정도가 되어 어깨를 감싸 안은 채로 본원에 내원했다.

증상분석

환자의 어깨를 진찰하기 위해 조금 움직여보려고 했으나, 환자는 극심한 통증 때문에 조금도 움직일 수가 없었다. 아직 방사선검사를 하지 않았지만 어깨에 상당한 정도의 염증이 존재하는 것으로 추정하고 즉시 MRI 영상검사를 하도록 했다.

환자는 다음날인 12월 16일 좌측 어깨를 붙잡고 내원했으며, MRI에서는 좌측 견관절에 상당한 염증을 동반한 석회성 견관절염이 보이고 있었다. 해당 정형외과 병원에서는 즉시 수술을 하도록 권고했지만, 환자는 한방치료를 먼저 하고 조금도 개선되지 않으면 수술하기로 했다.

이에 황연해독탕가미방(黃連解毒湯加味方[1])을 처방하고, 폐대장삼초소장경(肺大腸三焦小腸經)의 정혈(井穴)을 사혈(瀉血)하고 풍지(風池), 합곡(合谷), 수삼리(手三里)에 침구치료를 시행했다.

1) 黃芩 15g, 黃連, 黃柏 各 9g, 黃耆 12g, 蒼朮 6g, 茯苓, 澤瀉 各 9g, 續斷 9g, 甘草 3g

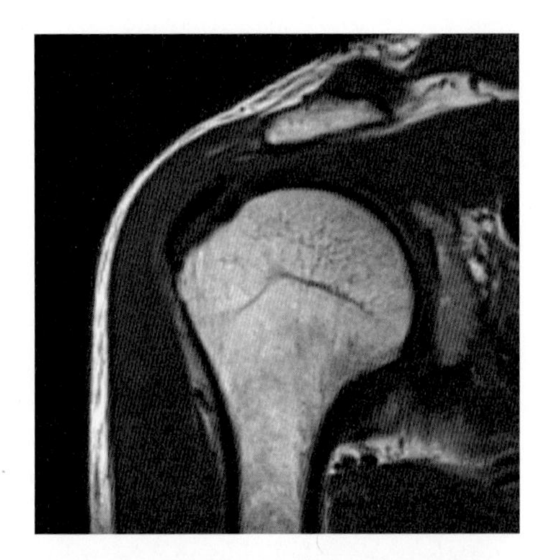

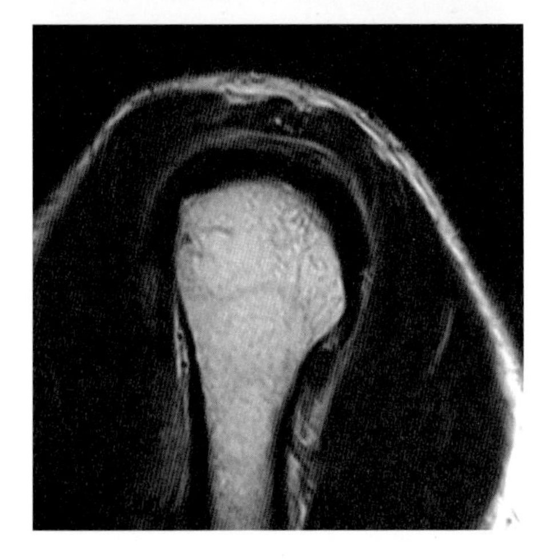

치료경과

- 2018년 12월 23일: 좌측 견관절통이 개선되어 팔을 들어올릴 수가 있게 되었다. 12월 15일의 처방에서 黃耆를 18g으로 증량했다.
- 2019년 1월 16일: 좌측 견관절통증이 일상생활에서 지장이 없을 정도가 되었지만, 약간 묵직한 느낌이 남아 있어서 운동을 하기에는 아직 부족했다. 2018년 12월 23일의 처방에 천웅(天雄)과 육계(肉桂)를 7.5g씩 추가했다.

후기 및 고찰

환자는 그 후로 일상생활 및 운동에 문제가 없는 상태로 즐겁게 생활하고 있다.

어깨의 석회성 견관절염의 급성기는 수술적인 치료의 대상이 될 수도 있다. 또한 회전근개의 파열이 동반되면 수술적인 치료가 필요할 수도 있다. 하지만 상당수의 경우에는 보존적인 치료가 우선시된다.

급성기에는 견관절의 절대안정이 필요하고, 심지어 환부에 대한 직접적인 침구치료도 증상을 악화시킬 수 있으므로 원위취혈(遠位取穴)을 위주로 하고, 청열해독(清熱解毒), 거어소종(祛瘀消腫)의 각종 처방을 사용한다. 염증이 흡수되어 극심한 통증이 소실되었으나 조금 움직이면 통증이 나타날 것 같은 경우에는 신음허(腎陰虛)의 관점에서 치료한다. 그 후 기온, 체온이 하강하거나 보온이 소홀할 때 통증이 나타날 때에는 신양허(腎陽虛), 기혈양허(氣血兩虛)로 판단한다.

좌측 견관절 회전근개파열의 극심한 통증 및 움직임 제한

- 68세, 남자
- 진료일: 2016년 5월 9일

환자는 이전부터 활쏘기를 좋아하는 유쾌한 성격의 노신사로, 약 1년 전부터 어깨의 통증으로 고생하고 있었다. 환자의 증상시작은, 2015년 봄 정도에 왼쪽 어깨가 조금씩 아프더니 천천히 악화되어 어깨를 약간만 움직여도 통증이 심하고, 저녁에는 잠을 잘 수 없을 정도가 되어 처음에는 정형외과에서 내복약 및 물리치료를 했으나 증상이 개선되지 않아 주치의의 권유로 어깨 MRI검사를 시행했다. MRI에서는 회전근개가 손상된 것으로 진단되었으며, 그 후 정형외과에서 어깨관절 국소 주사요법을 3회 실시했다. 주사 후 어깨의 통증은 조금 개선되었지만, 어깨의 동작이 제한되고 극심한 야간 통증이 지속되었다. 이에 근처의 의료기관들에서 각종 치료를 받았으나, 증상이 개선되지 않아 수술을 권고받고는 본원에 내원하게 되었다.

증상분석

환자의 왼쪽 어깨의 동작은 거상, 외회전, 측거상, 내회전 등이 모두 불편했으며 가동범위까지 가게 되면 극심한 통증을 호소했다. 취침시에도 반듯하게 누워서 자다가 약간이라도 어깨가 비틀리면 극심한 통증으로 잠에서 깨기를 반복하고 있었다. 이에 관절의 유착이 있는 것으로 판단하고, 우선 관절유착을 박리하는 시술(한방임상이야기 3권 기재) 및 상양(商陽), 중충(中衝), 관충(關衝), 소택(少澤)을 방혈(放血), 풍지(風池), 수삼리(手三里), 외관(外關), 합곡(合谷)을 자침(刺針)하고, 귀기건중탕가미방(歸耆建中湯加味方[1])을 처방했다.

이날 견관절 유착박리 시술 시 환자의 어깨에서 가볍게 툭하는 소리가 나더니 유착이 박리되었다.

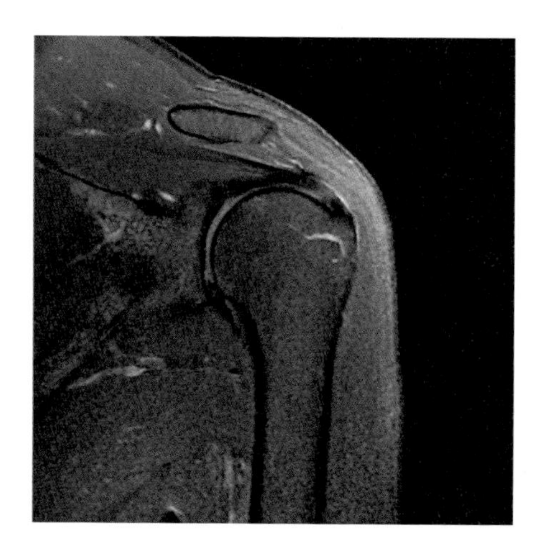

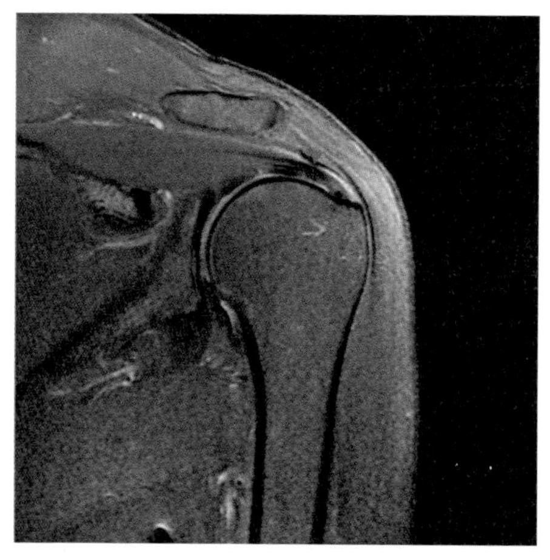

회전근개 손상부위: 2015년 8월 13일 MRI

1) 黃耆 15g, 肉桂, 赤芍, 天雄 各 6g, 乾薑, 蒼朮 各 4.5g, 當歸 3g, 黃芩 15g, 續斷, 骨碎補 各 6g, 生甘草 3g, 大棗 2枚: 歸耆建中湯에 續斷, 骨碎補, 黃芩을 가미하여 活血化瘀, 淸熱解毒의 효능을 추가했다. 1貼의 분량이며 1日 2貼으로 3회 分服한다.
活絡丹 4粒 1日 3回

치료경과

- 2016년 5월 11일: 환자는 5월 9일 견관절 교정 시술 후, 당일 저녁에는 통증이 극심했으나, 그 다음날에는 어깨의 움직임이 상당히 개선되었다.
- 2016년 6월 2일: 환자의 어깨 통증은 취침 시에는 통증을 느껴서 깨지 않을 정도가 되었지만, 어깨를 완전하게 위로 올리거나 바깥으로 젖히게 되면 통증이 나타났다. 5월 9일 처방에서 황기(黃耆)를 21g으로, 육계(肉桂)를 9g으로 증량하고 인삼(人蔘) 3g을 추가했다.
- 2016년 6월 28일: 일상생활에서는 전혀 문제가 없었으나, 팔을 조금 잡아당겨보니 어깨의 통증은 나타나지 않지만 힘이 잘 들어가지 않는다고 했다. 6월 2일 처방에서 황기(黃耆)를 24g으로 증량했다. 그리고 가벼운 아령으로 어깨근육을 강화할 수 있는 운동을 하도록 권고했다.

후기 및 고찰

7월 중순부터 환자는 활쏘기 연습을 다시 시작할 수 있게 되었다.

회전근개를 구성하는 4개의 근육(극상근, 극하근, 소원근, 견갑하근)의 손상은 비교적 흔한 질환으로, 40세 이하에서는 완전파열은 드물며, 60세 이상에서는 25% 정도 빈도로 발생한다. 증상은 수개월 간 지속되는 만성 어깨통증, 발병시 통증유발요인에 대한 호소, 야간통증, 아픈 쪽으로 누워 자지 못하는 것, 팔을 올릴 때의 근력약화, 걸리는 느낌, 거슬리는 느낌 등으로 나타날 수 있다. 수동적인 가동범위는 정상이지만 능동운동범위는 제한될 수 있다. 하지만 파열이 있어도 운동범위의 제한이 없을 수도 있다. 수동적으로 팔을 90도 정도 벌리고 손을 놓으면 그 자세를 유지하기가 어려울 수도 있다. 위팔뼈 큰 결절부의 압통이 대부분 있다.[1)]

이 환자의 경우에는 상당기간 동안 증상이 지속되어 왔지만 완전파열로 진행되지 않았고, 장기간의 염증으로 인한 유착이 있었으며, 간단한 시술로 유착이 제거되고

1) John F. Sarwark, MD외, AAOS핵심 정형외과학 4판, pp63-66, 범문에듀케이션, 한국, 2013

기존의 염증, 유착박리 후의 염증이 빠른 속도로 흡수되어 상당히 양호한 치료결과를 얻을 수 있었다.

시술이 두렵거나 유착이 많이 진행되어 한 번에 박리하기가 어렵다고 판단될 때에는 무리하게 시술하지 말고, 일반 오십견의 치료방법으로 운동을 하도록 지도하고, 운동과 치료를 통해 어느 정도 개선이 되지만 그 이상 진전이 없을 때 환자와 상의하여 시술을 진행하는 것이 보다 안전하다.

유착박리 시 대부분의 경우에는 기분이 좋지 않은 찢어지는 소리가 나면서 유착이 박리되는 것이 정상이다. 이 환자의 유착은 매우 경미했음에도, 각종 치료, 견관절 운동에도 유착이 지속되었었다. 보통 유착 박리 후에는 해당부위의 통증이 심하며, 심부에서 박리 후의 염증이 발생하므로 원심단사혈(遠心端瀉血), 국소부위 냉찜질 등으로 통증을 최소화하고, 시술 후 3-7일 동안은 청열이수소종(淸熱利水消腫)의 약물을 사용하고, 그 후에 소장경한비(小腸經寒痺), 대장경한비(大腸經寒痺)의 방향으로 치료방향을 선회하여 손상된 조직을 회복시킨다.

05 팔꿈치를 펼 수 없던 여사

- 64세, 여자
- 진료일: 2018년 10월 18일

환자는 약 8년 전 뇌출혈로 좌반신의 마비가 발생했으나, 가족들의 도움으로 잘 살고 있는 노부인으로, 그 밖의 문제는 없었다. 그런데, 약 3주 전부터 오른쪽 팔꿈치관절에서 통증이 시작되어 정형외과 진료를 받고 소염진통제 및 물리치료를 했지만 통증은 개선되지 않고, 팔꿈치의 동작에 이상이 진행되더니 결국에는 팔꿈치가 완전히 펴지지 않기 시작했다. 이미 좌측 손의 동작이 어려운데다가 오른쪽 팔에 문제가 생기니 환자의 걱정은 상당했다.

증상분석

환자의 오른쪽 팔꿈치는 가만히 있으면 통증이 있지는 않으나 조금만 움직이면 통증이 나타났으며, 야간에 잠을 자면서 자세가 약간 바뀌어도 통증이 발생했다. 팔꿈치 관절을 최대한 펴도 이전처럼 완전히 펴지지가 않았다. 식사를 하는 데는 큰 문제가 없었으나, 기타 물건을 잡으려고 팔을 펴거나 화장실에서도 상당한 곤란이 있었다. 기타 특이한 문제는 없었다.

이에 기허겸양허겸유열(氣虛兼陽虛兼有熱)로 판단하여 귀기건중탕가미방(歸耆健中湯加味方[1])을 처방하고, 소택(少澤), 상양(商陽)을 사혈(瀉血)하고 곡지(曲池), 수삼리(手三里), 합곡(合谷)에 침구치료를 시행했다.

---

1) 黃耆 18g, 赤芍, 肉桂, 乾薑, 天雄 各 6g, 當歸 3g, 黃芩 15g, 蒼朮 6g

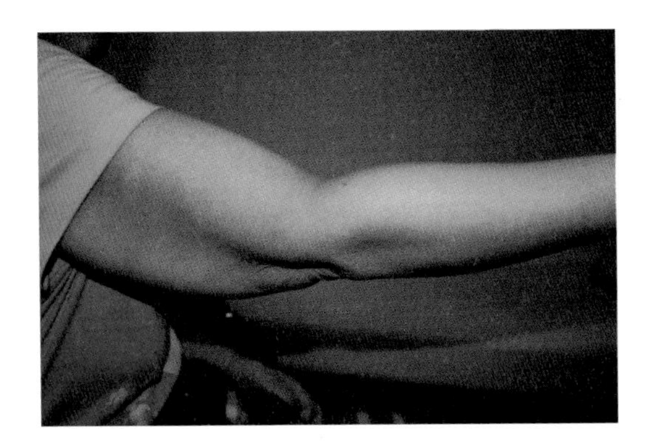

치료경과

- 2018년 11월 8일: 환자의 오른쪽 팔꿈치 관절이 완전히 신전이 가능하게 되었으나 때때로 팔꿈치의 안쪽에서 약간 쑤시는 느낌이 발생하며 동작 시 묵직한 느낌이 있다고 했다. 좌우 팔꿈치 관절을 천천히 누르면서 비교하니 우측의 팔오금(cubital fossa)에서 좌측에 비해 조금 강한 통증이 있었다. 10월 18일의 처방에서 황기(黃耆)를 24g, 천웅(天雄)을 9g으로 증량하고, 척택(尺澤), 곡지(曲池), 소해(少海), 합곡(合谷)에 온침(溫鍼)을 실시했다.

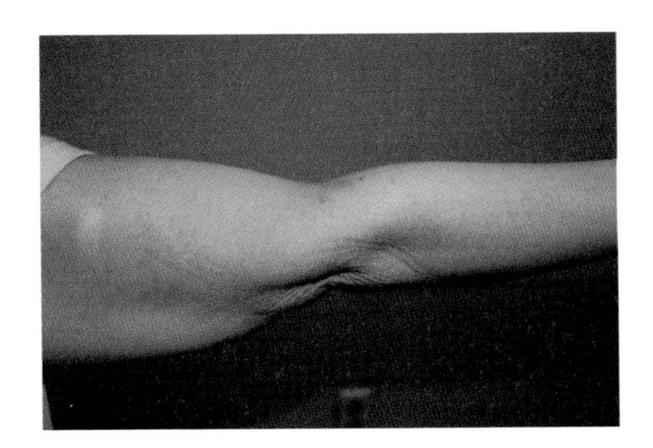

후기 및 고찰

이후 환자의 팔꿈치는 일상생활에 지장이 없게 되었다.

팔꿈치강직(the stiff elbow)은 크게 외상성(traumatic)과 비외상성(atraumatic)으로 나뉜다. 비외상성으로는 골관절염, 염증성 관절염, 패혈증 후 관절염, 혈우병에서의 다발성 혈관절증(multiple hemathroses in hemophiliacs), 선천성 관절구축(arthrogryposis), 선천성 요골두 전위 등이 있다. 그 밖에 이소성골형성증(heterotopic ossification), 화상 후, 뇌손상 후 등에서도 팔꿈치강직이 발생할 수 있다.

초기에는 아직 관절의 경직이 시작되지 않았으므로, 관절의 움직임제한은 없으고 뻑뻑하고 묵직한 느낌만이 있는데, 이 때는 청혈해독(淸熱解毒), 활혈화어(活血化瘀), 이수소종(利水消腫)의 염증기본 처방 및 오지정혈(五指井穴)을 사혈(瀉血)하고, 관절강에 직접적인 자극을 줄 수 있는 치료법은 피한다. 이 증례의 경우처럼 이미 강직이 발생하였으나 완성되지 않은 경우에는 본 증례의 치료방법을 응용한다. 만약 시간이 상당히 경과되었거나, 골편(骨片)이 관절에 끼어있거나, 이소성골이 확인되었다면 우선 외과적으로 제거하고 한방치료를 진행한다.

이 환자의 경우는 증상발생 후 조기에 치료를 시작하여 만족스러운 결과를 얻을 수 있었으나, 만약 시간이 지나서 관절낭이 완전히 경직되었을 경우에는 치료의 방법은 달라져야 하며, 수술적인 치료가 필요할 수도 있다.

CHAPTER

06

기타질환

01 51번 인유두종 바이러스(HPV)의 중년여성

- 39세, 여자
- 진료일: 2016년 2월 27일

환자는 매우 건강한 직장인으로, 최근 냉이 조금 생긴 것 같아 부인과에서 진료를 받으니 인유두종 바이러스가 검출되었다고 하여 인터넷검색을 하고 크게 겁을 먹어 즉시 대학병원에서 검진을 받았다. 대학병원의 검사에서는 자궁경부에서 약한 정도의 미란(염증)이 확인되었고, 51번 인유두종 바이러스(HPV)가 검출되었다. 대학병원에서는 치료방법은 없으나 그래도 백신주사를 맞는 것이 좋다고 하여 백신(가다실 9가 백신)을 맞았으며, 8개월 후에 다시 검사하기로 했다. 환자는 백신은 치료방법이 아니며 만약 자궁경부의 염증과 바이러스가 계속 양성으로 나온다면 큰일이라는 생각에 본원에 내원하게 되었다.

증상분석

환자는 HPV 51번 양성 및 소량의 대하가 있었지만, 냄새와 대하량 등이 특수하지는 않았다. 이 두 가지 이상 외에 특이할 만한 사항은 없었다. 156cm, 50kg의 체격이었고 2명의 여아를 출산했다.

이에 간담습열(肝膽濕熱)의 용담사간탕가미방(龍膽瀉肝湯加味方[1])을 처방하고 침구치료는 생략했다.

치료의 과정은 약 3개월 복약한 후에 치료를 종료하고, 8월의 재검진에서 바이러

1) 龍膽草 6g, 黃芩 15g, 梔子, 當歸, 生地黃, 木通, 柴胡, 車前子 各 4.5g, 蒼朮, 澤瀉 各 6g, 甘草 7.5g

스가 또 다시 양성으로 판정될 경우에는 다른 종류의 약물로 치료를 진행하기로 했다.

- 2016년 3월 29일: 복약 후 특별한 증상은 없었으며, 최근 소량의 투명하고 냄새가 없는 대하가 있었다. 처방을 변경하지 않았다.
- 2016년 4월 26일: 아직도 가끔 피곤하면 소량의 대하가 있었으나 휴식 후에는 소실되었다. 처방에서 용담초(龍膽草)를 7.5g으로 증량했다.
- 2016년 5월 11일: 이번 복약 초기에 약 3, 4일 정도 묽은 변을 1일 2,3회 정도씩 배변했으나 그 후에는 개선되었다. 처방은 4월 27일의 처방을 변경하지 않았다.

후기 및 고찰

환자는 2016년 8월 15일, 대학병원에서 시행한 검사에서 바이러스가 검출되지 않았다.

인유두종(HPV)에 대한 항바이러스작용이 있는 한약물로는 용담초(龍膽草), 고삼(苦蔘), 사상자(蛇床子) 등이 대표적이며, 삼황(三黃) 또한 그 용량을 적절하게 사용하면 항바이러스작용을 보인다.

처방은 전적으로 증상에 대응되어 구성되는데, 이 증례처럼 증상이 확실하지 않으면서 바이러스만이 검출되었고, 자궁내시경에서 자궁경부의 약한 정도의 미란만이 확인되는 상황이라면 가벼운 용량으로도 대처할 수 있다. 하지만 만약 내시경에서 점막이 심홍색으로 보이고 출혈도 확인되는 등 자궁경부의 미란 및 염증이 심각한 경우에는 삼황(三黃)과 용담초(龍膽草)의 양을 상당히 증량해야 하고, 유향(乳香), 몰약(沒藥), 선학초(仙鶴草), 삼칠근(三七根) 등으로 지혈한다. 어느 정도 급성기가 지나 내시경에서 점막의 심홍색이 분홍색으로 바뀌고, 분비물이 출혈이 없는 점조상(粘稠像)으로 나오게 되면 용담사간탕(龍膽瀉肝湯)과 금쇄고정환(金鎖固精丸)을 합방, 가미하여 마무리한다.

02 갱년기의 안면홍조

- 50세, 여자
- 진료일: 2016년 9월 7일

상기 환자는 아담한 체격의 부인으로, 최근 1년 전부터 얼굴이 붉게 되었지만 갱년기가 되어서 그럴 수 있다고 생각하고 신경을 쓰지 않았는데, 시간이 지날수록 더 심해지고 얼굴의 피부가 가렵기 시작하여 피부과에서 진료를 받고 외용연고, 내복약물(미상) 등을 사용했으나 개선되지 않았다. 피부과에서는 레이져시술을 권고받았지만, 피부과 의사가 시술을 받아도 완전하지는 않을 것이라는 말에 한방치료를 받기 위해 본원에 내원했다.

증상분석

환자의 안면피부는 분홍색으로 붉게 되어 있었으며, 얼굴의 간지러움은 수시로 심해졌다가 조금 안정되기를 반복하고 있었다. 하지만 아직은 말초혈관이 완전히 확장되어 드러나 보이지는 않았다.

기타 특수한 질환은 없었으며 40대 초에 자궁근종으로 자궁을 적출했다.

이에 전형적인 갱년기 상열 및 안면홍조로 판단하여 지백지황탕가미방(知柏地黃湯加味方[1])을 처방하고 풍지(風池), 내관(內關), 신문(神門), 삼음교(三陰交)에 침구치료를 했다.

---

1) 生地, 知母 各 15g, 黃柏, 山藥, 山茱, 茯苓, 澤瀉, 五味子, 蒼出, 牛膝 各 6g, 甘草 3g; 紫河車 경남제약 1瓶

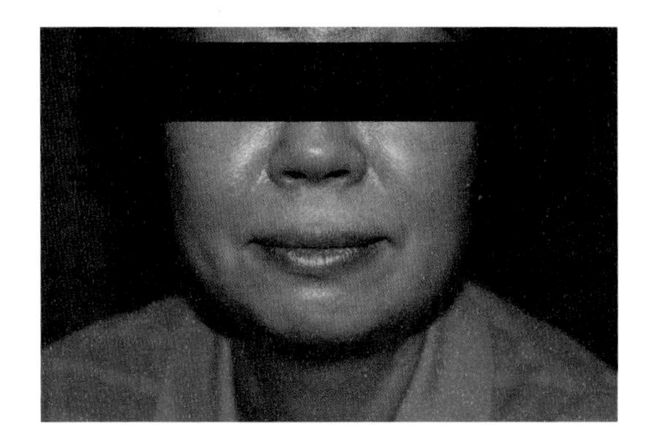

치료경과

- 2016년 10월 6일: 환자는 2주 분의 약물을 1개월 동안 천천히 복약했으며 얼굴의 상열감과 홍조가 상당히 개선되었다. 이에 9월 7일의 처방에서 황백(黃柏)을 12g으로 증량했다.

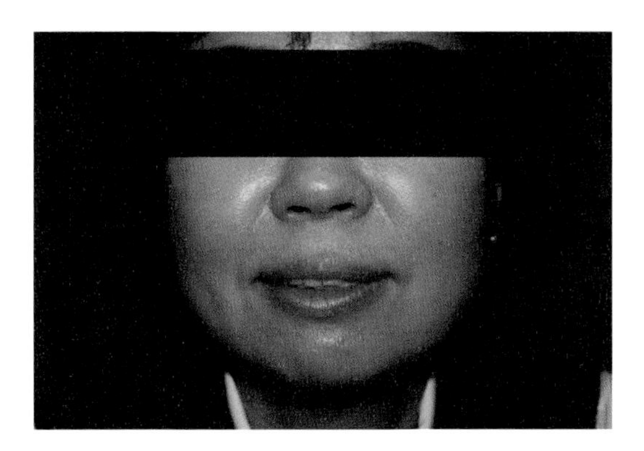

후기 및 고찰

2017년 12월 4일 환자는 무균성 방광염으로 내원했으며 이전의 얼굴증상은 일상생활에서 큰 문제가 되지 않고 있을 정도로 개선된 상태를 유지하고 있었다.

갱년기증상으로 갑자기 열이 상반신, 얼굴로 올라왔다가 땀이 나면서 열이 가라앉는 것은 매우 흔한 증상이며, 어느 정도 고생을 하다가 천천히 안정되는 것이 일반적인 경과이다. 그러나 이러한 갱년기 자율신경증상이 상당히 강력한 강도로 지속되고, 이 환자의 경우처럼 안면의 혈관확장과 소양증까지 발생하게 되면 치료가 필요하며, 초기에 제압되지 않고 만성적으로 진행되면 모세혈관확장, 지루성피부염의 합병 등으로 곤란한 지경이 될 수도 있다.

갱년기증상은 대부분 음허열(陰虛熱)에 해당되며, 육미지황탕류(六味地黃湯類)의 처방을 사용할 수 있는데, 때로는 그 강도와 증상에 따라 지골피음(地骨皮飮), 시호가용골모려탕(柴胡加龍骨牡蠣湯), 건령탕(健瓴湯) 등을 사용하기도 한다. 이 외에 중기하함(中氣下陷)에는 보중익기탕(補中益氣湯), 한비(寒痺)에는 귀기건중탕(歸耆健中湯), 기혈양허(氣血兩虛)에는 십전대보탕(十全大補湯), 장조(臟躁)에는 감맥대조탕(甘麥大棗湯) 등을 사용한다.

여성호르몬 중단 후 발생한 극심한 불면증

- 62세, 여자
- 진료일: 2019년 3월 27일

환자는 성격이 급한 노인으로, 최근까지 큰 문제가 없이 잘 살고 있었으나, 약 2개월 전 좌측 유방의 통증이 발생하여 부인과 검진을 받았으며, 부인과 주치의는 10여 년 동안 복약 중이던 여성호르몬과 관련된 유방통증으로 판단하고 즉시 여성호르몬을 중단하도록 권고했다.
여성호르몬을 중단한 후 약 1개월 동안은 아무런 증상이 없었으나 그 후 안면의 열감, 머리의 땀 등이 시작되더니 점점 불안, 숨이 막힐 것 같은 증상, 우울, 극심한 불면증이 시작되었다. 점점 증상이 심해지더니 현재는 도저히 일상생활이 되지 않아 내원하게 되었다.

증상분석

환자는 안면 및 상반신의 상열감과 머리의 땀이 극심했고, 수면장애도 발생하여 1시간반 밖에 잠을 자지 못하고 반복해서 깨고 있었으며, 잠을 조금 자도 그 동안에 기억도 나지 않는 수많은 악몽을 꾸고 있었다. 수면을 청하려고 독한 술을 반복해서 먹은 후 현재 위장의 통증이 심했다. 이 밖에, 감정기복이 극심하고 계속 기분이 가라앉아 있었으며, 불안, 초조 및 팔다리, 얼굴 등의 근경련이 자주 나타나고 있었다.

환자는 장기간 여성호르몬제제를 부인과에서 복용하고 있었기 때문에 호르몬중단 후 발생한 갱년기증상이 자연적인 폐경에 따른 갱년기증후군보다는 상당히 강했다.

이에 건령탕가미방(健瓴湯加味方[1])을 처방하고 침구치료는 생략했다.

치료경과

- 2019년 4월 22일: 복약 후 환자의 불면증이 개선되어 잠을 잘 자고 있었으며, 불면증의 개선에 따라 꿈도 적어져서 가끔 한 번 꿈을 꾼다고 했다. 또한 머리의 다한증과 상열감도 개선되었다. 초진 시의 처방을 변경하지 않았다. 아직 완전하지 않으니 복용을 중단하거나 복용횟수를 감량하지 않도록 권고했다.
- 2019년 5월 30일: 환자는 한약복약 중에는 불면증과 열감, 땀, 불안 등이 상당히 개선되어 스스로 치료를 중단하였으나, 약물중단 2주 후부터 불면, 상열 다시 시작되었다. 그러나 그 강도는 복약 전보다 강하지는 않았다. 이전부터 방광염이 잘 발생하여 고생하곤 했으며, 2주 전 다시 발생하여 부인과 진료를 받을 때 갱년기에 대해서 문의하니 주치의가 다시 여성호르몬을 복용하도록 권했으나 환자는 고사했다. 3월 27일의 처방을 변경하지 않고, 1일 2회로 복용 횟수를 변경했다.

후기 및 고찰

이후 환자의 갱년기증후군은 일상생활에서 지장이 없을 정도가 되었으나 약간은 증상이 있다고 했으며, 증상이 심해지면 추가적으로 치료하기로 했다.

갱년기 증후군의 3대 증상은 상열감(hot flush), 다한증을 중심으로 한 자율신경증상, 근골격의 퇴행성 변화인 근골격계증상, 기억력저하를 위주로 한 인지증상으로 분류된다.

이들 증상은 한 번에 모두 나타나지 않으며, 체질적, 유전적인 차이에 따라 각기 그 유형에 차이가 있다. 그 이유는 여성호르몬에 대한 수용체의 분포부위, 개수가 개체 차이가 있기 때문이다.

---

1) 代赭石 12g, 龍骨, 牡蠣 各 9g, 柏子仁 12g, 磁石 4.5g, 黃芩 15g, 半夏, 茯苓 各 6g, 甘草 4.5g; 紫河車 1瓶

한의학적으로는 신음허(腎陰虛)의 지황류(地黃類), 혈열(血熱)의 금연사물(芩連四物), 지골피음(地骨皮飮) 계열, 간비불화(肝脾不和)의 소요산(逍遙散), 귀비탕(歸脾湯), 소시호탕(小柴胡湯) 계열, 부인장조(婦人臟躁)의 감맥대조(甘麥大棗) 계열, 음두한(陰頭寒)의 계지가용골모려탕(桂枝加龍骨牡蠣湯), 양항(陽亢)의 건령탕(健瓴湯) 등으로 크게 나눌 수 있으며, 기타 동반되는 증상에 따라 가감한다. 침구치료는 풍지(風池), 내관(內關), 신문(神門), 삼음교(三陰交) 등을 위주로 시행한다.

갱년기증후군으로 한방치료를 하게 되면 두 가지 점을 주의해야 한다. 하나는 서양의학의 여성호르몬을 복용하다가 갑자기 중단하고 한방치료를 시작하게 되면 증상의 제어까지 어느 정도 기간이 반드시 필요하다. 또 한 가지는, 여성호르몬에 의존하는 기관에 따라 그 증상이 다양하게 나타날 수 있으므로, 하나의 처방을 고집하지 말고 증상에 따라 치료방향을 선정해야 한다. 예들 들어 안면의 상열감이 극심한데 삼초경(三焦經)의 한비(寒痺), 한통(寒痛)이 있다면 견비탕(蠲痺湯), 귀기건중탕(歸耆健中湯), 귀기건중탕가갈근(歸耆健中湯加葛根) 등을 사용한다. 또 하나는 증상이 안정되면 치료를 천천히 중단해야 하는데, 갑자기 모든 치료를 중단하게 되면 증상의 리바운드가 있을 수 있기 때문이다.

04 자궁 수술 후 시작되어 1년 이상 지속되고 있는 부정맥

- 41세, 여자
- 진료일: 2013년 11월 8일

환자는 조용한 성격의 미혼 여성으로, 약 1년 전 자궁근종 및 장유착으로 자궁을 적출했다. 그 후 부인과적인 문제는 모두 개선되었으나, 수술 후 극심한 부정맥(1일 2회 이상, 심장이 덜컹하는 느낌과 함께 약 20-30분 동안 심장박동이 빠르게 지속되었다)이 발생하여, 약 1년 동안 대학병원에서 약물(isoptin정; calcium channel blockers)을 복용했다. 약물 복용 후 증상이 개선되어 약물을 중단하고 있었으나, 최근 2개월 전부터 1개월 1, 2회 정도 이전과 동일한 증상이 발생했다. 병원에서는 재발의 경우에는 시술(미상)을 해야 한다고 했으며, 시술을 받기 전에 한방치료를 시도해 보기 위해 본원에 내원했다.

증상분석

환자는 이미 심장초음파, 심전도 등을 시행하여 기타 기질적인 이상에 의한 부정맥은 제외한 상태였으며, 부정맥 관련 약물을 중단한 후 며칠 지나지 않아 다시 부정맥이 시작되었으나 그 발작빈도가 이전처럼 심하지는 않은 상태였지만 환자의 공포는 상당했다. 현재 나타나고 있는 부정맥의 양상은 1개월 1, 2회 심장이 덜컹하는 느낌과 함께 심장박동수가 증가되어 가슴이 두근거리는 증상이 1-2시간 정도 지속되었는데, 최근에는 두근거리는 강도가 심해지고 있었으며, 극심한 피로를 호소했다. 이 밖에 1년 전, 자궁적출수술 전 통증 때문에 진통제를 복용한 후 간효소수치가 상승했었으나 최근의 검사에서는 이상이 없었다고 했다. 또한 이러한 부정맥으로 고정된 직장에서 일을 하기가 힘들어서 잠깐씩 일을 하고 있었다. 맥결대(脈結代), 163cm/48kg, 대소변은 이상이 없었으며 수면도 문제가 없었다. 이전에 역류성 위식도염으로 내과에서 장기간 약물치료를 하기도 했다. 이에 장조(臟躁)의 기허형(氣虛型)으로 판단했으며 보중익기탕가미방(補中益氣湯加味方[1])을 처방하고 풍지(風池), 내관(內關), 신문(神門), 삼음교(三陰交) 등에 침구치료를 시행했다.

치료경과

- 2013년 11월 26일: 최근까지 부정맥이 시작되려는 느낌이 한 번 정도 있었지만 맥박이 빨라지지는 않았다. 11월 8일의 처방에서 용골(龍骨)과 모려(牡蠣)를 12g으로 증량했다.
- 2013년 12월 14일: 부정맥은 나타나지 않았으며 기타 이상도 없었다. 11월 26일의 처방을 변경하지 않았다.
- 2014년 1월 7일: 이번에도 부정맥은 발생하지 않았으며, 식욕과 체력이 증가되었다고 했다. 12월 14일의 처방을 변경하지 않았다.
- 2014년 1월 28일: 부정맥이 나타나지는 않았으나 전조증상처럼 약간 이상한 느낌이 2회 정도 있었다. 1월 7일의 처방에 황금(黃芩) 12g을 추가했다.
- 2014년 3월 14일: 그 후 환자는 부정맥이 나타나지 않아 집에서 약 80km 정도 떨어진 곳에서 일을 하고 있으며, 처음에 며칠 동안 장거리 통근을 할 때 심계(心悸)가 나타나기도 했지만 곧 안정되었고, 현재까지 부정맥이 발생하지 않고 있었다. 체력도 많이 회복되어 이전의 약물을 다 복약하고 치료를 중단하려고 하다가 그래도 완전하게 안심할 수는 없어서 다시 내원했다. 1월 28일의 처방을 변경하지 않았다.

1) 黃耆 15g, 丹蔘, 陳皮, 柴胡, 升麻, 甘草 各 4.5g, 當歸 3g, 龍骨, 牡蠣, 半夏, 茯苓 各 7.5g, 蘿蔔子 6g, 元肉 15g; 紫河車 1瓶(동덕제약)

후기 및 고찰

- 2017년 10월 23일: 그 후 환자는 수년 동안 부정맥이 발생하지 않아 내원하지 않고 모친만 가끔 내원하고 있었다. 그런데, 최근 과민성 방광으로 베타미가서방정 50mg (mirabegron 50mg)을 복용한 후 심계(心悸)가 시작되었으며, 주치의가 문제가 없다고 하여 다시 5일을 복용한 후인 어제 저녁에는 극심한 부정맥과 심박수 증가가 발생하여 간신히 참다가 새벽에 응급실에 가려고 했지만, 아침이 되자 안정되어 즉시 본원에 내원하였다. 이에 우선은 병원약을 중단하고 한방치료(補中益氣湯加龍膽草 等)를 시작했다. 추가적으로, 환자의 과민성 방광의 증상은 일상생활 중에 소변의 느낌이 급하게 자주 나타나서 일상생활에 지장이 컸으며, 어디에 가도 화장실부터 가게 되는데 막상 소변은 잘 나오지 않았다.

부정맥의 원인은 상당히 많다. 그 중에서도 이 환자의 경우에는 전신마취를 통한 신경계교란, 자궁수술 후의 갱년기가 동시에 겸해 있어 위의 처방을 사용했다. 이 때 극심한 상열의 혈열(血熱), 음허열(陰虛熱)이 기저에 있다면 기본 처방을 지황탕류(地黃湯類), 사물탕류(四物湯類)로 사용하고 기타 약물을 처방해도 무방하다. 맥결대(脈結代)의 자감초탕(炙甘草湯)은 처방구성에서부터 알 수 있듯이 허증(虛症)의 심장기능저하로 인한 부정맥에 사용되는 것으로, 자세하게 구분하여 활용하면 유용하다.

원인불명의 어지럼증으로 고생하던 중년 여사

- 56세, 여자
- 초진일: 2020년 7월 30일

환자는 명랑한 성격의 중년 부인으로, 1년 전 가을 어느 날 잠을 자는데 갑자기 오른쪽 귀가 터질것 같아 즉시 대형병원의 응급실을 거쳐 입원하였으며, 전정신경염이 의심되어 뇌 MRI를 포함한 모든 검사를 했지만 원인을 찾을 수 없었다. 각종 진정제를 정맥주사, 복약 한 후 안정되어 퇴원했다. 그 후로도 1,2개월에 한 번 정도는 극심한 현훈, 구토로 응급실에 주기적으로 다니게 되었다. 그 동안 약 3, 4개의 대학병원에서 어지럼증과 관련된 검사 및 치료를 받았으나 개선되지 않았으며, 최근에는 최소 2주에 한 번씩 구급차를 타고 응급실에 신세를 지고 있었다. 이에 지인의 소개로 내원했다.

증상분석

진료시 환자는 아무 일도 없는 듯 했으나, 어제도 아침부터 오른쪽 귀가 약간 멍해지면서 술취한 것 같은 약한 어지럼증이 시작되더니, 오후 1시에서 6시까지 극심한 구토를 하고 난 후 조금 안정되었다고 했다.

이에 전형적인 담궐두통(痰厥頭痛)으로 판단하여 온담탕가미방(溫膽湯加味方[1])을 처방하고, 풍지(風池), 합곡(合谷), 족삼리(足三里)에 침구치료를 시행했다.

---

1) 半夏7.5, 茯苓9, 竹茹, 陳皮, 枳實 各 4.5g, 黃芩 6g, 生薑3, 天麻12, 釣鉤藤12, 甘草4.5

- 2020년 8월 20일: 복약 중 이전처럼 응급실에 갈 정도의 강력한 현훈과 구토는 발생하지 않았으며, 1번의 구토와 현훈발작이 있었으나 휴식 후 개선되었고, 3회의 약한 현훈이 있었지만 모두 타이레놀을 한알 복용하고 1시간 휴식 후 개선되었다.
- 2020년 9월 15일: 9월 초에 극심한 구토 및 현훈이 발생하여 응급실에 다녀왔다. 현훈 발작 전날 약하게 이상한 느낌이 있었으며, 다음날 오후 6시 정도가 되어 갑자기 극심한 구토현훈이 발생해서 안정제(미상) 정맥주사 후 개선되었다. 항상 급성 증상이 발생하기 전에는 미식미식거리고 물체를 주시하기 어려운 증상이 발생하곤 한다고 했다. 8월 20일의 처방에서 반하(半夏)와 복령(茯苓)을 12g으로 증량하고, 대자석(代赭石) 12g을 추가했다.
- 2020년 9월 28일: 최근 2주 동안 현훈이 전혀 없었다. 처방을 변경하지 않았다.
- 2020년 10월 19일: 최근 약 1개월간 증상이 없어서 2주일 전부터 출근을 하고 있었는데, 2일 전인 지난 주 토요일 저녁식사 후 구토가 발생했지만 구토 후 어지럼증이 발생하지는 않았다. 이전에는 구토, 현훈이 발생하면 위장의 내용물을 다 토한 후에도 밤이 새도록 건구(乾嘔)가 극심하여 응급차를 타곤 했었다. 처방을 변경하지 않았으며, 아직은 복약횟수를 줄이지 말도록 권고했다.
- 2020년 12월 14일: 환자는 10월 마지막 복약 후 구토와 현훈이 발생하지 않아 복약을 중단했다. 그런데 12월 초부터 2일 간격으로 현훈이 발생하여 다시 내원했다. 처방은 변경하지 않았으며 복약횟수를 1일 2회로 감소하도록 했다.

후기 및 고찰

이후 환자의 어지럼증은 출근과 일상생활에 전혀 문제가 없을 정도 개선되었으며, 환자의 소개를 통해 내원하는 다른 환자들을 통해 근황을 확인하고 있다.

현훈의 원인은 셀 수도 없이 많으며, 혈관성, 종양성, 감염성 원인에 의한 명확한 경우를 제외하면 원인이 불명확한 경우가 대부분이며, 이 때 한의학적인 이론인 담음(痰飮)의 문제, 즉 수습대사(水濕代射)의 이상으로 보고 치료를 진행하게 된다. 특히 원인으로 유형의 담(痰)이 아닌 무형의 음(飮)에 주목할 필요가 있다.

금궤요략(金櫃要略)의 담음해수병맥증병치제십삼(痰飮咳嗽病脈證幷治第十三)에서는 사음(四飮, 痰飮, 溢飮, 懸飮, 支飮)을 언급하고 있으며, 소반하가복령탕(小半夏加茯苓湯), 오령산(五苓散), 영계출감탕(苓桂朮甘湯), 신기환(腎氣丸), 감수반하탕(甘遂半夏湯), 후박대황탕(厚朴大黃湯), 기초력황환(己椒藶黃丸), 십조탕(十棗湯), 대청룡탕(大青龍湯), 소청룡탕(小青龍湯), 정력대조탕(葶藶大棗湯), 목방기탕(木防己湯), 목방기탕거석고가복령망초탕(木防己湯去石膏加茯苓芒硝湯), 택사탕(澤瀉湯), 영계오미감초탕(苓桂五味甘草湯), 영감오미강신탕(苓甘五味薑辛湯), 영계오미감초거감초거계가건강세신반하탕(苓桂五味甘草去甘草去桂加乾薑細辛半夏湯), 영감오미가강신반하행인탕(苓甘五味加薑辛半夏杏仁湯), 영감오미가강신반행대황탕(苓甘五味加薑辛半杏大黃湯) 등의 처방으로 담음(痰飮)의 부위, 증상에 따른 치료법의 대강을 제시했으며, 제병원후론(諸病源候論)에서는 飮分各經, 在心則怔忡眩暈, 在肺則喘急咳嗽, 在脾則短氣痞滿, 在肝則脇滿噫痛, 在腎則臍下動氣, 在上則面浮, 在下則跗腫, 在胃中則胸滿口渴而水入即吐, 在經絡則一臂不遂而復移一臂, 在腸間則腦鳴泄瀉或爲溺結與癃閉相似, 在陽分不去, 久則化氣與黃腫相似, 在陰分不去, 久則成形與積塊相似, 在左脇者形同肥氣, 在右脇者形同息賁의 내용을 통해 그 증상을 더 자세하게 기술했다.

임상에서는 상한금궤(傷寒金櫃)의 소반하가복령탕(小半夏加茯苓湯), 영계출감탕(苓桂朮甘湯) 및 후세방(後世方)의 온담탕(溫膽湯), 반하천마백출산(半夏天麻白朮散), 천마구등음(天馬狗藤飮), 익기총명탕(益氣聰明湯), 진간식풍탕(鎭肝息風湯), 건령탕(健瓴湯) 등을 사용하고, 오심이 심하면 반하(半夏), 복령(茯苓), 생강(生薑), 현훈(眩暈)에는 천마(天麻), 두통에는 오수유(吳茱萸), 조구등(釣鉤藤), 이폐색감에는 나복자(蘿蔔子), 백개자(白芥子), 복령(茯苓), 불면에는 산조인(酸棗仁), 백자인(柏子仁), 야교등(夜交藤), 합환피(合歡皮), 장조(臟躁)에는 용안육(龍眼肉), 대조(大棗), 변비에는 대황(大黃), 망초(芒硝) 등을 가감한다. 단, 주약(主藥)은 그 용량을 강하게 해야 하는데, 천마(天麻)를 예로 들면, 처음 4돈(錢), 8돈(錢), 12돈(錢), 16돈(錢), 20돈(錢)의 방식으로 증량하고, 1주 또는 2주로 간격으로 움직이는 것이 좋다. 오수유(吳茱萸)의 경우에도 초기 4돈에서 8돈, 1냥 이상을 사용할 수도 있다. 단, 한궐두통

(寒厥頭痛)에 한정된다. 이런 방식으로 기타 약물들의 중량을 조절하여 증상의 강도에 대응한다. 처방이 효과가 없는 경우 보다는 약물의 사용량, 한열(寒熱)의 분별이 잘 되지 않은 통치방(通治方)의 사용이 더 문제가 된다. 날카로운 칼로 몇 번을 찌를 것인가, 무겁고 큰 칼로 한 번에 결정할 것인가를 결정하는 것은 상황에 따라 달라지게 된다. 급증(急症), 중증(重症)에는 당연히 큰 칼이 필요하다.

승모판이완장애, 삼첨판폐쇄증후군의 노신사

- 75세, 남자
- 진료일: 2016년 5월 16일

환자는 대기업의 임원을 지내고 은퇴한 분으로, 골프와 운동을 주기적으로 하고 있었으며 가끔 나타나는 발목, 허리, 어깨 등의 근육통으로 본원에 내원하곤 했다.

그러던 어느 날, 환자는 매우 수심에 찬 얼굴을 하고 진료실로 들어왔다. 환자는 자주 친구들과 골프장에 가는데, 1년 전부터 아무 이유없이, 함께 골프를 치던 사람들보다 급격하게 체력이 저하되기 시작하여 4, 5홀을 마치기도 전에 너무 힘들어져서, 최근에는 다리를 질질 끄는 심정으로 억지로 골프장에 가고 있다고 했다. 그래서 지인들이 보내주는 영양제를 복용해도 도저히 체력이 회복되지 않고, 최근에는 골프연습장에서 10분 정도만 연습을 해도 힘이 없어서 더 이상 치기가 싫어지고 온몸이 나른해진다고 했다. 그러면서 본인의 후배들이 일본에서 고가의 줄기세포시술(?)을 받아보라고 권하고 있지만 그런 치료를 받기는 두렵다고 하면서, 한방치료로 조금 나아질 수 있는지 문의했다. 이에 최근에 받은 건강검진기록을 확인하고 함께 논의하기로 했다.

며칠 후 환자가 가져온 건강검진 결과에서는 다른 부분은 이상이 없었지만, 심전도에서 승모판이완장애, 경도의 삼첨판 폐쇄증후군, 경도의 호흡제한 등 심장질환에 대한 소견이 있었다. 이에 대해 병원측의 대처는 어떠했는지 환자에게 물어보니, 심장은 큰 문제가 아니며 지금의 극심한 피로는 연령과 관련이 있으니 방법이 없다는 소견을 들었다고 했다.

증상분석

환자의 증상은 극심한 운동피로(즉, 심장질환에서 볼 수 있는 운동불내성, exercise intolerrane)로, 부종, 호흡곤란 등의 전형적인 심장기능이상의 증상은 없었다. 174cm, 72kg, 대소변은 정상적이었으며, 전립선비대증으로 야간배뇨 2회, 수면 오후 10시부터 7시까지, 기타 특이사항은 없었다. 설질미홍태백박치흔(舌質微紅苔白薄邊齒痕), 맥긴삽좌척약(脈緊澁左尺弱)했다.

이에 보기활혈(補氣活血)의 보양환오탕가미방(補陽還伍湯加味方[1])을 처방했다.

치료경과

- 2016년 6월 8일: 이전에는 골프를 몇 홀만 쳐도 집에 오고 싶었는데, 복약 후에는 18홀을 쳐도 피곤하지 않게 되었으며, 잠을 자도 엄청나게 피곤하고, 골프연습을 하면 축 늘어지곤 했는데 피로의 정도가 상당히 개선되었다. 한약 때문인지는 모르겠지만, 최근 10일 전부터, 이전에는 고혈압약을 복용해도 140-150 이상이었던 수축기혈압이 130 전후로 하강하여 혈압약을 중단했다. 환자는 수축기혈압이 상승하지 않는다고 하여 매우 기뻐했지만, 혈압약을 중단하면 일정기간 후에 혈압이 갑자기 상승할 수 있으므로 환자에게 다시 혈압약을 복용하도록 강력하게 권고했다. 이미 극심한 피로가 단기간에 개선되었으므로 5월 16일의 처방을 변경하지 않고 복약횟수를 1일 2회로 줄이고 치료를 종료했다. 이후 다시 피로가 나타나면 내원하도록 했다.

---

1) 黃耆 24g, 丹蔘, 銀杏葉, 川芎, 赤芍, 當歸, 蒼朮 各 4.5g, 乾薑 3g, 天雄 6g, 肉桂 9g, 黃芩 4.5g, 茯苓, 澤瀉 各 6g, 人蔘 4.5g, 生甘草 3g, 大棗 2枚

후기 및 고찰

이후 환자는 즐겁게 골프를 치고 있으며, 지금도 가끔 허리, 어깨의 근육통으로 내원하고 계신다.

이 증례는 매우 가벼운 심장의 이상이었으므로 단기간에 증상이 개선될 수 있었다. 모든 심장질환이 이렇게 빠르게 호전되지는 않으며 이미 판막이 손상되었거나, 심근의 비대가 확연하거나, 기타 협심증 등의 경우에는 상당한 기간의 치료가 필요할 수 있으며, 때로는 서양의학과의 병행이 필요할 수도 있다.

판막질환 및 허혈성 심장질환은 보양환오탕(補陽還伍湯) 또는 시령탕(柴苓湯)을 위주로 접근하며, 건강(乾薑), 천웅(天雄), 육계(肉桂), 인삼(人蔘), 삼칠(三七)을 가미하고, 심혈관 협착에는 은행엽(銀杏葉)을 가중(加重)하는데, 12시간 이상 주침(酒浸) 후 사용하기도 한다. 호흡이상이 있을 경우에는 마황(麻黃), 정력자(葶藶子), 방기(防己), 복령(茯苓), 택사(澤瀉), 당뇨에는 상백피(桑白皮), 석고(石膏), 황연(黃連)을 가미한다. 단미약(單味藥)의 용량은 증상의 경중, 치료에 대한 반응으로 증감한다. 침구치료로는 풍지(風池), 내관(內關), 신문(神門), 삼음교(三陰交) 등을 위주로 한다.

처방 중의 황기(黃耆)는 처음부터 강하게 사용하지 않으며, 사역탕(四逆湯)의 성분도 소량에서 시작하여 증상이 소실될 때까지 천천히 가중(加重)한다.

07 기관지확장증, 극심한 식욕저하로 고생하시던 노부인

- 72세, 여자
- 진료일: 2020년 9월 8일

환자는 수년 전 요추디스크탈출증으로 본원에서 치료받은 적이 있는 노부인으로, 몇 해 만에 내원하여 반갑게 맞이했는데, 그 동안에 상당히 고생을 하여 체중이 많이 줄고 수척한 모습이었다.
약 2년 전 복통이 발생했으며, 처음에 집 근처의 내과에서 바이러스성 장염으로 진단되어 약물을 복용했다. 복약 후 증상이 조금 개선되었다가 결국에는 갑자기 충수염이 천공되어 복막염으로 진행되었으며, 당시 대학병원에서 카테터배액을 시도했지만 여의치 않아 복부절개를 통해 염증을 제거했다. 이런 상황이 지난 후, 체중은 43kg(145cm)에서 35kg으로 감소했으며, 극심한 식욕부진이 지속되었고, 약 1년 반 전에는 기침이 시작되어 기관지확장증으로 진단되었다. 그 후 항생제를 복용하면 증상이 개선되었다가, 약물을 중단하면 다시 증상이 악화되기를 반복하면서 체력이 더욱 약해졌고, 극심한 식욕저하, 음식의 이미(異味), 불면, 해수 등으로 고생하고 있었다.

증상분석

환자는 조금만 움직여도 숨이 찼고, 식사할 때는 모든 음식이 쓰게 느껴져 음식의 맛을 잘 몰랐으며, 가끔 구토를 하기도 했다. 해수의 양상은, 말을 조금만 많이 하거나 누워 있다가 일어나면, 또는 장시간 누워 있으면 극심한 기침이 연속해서 나왔고, 누워 있으면 황담이, 서 있으면 백담이 나왔으며, 그 양은 심각하게 많지는 않았다. 때로는 목이 간지러우면서 호흡이 힘들 때도 있었다. 불면증은 기관지확장증과 동시에 시작되었는데, 자다가 기침이 나오면 그날은 잠을 전혀 잘 수가 없었다. 대소변은 문제가 없었으며 맥부활(脈浮緊滑)했다.

이에 사간마황탕가미방(射干麻黃湯加味方[1])으로 시작하고 환자의 체중을 고려하여 제량(劑量)은 가볍게 시작했다.

치료경과

- 2020년 9월 24일: 복약 후에도 해수는 여전하였으며, 야간에 기침이 시작되면 따뜻한 도라지, 생강 달인 물을 조금 마시면서 한참 앉아 있으면 조금 안정된다고 했다. 9월 8일의 처방에서 마황(麻黃) 3g, 자완(紫菀), 관동화(款冬花) 12g, 맥문동(麥門冬) 9g으로 조정했다.

- 2020년 10월 8일: 환자는 복약 후 해수와 객담이 크게 개선되어 저녁에 잠을 깨는 것이 줄어들었으며, 그에 따라 피로도 많이 개선되었다. 9월 8일의 처방에서 마황(麻黃) 4.5g, 자완(紫菀), 관동화(款冬花) 12g, 오미자(五味子) 7.5g으로 조정했다.

- 2020년 10월 24일: 환자는 해수와 객담, 수면, 피로, 체력, 식욕 등이 상당히 개선되었다고 하면서 기뻐했다. 하지만 아직도 누워 있으면 황색의 가래가 올라온다고 했다. 10월 8일의 처방에 정력자(葶藶子), 진피(陳皮)를 7.5g씩 가미했다.

- 2020년 11월 13일: 해수가 크게 개선되었으며, 객담도 맑은 청담(淸痰)의 양상으로 소량씩 나온다고 했다. 10월 24일의 처방을 변경하지 않았다.

- 2020년 11월 30일: 기침과 가래가 상당히 개선되어 크게 불편하지는 않으나, 누워 있으면 아직도 가래와 기침이 나오기는 했다. 또한 기관지확장증 발생 후부터 시작된 입면곤란은 여전했다. 11월 13일의 처방에 황기(黃耆) 12g, 산수유(山茱萸) 6g을 추가했다.

---

1) 麻黃 1.5g, 射干, 半夏, 茯苓, 生薑, 五味子, 紫菀, 款冬花, 麥門冬, 黃芩, 杏仁 各 4.5g, 細辛 2.5g, 木香, 砂仁, 甘草 各 3g

- 2020년 12월 21일: 이전에는 전화를 못할 정도로 기침이 심했으나 현재는 상당히 안정되었다. 하지만 한참 동안 기침이 없다가 기침을 하게 되면 몇 번씩 나오기는 했다. 11월 30일의 처방에서 황기(黃耆)를 15g으로 증량했다.
- 2021년 1월 5일: 기침과 객담이 완전하지는 않지만 일상생활에서 수면과 활동 등에 영향을 주지 않을 정도까지 안정되었다. 12월 21일의 처방에 건강(乾薑) 6g을 추가했다.

후기 및 고찰

환자의 상태는 개선되었으나, 며칠에 한 번 정도는 누워 있을 때 가래가 조금 나온다고 했다. 이후 증상이 악화되면 다시 내원하기로 했으며, 환절기에는 반드시 보양(補養)치료를 하도록 권고했다.

기관지확장증은 비교적 큰 기관지가 확장되고 정상적인 점액배출능력이 저하되면서 감염이 반복되는 질환으로, 특히 누워 있을 때 가래와 기침이 심해지는 것이 특징적인 질환이다. 한의학적으로는 특정화된 질환명이 없으나 각종 고서(古書)의 천해문(喘咳門)을 참고하여 유추할 수 있다. 이 질환은 특성상 감염의 열증기(熱症期)와 질병 본원의 본태기(本態期)로 분류하여 접근하는 것이 합리적이다. 기본적으로 기허발해(氣虛發咳), 신허발해(腎虛發咳), 수역발해(水逆發咳) 등에 해당되며, 특징적인 증상인 누워 있을 때의 기침, 가래는 해천면부부득와(咳喘面浮不得臥)의 정음(停飮)을 고려한다. 열증(熱症)에는 대소청룡탕(大小青龍湯), 월비가반하탕(越婢加半夏湯), 패독산류(敗毒散類) 등의 청폐열(淸肺熱)과 관련된 처방은 대부분 유효하다. 하지만 대부분의 한방임상에서는 급성기가 아닌 경우가 많으므로, 소청룡탕(小青龍湯, 心下有水氣, 咳而微喘, 乾嘔發熱而咳, 傷寒論), 소청룡탕가석고탕(小青龍湯加石膏湯, 咳而上氣, 煩躁而喘), 사간마황탕(射干麻黃湯, 咳而上氣, 喉中有水鷄響)에서 시작하여 증상 및 치료에 대한 반응에 따라 가감(加減)하게 된다. 황담(黃痰)에는 삼황(三黃)을 가중(加重)하고, 담대혈사(痰帶血絲) 또는 객혈(喀血)에는 백급(白芨), 삼칠(三七, 細末沖服)을 가미하고, 백담에는 자완(紫菀), 관동화(款冬花), 육계

(肉桂)를 증량하고, 삼자양친탕(三子養親湯)의 성분을 추가하며, 수양담(水樣痰)에는 오령산(五苓散)의 성분을 추가할 수 있다. 이러한 기본적인 대처를 통해 증상이 어느 정도 증상이 안정될 수 있지만 만족스럽지 않을 수 있는데, 그 이유는 기관지의 탄성이 회복되지 않았기 때문이며, 그에 따라 중기하함기허(中氣下陷氣虛), 기허겸양허(氣虛兼陽虛), 신양허(腎陽虛) 등 여러 변증유형들을 고려하여, 단순히 표증(表症)의 처방을 사용하지 않고 마황부자세신탕(麻黃附子細辛湯), 소청룡탕(小靑龍湯), 사간마황탕(射干麻黃湯), 보중익기탕(補中益氣湯), 신기환(腎氣丸) 등을 합방하고 가감하는 것이 효과적이다. 기타 진균성 폐렴, 쇼그렌증후군 등의 자가면역에 의한 폐렴, 간질성 폐렴 등 또한 염증기와 안정기, 위축기로 구분해서 대응하며, 면역억제제, 스테로이드 등을 복용 중이던 환자의 경우에는 조금 더 신중하게 접근한다. 예를 들어 폐렴과 폐섬유증이 동시에 진행되고 있다면 한열착잡(寒熱錯雜)에서 어떤 부분이 편성(偏盛)한가를 잘 가늠해서 한열(寒熱)의 비율을 조절한다.

08 밤만 되면 발생하는 건조한 기침의 소아

- 7세, 여자
- 진료일: 2019년 11월 6일

환자는 살집이 통통하게 있는 귀여운 여학생으로, 3, 4세 경부터 환절기마다 마른 기침을 해서, 소아과에서 알레르기 천식과 관련된 약물을 복약하면 개선되곤 하였으나, 약 2년 전에 내원했을 때는 소아과의 치료를 2개월 동안 받았지만 기침이 없어지지 않았다. 당시에 필자는 맥문동탕가미방(麥門冬湯加味方)을 사용하여 약 1개월 정도 치료 후 개선되었다. 그 후 1년 동안은 환절기에 기침이 없었으나, 금년 9월 말에 기침이 시작되어 소아과치료를 지속했으며, 복약 중에는 약간 기침이 약해지기도 했지만 개선되지 않아 본원에 내원했다.

증상분석

환자의 기침은 주로 야간에 발생했고, 가래는 없었으며 컹컹거리는 기침을 10여 분 동안 계속 하다가 다시 잠이 들기를 반복하고 있었다. 이런 발작적인 기침은 매일 3, 4회 정도 발생했다. 낮에도 뛰거나 하면 폭발적인 기침이 나타났다. 진찰시 기침을 일부러 하게 하여 소리를 들었으나 기관지협착 등을 의심할 수 있는 소리는 없었다. 기타 특수한 질환이나 유전적인 성향은 없었으며, 1년전 아데노이드 절제술을 시행했다.

이에 이전의 맥문동탕가미방(麥門冬湯加味方[1])을 처방하고 경과를 지켜보기로

1) 麥門冬 12g, 玄蔘, 半夏, 厚朴, 山藥, 杏仁, 黃芩 各 6g, 麻黃 9g, 蒼朮 7.5g, 甘草 6g: 2貼分3日服

했다.

치료경과

- 2019년 11월 23일: 환자의 기침이 전혀 개선되지 않았다. 이에 11월 6일의 처방에서 마황(麻黃)을 12g으로 증량하고, 백개자(白芥子) 9g을 추가했다.
- 2019년 12월 7일: 야간의 컹컹거리는 기침의 횟수가 조금 안정되어 1일 1,2회 정도 하게 되었지만 아직도 힘들어 하고 있었다. 11월 23일의 처방에서 마황(麻黃)을 15g으로 증량했다.

후기 및 고찰

그 후 환자의 극심한 기침은 완전히 소실되었다. 내심 칠보미염단(七寶美髥丹), 지황류(地黃類) 등으로 조금 더 보양(保養)하여 재발을 예방하고 싶었지만 사정이 여의치 않아, 이후 재발할 경우 내원하기로 했다.

해수(咳嗽)는 임상적으로 그렇게 쉬운 분야는 아니다. 표증(表證)이 있는 경우의 해수는 그래도 치료가 어렵지는 않다. 발열(發熱), 오한(惡寒), 체통(體痛) 등 외감표증(外感表證)이 있는 경우에는 계지탕(桂枝湯), 마황탕(麻黃湯), 월비탕(越婢湯), 마행감석탕(麻杏甘石湯), 대청룡탕(大青龍湯), 소청룡탕(小青龍湯), 사간마황탕(射干麻黃湯) 등을 사용할 수 있으며, 표증(表證)이 없을 경우에는 반하후박탕(半夏厚朴湯), 시호계지건강탕(柴胡桂枝乾薑湯), 소시호탕(小柴胡湯), 대시호탕(大柴胡湯), 영감강미신하인탕(苓甘薑味辛夏仁湯) 등의 개념으로 접근을 할 수도 있다. 상한론(傷寒論)의 처방들은 임상의 기본이다. 하지만 실전에서는 상한(傷寒), 온병(溫病), 후세방(後世方)의 모든 치료방법을 총동원해야만 해결할 수 있는 경우가 적지 않다. 즉, 우귀합마부세신탕(右歸合麻附細辛湯), 사간마황탕합신기환(射干麻黃湯合腎氣丸), 온담탕합마황탕가길경후박(溫膽湯合麻黃湯加桔梗厚朴), 소시호탕합육미지황탕가지모지골피(小柴胡湯合六味地黃湯加知母地骨皮), 맥문동탕합반하후박탕합삼자양친탕가길경현삼금은화(麥門冬湯合半夏厚朴湯合三子養親湯加桔梗玄蔘金銀花), 삼요탕합삼자양친탕가현삼후박(三拗湯合三子養親湯加玄蔘厚朴) 등 여러 관점에서의 처방구성이 필요할 수도 있으므로, 보다 유연하게 환자의 증상을 관찰한 후에 처방하는 것이 중요하다.

09 컹컹기침의 알레르기성 후두염

- 28세, 여자
- 진료일: 2014년 10월 20일

환자는 어려서부터 기관지가 좋지 않아 항상 감기를 달고 살았다. 그런데 중학교를 지나면서부터는 양상이 바뀌어, 매년 가을만 되면 컹컹하는 기침을 겨울이 될 때까지 하게 되었다. 그 증상이 시작될 때마다 이비인후과에서 약물을 복용했지만, 기침은 밤이 되면 극심하게 되고 추운 겨울이 되면 없어지기를 반복하고 있었다. 이번에도 1주일 전 기침이 시작되어 이비인후과의 약을 복용하고 있었지만 기침은 없어지지 않고 있었다. 이에 한방치료를 위해 내원했다.

증상분석

환자의 기침은 객담 및 콧물은 전혀 없었으며, 인후에 이상한 느낌이 약간만 발생하면 극심한 기침이 시작되었다. 주간에도 발작적인 기침이 나오기는 하지만 야간에 심했고, 특징적으로 매년 가을이 되어서 기온이 하강하면 시작되며 항히스타민제에는 반응이 적었다. 스테로이드를 내복했을 때 조금 효과가 있었지만 1주일 이상 복용하면 몸이 부어 올라서 더 이상 복약하기가 힘들었다.

이에 마행감석탕가미방(麻杏甘石湯加味方[1])을 처방하고, 대추(大椎), 폐수(肺兪) 등의 사혈(瀉血) 및 풍지(風池), 수삼리(手三里), 합곡(合谷), 삼음교(三陰交) 등에 침구치료를 실시했다.

---

1) 麻黃 6g, 杏仁 6g, 石膏 18g, 桔梗 15g, 訶子 9g, 麥門冬 12g, 蒼朮, 甘草 4.5g

치료경과

- 2014년 11월 8일: 환자의 기침이 상당히 개선되었으나, 하루에 한두 번 정도는 강한 기침이 나오고 있었다. 이에 10월 20일의 처방에서 마황(麻黃)을 7.5g, 맥문동(麥門冬)을 15g으로 증량했다.

후기 및 고찰

환자는 그동안 이런저런 증상으로 내원했으나, 매년 가을에 시작되던 기침은 2018년 겨울까지 재발하지 않았다.

비강에서 시작되어 모세기관지말단으로 이어지는 부위에서 발생하는 각종 질환에 대한 한방적인 대처는 여러 가지 처방들이 있으나 그 운용이 쉽지 않다. 하지만 마황부자세신탕(麻黃附子細辛湯), 소청룡탕(小靑龍湯), 신기환(腎氣丸), 우귀음(右歸飮), 양단탕(陽旦湯), 온담탕(溫膽湯), 대청룡탕(大靑龍湯), 청인이격탕(淸咽利膈湯), 감길탕(甘桔湯), 양격산(凉膈散), 맥문동탕(麥門冬湯), 지백지황탕(知柏地黃湯), 지골피음(地骨皮飮) 등을 활용하여 적절하게 대처할 수 있다.

이러한 전통적인 변증(辨證)을 통하여 질환에 대응하지만, 현대 한방임상은 이미 서양의학의 진단 후에 이뤄지는 경우가 많기 때문에 좀 더 세심하게 접근해야 한다. 예를 들어, 쇼그렌증후군의 간질성 폐렴으로 폐기능이 약해진 상태에서 한방치료를 시작하게 될 경우에는 현재 복용 중인 약물, 영상자료, 발병시부터 경과된 시간 및 질병자체의 기전을 고려하여 결정해야 한다. 영상자료 상에서 폐의 섬유화가 확인되었다고 무조건 폐양허(肺陽虛)의 치료법을 사용하는 것이 아니라, 쇼그렌증후군 자체의 혈관염에 의한 폐렴이므로 혈열(血熱)의 관점에서 착수한다. 그 밖에 방사선 폐렴의 경우에는 초기에는 극열증(極熱症)의 관점에서 각종 청폐(淸肺)계열의 처방에 삼황(三黃)을 강하게 사용하고, 이미 스테로이드를 사용하여 조금 안정되었으나 증상이 있을 경우에는 폐음허(肺陰虛)로 대처한다.

만성중이염의 남학생

- 14세, 남자
- 진료일: 2016년 6월 2일

환자는 신중한 성격의 남학생으로, 이전부터 비염이 있어서 1년 전에 아데노이드를 제거했다. 그 후 코가 막히는 것은 덜해졌는데 수개월 전부터 오른쪽 귀가 막히는 것 같아서 이비인후과의 진료를 받았다. 진료 시 우측 귀의 장액성 염증이 확인되어 고막을 통해 주사기로 물을 빼냈다. 그러나 주사기로 물을 빼내도 다시 물이 차오르고, 몇 번의 시술 후에도 개선되지 않아 한방치료를 하기 위해 내원했다.

증상분석

환자는 2주 전에 이비인후과에서 고막을 통해 주사기로 물을 빼고 항생제를 복용하고 있었으나, 금일 이경으로 보니 고막 너머로 반투명의 액체가 보이고 있었으며 귀가 막힌 것 같은 느낌을 호소했다. 또한 매번 물이 차오르면 귀에서 "삐"하고 소리가 난다고 했다. 이비인후과에서 시행한 청력검사에서는 좌측에 비해 청력이 저하되었기는 하지만 심하지는 않다고 했다. 이 밖에 특이한 사항은 없었다.

이에 열담(熱痰)의 온담탕가미방(溫膽湯加味方[1])을 처방하고 풍지(風池), 청궁(聽宮), 합곡(合谷) 등에 침구치료를 하고, 치료 중 물이 차오르는 느낌이 있으면 다시 이비인후과의 도움을 받기로 했다.

1) 半夏 7.5g, 茯苓 9g, 陳皮 15g, 竹茹 4.5g, 枳實 12g, 蘇子 12g, 蘿葍子 12g, 生薑 3g, 甘草 3g, 大棗 3枚

치료경과

- 2016년 7월 5일: 우측 귀가 막히는 느낌이, 이전에는 꽉막힌 느낌이었는데 가벼워졌다.
- 2016년 7월 25일: 우측 귀의 막힘이 개선되었으며, 우측 귀에서 나던 "삐"소리가 이전에는 크게 들렸는데 지금은 약해졌다. 6월 2일 처방의 소자(蘇子)와 나복자(蘿蔔子)를 21g으로 증량하고 청피(靑皮) 7.5g을 가미했다.
- 2016년 9월 10일: 그 동안 환자는 증상이 없어서 복약을 천천히 했으며, 지난 주 토요일 이비인후과 검사에서는 고막 안에 어떠한 이상도 발견되지 않았다. 7월 25일 처방에 마황(麻黃) 2.5g을 추가했다.
- 2016년 11월 17일: 약 1개월 전에 약한 정도의 우측 귀막힘이 발생하였으나 일상생활에 지장이 없어서 지내고 있었으며, 오늘 이비인후과의 검사에서는 중이에서 소량의 삼출액이 확인되었다고 했다. 다시 주사기로 빼는 것은 원하지 않았으나 의사가 한 번 더 빼보자고 했으나 아주 적은 양만이 나왔다. 이에 일시적인 현상일 수 있으니 당분간 지켜보기로 했다.

후기 및 고찰

그 후 환자의 중이염은 재발하지 않고 있다.

중이염은 급성과 만성이 있으며 열담(熱痰)과 한담(寒痰)의 한열변증(寒熱辨證)으로 대처한다. 그러나 만성기에도 열증(熱證)이 있으므로 환자가 호소하는 증상이 가장 중요하다. 지속적으로 반복되는 중이염은 대부분 열증(熱證)에 속하며 온담탕(溫膽湯)에 삼자양친탕(三子養親湯)의 의미를 가미하여 청화열담(淸化熱痰)한다. 처방 중의 주약(主藥)은 반하(半夏), 복령(茯苓), 진피(陳皮), 지실(枳實), 청피(靑皮), 소자(蘇子), 나복자(蘿蔔子)이며, 치료 과정 중에는 이미 장기간 동안 경고막 배액술을 시행한 경우, 즉 이 증례와 같은 경우에는 열담(熱痰)이 제거되면서 배액의 간격이 넓어지게 된다. 극히 드문 경우이기는 하지만 장기간 지속되어 모든 염증은 없어지고 백색의 분비물이 보이며 배액을 할 수도 없고 증상이 계속 똑같은 경우는 한담(寒痰)에 해당되는데, 이때에는 화담음(化痰飮)의 각종 처방에 사역탕(四逆湯)을 추가하고 백색의 담(痰)이 용해되어 연화되려고 하는 것이 보이면 삼담리습(滲痰利濕)의 복령(茯苓), 택사(澤瀉)를 가중한다. 이런 과정을 통해 중이의 장액이 모두 흡수된 후에도 청력의 이상이 있는 경우에는 천천히 황기(黃耆), 단삼(丹蔘), 천궁(川芎), 적작(赤芍) 등의 보기활혈(補氣活血)의 약물을 가미하여 청신경재생을 촉진시키고, 그 후 다시 천천히 사역탕(四逆湯)의 성분을 가미하여 약력(藥力)을 강화한다. 청신경의 재생은 상당한 시간이 필요하므로 치료 시작 전에 이 점에 대해 환자와 보호자에게 동의를 구하고 시작하는 것이 좋다.

침구치료는 풍지(風池), 청궁(聽宮), 합곡(合谷)을 위주로 하며 급성, 열성기에는 대추(大椎), 천주(天柱)를 사혈(瀉血)하며, 만성기에는 귀 주변의 혈위에 간접구(間接灸)를 한다.

11 아쉽게 치료를 중단한 당뇨병성 신부전

- 53세, 남자
- 진료일: 2013년 8월 1일

환자는 즐겁게 생활하는 회사원으로, 이전부터 당뇨병이 있었으나 당뇨약(미상)을 복용하면서 잘 지냈으며, 업무 특성상 음주를 자주 하고 있었다. 그런데, 약 4년 전 당뇨병으로 신장에 문제가 있다는 말을 듣고는, 술을 완전히 중단하고, 널리 알려진 것처럼 육류를 줄이고 되도록이면 채식을 많이 했으나 증상이 악화되어, 2년 전부터는 다니던 내과에서 대학병원으로 전원되었다.

약 2년 동안 대학병원에서 꾸준히 치료를 받았으나, Crea 지속적으로 상승하여 약 6개월 전의 검사에서는 4.3으로 상승하더니 최근의 검사에서는 더욱 상승하여 신부전으로 진행되고 있다는 판정을 받고 지인의 소개로 본원에 내원했다.

증상분석

환자의 외견상의 상태는 전혀 이상이 없었으나, 지난 주에 검사한 혈액검사 결과에서는 이상을 보이고 있었다. RBC=3.51(4.20-6.30), Hb=10.1(13.0-18.0), hct=31.5(39-52), AST/ALT=16/16, BUN= 72.4(8-20), Crea=4.8(0.8-2.0), UA=9.9(3.0-8.03) 등의 결과를 보이고 있었으며, 현재 복용 중인 약물로는 디아미크롬서방정, 프리토정, 라식스정, 현대테놀민정, 씨제이크레메진세립, 하루날디정 등이 있었다.

비록 신장기능에 이상이 있었으나 Hb이 어느 정도 수준을 유지하고 있었고,

BUN, Crea, UA 등이 상승되어 있었으므로, 당뇨병성 신기능이상에 해당되지만 아직 심각하게 진행이 되지 않은 상태이므로 한방치료로 어느 정도 도움이 될 수 있을 것으로 판단하고 우귀음가미방(右歸飮加味方[1])을 처방했다.

치료경과

- 2013년 8월 26일: 8월 23일의 혈액검사는 다음과 같았다.
  BUN=65.4, Crea=4.7, UA=9.3, RBC= 3.50, Hb=10.4, AST/ALT=14/11

  신장기능의 기준인 BUN과 Crea 등이 미약하게 하강했으며, UA도 하강하고 Hb이 약간 상승했으며 간기능에는 이상이 없었다. 이에 8월 1일의 처방을 크게 변경하지는 않고 인삼(人蔘)을 3g으로 증량했다.

- 2013년 9월 16일: 환자는 전화로 어제 혈액검사결과가 나왔는데 한방치료 전에 지속적으로 상승하던 Crea이 4.6으로 하강하여, 주치의사에게 한약을 복용하고 있다고 하면서 Crea이 하강하는 것이 한약으로 가능한 일인가 또한 지속적으로 복용해도 괜찮은가 문의하니 대학병원 의사가 노발대발하면서 절대로 한약을 복용하면 큰일이 난다면서 안된다고 했다. 그래서 환자가 "지금까지 몇 년 동안이나 서양의학치료만 했는데도 계속 나빠지던 수치가 조금 하강했는데 어떻게 그런 말을 할 수가 있느냐?"고 하면서 크게 다퉜다고 했다.

후기 및 고찰

그 후 환자와 전화통화를 했는데, 비록 한약을 복용하여 개선된 것이 보였지만 대학병원 의사가 그렇게 화를 내니 겁이 나서 이러지도 저러지도 못하고 있다고 했다.

신부전의 대표적인 원인은 당뇨병으로, 당뇨병성 신장기능이상에 대한 치료는 현재 서양의학적인 치료법은 전무하며, 추가적인 진행을 예방하기 위해 처방되는 약

1) 天雄, 肉桂 各 6g, 生地, 山藥, 山茱, 蒼朮, 杜仲, 兎絲子, 枸杞子, 乾薑 各 4.5g, 黃柏 12g, 當歸, 3g, 茯苓, 澤瀉 各 12g, 龍膽草 4.5g, 蒲公英15g/人蔘 2g 沖服

물들도 효과는 미지수이다.

신부전은 크게 위축성과 종창성으로 구분된다. 이 증례의 경우는 BUN, Crea의 상승, 신장기능저하에 Hb 하강의 조혈기능저하가 보이므로 위축성 신부전으로 판단했으며, 치료의 방향은 신동맥을 통한 혈액공급량을 증가시켜 신기능을 개선시키는 것으로 설정하고 UA의 상승에 대하여 용담초(龍膽草)를 가미하고, 혈관의 염증과 위축이 동시에 있으므로 황백(黃柏)을 가중했다. 비록 안정수준까지 치료를 진행하지는 못했지만 어느 정도 유의성은 있었다.

이 환자를 치료하는 과정은 처방을 변경하지 않고 BUN, Crea, UA, Hb가 안정될 때까지 천천히 인삼(人蔘)과 사역(四逆)의 성분, 즉 천웅(天雄), 육계(肉桂)를 증량하고 동시에 복령(茯苓), 택사(澤瀉)도 증량하여 급격한 혈류증가로 인한 신장의 부종을 예방한다. Crea을 낮추기 위해서는 때로는 녹용(鹿茸)도 가미하는데 과량을 사용하지 않고 소량을 사용한다.

신부전의 치료는 기허양허(氣虛陽虛)만이 있지 않으며 청열해독(淸熱解毒), 활혈화어(活血化瘀)의 치법을 병용할 수도 있다. 이에 자세한 설명은 증례를 통해 추후에 보고하겠다.

만성 재발성 방광염의 여사

- 55년생, 여자
- 초진일: 2014년 4월 21일

환자는 건강한 여사로, 특수한 질환은 없었으나 고질적인 방광염을 가지고 있었다. 최근에도 갑자기 방광염이 발생하여 항생제를 1주일간 복약한 후 개선되었다. 그런데 항생제를 복용하면 방광염은 호전되지만, 소화장애로 또 1주일을 고생해서 매우 힘들어하고 있었다. 이전에도 한방치료를 여러 번 시도했지만 그리 효과적이지는 않았다. 이에 지인의 소개로 내원했다.

증상분석

환자의 방광염은 피곤하면 잘 발생하고, 목욕탕 등에 다녀오기만 해도 염증이 생긴다고 했다. 장기간 고생을 해서 하복부의 느낌이 이상하면 즉시 비뇨기과에서 항생제를 복용했으며, 발생간격은 대략 1개월 1회 정도 되는 것 같다고 했다. 소변검사에서는 백혈구만 소량 나온다고 했다. 기타 7년 전 방광하수로 수술을 했으며, 소화가 잘되지 않아 20년(?) 동안 내과의 약물을 자주 복용하고 있었으며, 최근에는 소화기질환 전문한의원에서 2개월 동안 한약을 복약하고 있다고 했다.

현재 요실금은 없었으며, 복약 중인 약물도 없었다. 이에 기허겸습열겸장조(氣虛兼濕熱兼臟躁)로 판단하여 보중익기탕가미방(補中益氣湯加味方[1])을 처방했다. 환자가 소화장애에 예민하여 1주일씩 처방하고 그 후 천천히 수정하기로 했다.

1) 黃耆 15g, 人蔘 6g, 陳皮, 蒼朮, 柴胡, 升麻, 甘草 各 4.5g, 當歸 3g, 龍膽草 7.5g, 大棗 8枚

치료경과

- 2016년 12월 환자는 운동 중 발생한 요통으로 내원하였으며, 그 동안 방광염이 발생하지 않았다.
- 2014년 5월 26일: 최근 제주도 여행에서 많이 걸어서 피곤했으나 방광 및 소화기의 문제가 발생하지 않았다
- 2014년 6월 12일: 하복부가 묵직해지는 방광염의 증상은 없었지만, 소변을 자주 본다고 했다. 집에 있으면 1시간 1회, 밖에 나가면 2시간 1회 소량의 소변을 보고 있었으며 긴장 시 조금 더 심해진다고 했다(초진시에는 말하지 않은 증상이었다). 4월 21일의 처방에서 용담초(龍膽草)를 9g, 대조(大棗)를 12매(枚)로 증량했다.
- 2014년 7월 7일: 1주일 분의 약물을 3주에 걸쳐 복용한 환자는, 최근 몸이 너무 편해서 즐겁다고 했다.

후기 및 고찰

중년여성의 만성 방광염은 방광근(방광괄약근이라고도 함)의 근력저하, 방광근의 민감도 상승, 감염 등을 동시에 고려해야 치료가 효과적이며, 보중익기탕(補中益氣湯)과 용담사간탕(龍膽瀉肝湯)을 합방하는 것이 가장 무난하다. 하지만 심리적인 불안정, 초조, 불안 등도 고려하지 않을 수가 없다.

이 환자의 경우처럼 20년 동안 심인성 위염으로 고생하고 있다면 분돈(奔豚)을 고려하지 않을 수 없다. 금궤(金櫃)의 분돈(奔豚)에서는 계지가계탕(桂枝加桂湯), 분돈탕(奔豚湯), 영계감조탕(苓桂甘棗湯)으로 대처하고 있으며, 신수음사(腎水陰邪)가 상행하여 발생하는 증상으로 설명되어 있지만, 이를 조금 더 확장하면 장조(臟躁)의 제하계(臍下悸)도 분돈(奔豚)으로 볼 수 있다. 상한금궤(傷寒金櫃)는 반드시 조문(條文)의 증만 활용하는 것은 아니다. 그러므로 이 환자에서 만약 녹록유성(漉漉有聲)의 장명(腸鳴)이 있다면 영계감조탕(苓桂甘棗湯)의 의미를 추가하게 된다. 단순한 위장관의 경련이었으므로 대조(大棗)만으로 대처했으며 그래도 해결되지 않으

면 작약(芍藥)을 가미하고, 그래도 해결되지 않으면 기타 방법을 고려한다. 대표적으로 소아의 원인불명의 복통, 성인의 식체(食滯) 등을 장조(臟躁)의 분돈(奔豚)으로도 볼 수 있으며, 증상이 약한 경우에는 소건중탕(小建中湯) 등으로 해결 가능하며, 그 의미는 이 증례의 대조(大棗)와 동일하다. 기타 비특이성 난치성 복통에 대해서는 다른 증례를 통해 보고하겠다.

13 장염 후 발생한 극심한 변비

- 73세, 여자
- 진료일: 2019년 12월 28일

환자는 154cm, 69kg의 건강한 노인으로 이러저러한 질환이 있었으나 잘 지내고 있었다. 금년 10월 2일 갑자기 극심한 설사가 시작되어 내과에서 치료를 한 후 설사는 개선되었으나, 설사가 안정된 후부터 반대로 변비가 시작되어 다시 내과에서 약물을 복용했지만, 2, 3일 1회, 아주 적은 양의 배변만 나오게 되었다. 하지만 위 및 대장내시경검사, 복부CT검사에서는 이상이 발견되지 않았다. 변비가 너무 심하고 복부에 가스가 꽉 차서 고생하던 중 자제분들의 소개로 본원에 내원하게 되었다.

증상분석

환자의 증상은 약 2개월 전 설사를 심하게 한 후부터 소화가 잘 안되고, 트림을 자주 하고, 복부의 가스가 상당히 많았으며, 심할 때는 양쪽 옆구리까지 통증이 발생하곤 했다. 가끔 방귀가 나오기는 했지만 시원하지 않았고, 내과에서 처방받은 변비약을 복용한 후에는 2, 3일 1회 배변이 가능했지만 배변량이 많지 않고 뱃속이 항상 불편해서 식사를 많이 할 수가 없었다. 체중이 많이 증가하지는 않았으며 소변량은 변하지 않았다. 기타 수년 전 관상동맥경화의 시술(미상), 갑상선종양 갑상선 전절제, 요추 추간판탈출 수술 2회, 양측 슬관절 연골성형술 등의 과거력이 있었다.

이에 소함흉탕합도인승기탕가미방(小陷胸湯合桃仁承氣湯加味方[1])을 처방하고

---

1) 半夏 6g, 黃連 3g, 桃仁 3g, 大黃, 芒硝 各 6g, 瓜蔞仁 9g, 肉桂 6g, 甘草 4.5g

내과의 약물(미상)은 지속적으로 복용하도록 권고했다.

치료경과

- 2020년 1월 13일: 복약 후 복부창만은 이전보다는 덜 하게 되었으나, 아직 2일 1회 정도의 배변만이 가능했다. 대변의 양상은 황색의 정상적인 변이지만 가늘고 소량씩 배출되었다. 12월 28일의 처방에서 대황(大黃)을 9g, 육계(肉桂)를 9g으로 증량했다.
- 2020년 1월 28일: 대변이 1일 1회, 정상적인 대변이 나오게 되었지만 양은 적었다. 가끔 가슴이 답답하고 약한 정도의 어지럼증이 있었다. 1월 13일의 처방에 천웅(天雄) 3g을 추가했다.
- 2020년 2월 10일: 이번에는 대변이 묽게 조금씩 나온다고 불만을 호소했다. 1월 28일의 처방에서 대황(大黃)을 9g, 육계(肉桂)를 7.5g으로 증량했다.
- 2020년 2월 24일: 대변은 1일 1회, 정상변을 보고 있었으나, 최근 약간 속이 쓰린 느낌이 있다고 했다. 2월 10일의 처방을 유지했다.

후기 및 고찰

- 2021년 7월 30일: 환자는 남편의 수년 동안 지속되고 있는 원인불명의 어지럼증, 부종, 숨차는 증상 등으로 내원했으며, 본인은 이전의 치료 후 소화도 잘 되고 잘 지내고 있으나 가끔은 대변이 나오지 않는 날이 있다고 했다.

이 환자의 극심한 변비는 장염으로 인한 신경의 문제, 장염으로 복약한 내과약물의 과도한 지사작용, 환자 자체의 약물에 대한 수용성 등 여러 가지 측면을 고려할 수 있다.

초기 치료 단계에서는 여열미진의 열비(熱秘)를 고려하여 도인승기탕합소함흉탕(桃仁承氣湯合小陷胸湯)으로 시작했으며, 치료에 대한 반응에 의거하여 한폐(寒閉)

의 대황부자탕(大黃附子湯)의 의미를 추가하여 양호한 치료결과를 얻을 수 있었다.

변비에 대한 여러 접근법들이 있지만 대황(大黃), 망초(芒硝), 번사엽(番瀉葉) 등을 상당한 용량을 사용하여 초기에 1일 수회의 배변이 되었다가 수일 후부터 횟수가 줄어들고 배변이 안될 때는 도인(桃仁), 마자인(麻子仁), 욱이인(郁李仁), 당귀(當歸) 등의 윤장약물(潤腸藥物)을 가미한다. 그래도 배변이 만족스럽지 못하면 천문동(天門冬), 맥문동(麥門冬), 과루근(瓜蔞根), 생지황(生地黃), 갈근(葛根) 등을 가미하고, 이에도 반응하지 않으면 천천히 회양(回陽)의 천웅(天雄), 건강(乾薑), 육계(肉桂), 오수유(吳茱萸) 등을 추가한다. 십조탕(十棗湯)의 감수(甘遂)는 흉수(胸水; 늑막삼출)에 사용되는 약물로, 변비에 사용되는 약물이 아니니 주의하기 바란다.

14 극심한 통증으로 고생하던 탈항의 아가씨

- 27세, 여자
- 진료일: 2015년 6월 12일

환자는 건강한 젊은 아가씨로, 그 전까지는 어떤 이상도 없이 잘 지내고 있었으나, 약 2주 전 과로를 한 후 갑자기 탈항(脫肛)이 발생했다. 이전에도 피곤하면 가끔씩 나오기는 했지만 그 때마다 따뜻한 물로 좌욕을 하면서 밀어 넣으면 해결되었는데, 이번에는 아무리 노력해도 들어가지가 않고 통증이 극심하여 즉시 근처의 대장항문클리닉에서 진료를 받고 약물(미상)을 처방받아 복용했다. 그러나 통증은 개선되지 않았으며 앉거나 걷기가 힘들고, 밑으로 나온 항문도 들어가지가 않아서 수술을 해야 할 것으로 생각하고, 그 전에 한방치료를 해보기 위해 내원했다.

증상분석

환자의 항문(脫肛)은 전체적으로 밀려나와 있었으며, 색은 분홍색이어서 괴사가 될 정도의 급한 상황은 아니었다. 글리세린을 사용하여 천천히 밀어 넣으려고 했으나, 통증이 심하고 잘 움직여지지 않아서 중단하고 침구 및 약물치료로 전환했다.

이에 보중익기탕가미방(補中益氣湯加味方[1])을 처방하고, 합곡(合谷), 족삼리(足三里), 백회(百會) 및 항문주위사침(肛門周圍四針)을 시행했다.

1) 黃耆 21g, 丹蔘, 蒼朮, 陳皮, 甘草, 升麻, 柴胡 各 4.5, 當歸 3g, 人蔘 4.5

치료경과

- 2015년 6월 16일: 탈항(脫肛)의 극심한 통증은 조금 개선되었으나, 아직 배변 후에는 힘들고 소량의 출혈이 있었으며, 배변 후에는 항문이 빠져서 비데를 한 후에 스스로 매우 천천히 밀어 넣고 있었다. 6월 12일의 처방에서 황기(黃耆)를 24g으로 증량했다.
- 2015년 6월 23일: 탈항(脫肛)이 개선되어 일상생활에 지장이 없게 되었으며, 아직 배변 후에 빠지기는 하지만 잘 들어간다고 했다. 6월 16일의 처방에서 황기(黃耆)를 27g으로 증량했다.
- 2015년 7월 20일: 모든 증상이 소실되어 배변 후 또는 아랫배에 힘을 주어도 탈항이 발생하지 않았다.

후기 및 고찰

환자는 그 후 이런저런 문제로 가끔 내원하곤 하는데, 탈항은 현재까지 수년간 재발하지 않고 있다.

이 환자의 탈항(anal prolapse)은 mucosal prolapse에 해당되는 비교적 경증의 탈항에 해당되며, 완전한 탈항(complete rectal prolapse)과는 달리 항문관의 원위 조직에서 점막층(mucosal layer)과 고유근층(muscularis propria)의 결합이 늘어져서 항문의 점막조직이 밖으로 나온 유형이었다.

탈항은 한의학적으로 전형적인 기허(氣虛)에 해당되며, 보중익기탕(補中益氣湯), 제항산(提肛散[1]), 당귀작약산(當歸芍藥散), 당귀건중탕(當歸健中湯) 등의 처방을 사용할 수 있으며, 망우탕(忘憂湯; 甘草煎液)의 외용(外用) 및 백회구법(百會灸法)을 병행하게 되면 더욱 빠르게 개선된다.

단, 위의 경우는 전형적인 염증 및 궤양을 동반하지 않은 단순 탈항에 해당되는 상황으로, 내치핵이 동반된 경우에는 접근방법이 다르다.

1) 人蔘, 白朮, 川芎, 黃耆, 陳皮, 當歸, 甘草, 柴胡, 升麻, 黃芩, 黃連, 白芷: 外科正宗

내치핵(internal hemorrhoid)은 점막근육층(muscularis mucosae)이 붕괴되면서 항문으로 내치핵이 탈출하게 되고, 탈출된 치핵이 조임근에 의해 혈류장애가 발생하게 되면 궤양으로 진행되기 때문에, 한방적으로는 기허(氣虛)가 변증의 기본이 되지만 어열종독(瘀熱腫毒)이 추가된 상황이므로 제항산(提肛散)의 개념에 더 부합된다.

내치핵의 경우 수술적인 요법으로 통해 깨끗하게 치료가 되기도 하지만 재발이 적지 않다. 잦은 재발로 수술적 치료가 거듭되면 항문관이 좁아지기 때문에 배변에 문제가 발생하기도 하고, 때로는 수술부위의 육아증식으로 배변 시의 출혈 및 복통으로 이어질 수 있기 때문에 주의가 필요하다.

15 치질 수술 후에도 지속되는 출혈과 복통의 여사(肉芽化)

- 64세, 여자
- 진료일: 2019년 2월 18일

환자는 152cm, 45kg의 아담한 여사로, 상당한 기간 동안 고생을 한 모습으로 진료실에 들어왔다. 그 동안의 내용을 요약하면 다음과 같다. 환자는 2018년 8월 말 대변출혈이 있어서 치질이라고 진단받고 수술을 했으며, 수술 2주 후 내시경검사에서 수술부위가 이쁘지 않게(?) 되었다고 주치의가 말했다. 9월 28일부터는 배변 시 출혈이 다시 시작되었으며, 11월의 검사에서 수술부위가 육아종화되었다고 하여 재수술을 시행했다. 12월 진료시에는 조만간 호전될 수 있다고 주치의가 말했지만 출혈이 지속되었으며, 금년 1월 진료시 주치의는 다시 수술을 할 경우에는 항문이 좁아져서 배변이 불편할 수도 있다고 하면서 좀 더 경과를 지켜보자고 했다. 하지만 수개월 동안 출혈과 통증이 지속되어 본원에 내원하게 되었다.

증상분석

환자의 증상은 배변 시 대변이 나오는 중간 정도에서부터 선홍색의 선으로 대변에 출혈이 묻어 나오며, 배변 후에 선홍색, 진물이 섞인 색의 삼출물이 나왔고, 때로는 상당한 양의 출혈이 지속되며, 상처부의 자극으로 하복통이 발생하고, 심할 때는 상당히 시큰한 하복통이 하루 종일 지속되었다. 출혈과 복통으로 환자의 불안과 고통은 상당했다.

이미 십수 년 전 치질수술을 한 적이 있었으며, 부친도 치질로 고생하셨다고 했다. 기타 어려서부터 여기저기에 종기가 잘 났으며, 우유가 함유된 과자, 밀가루음식 등을 먹으면 가스가 많이 차고, 항상 걱정이 많다고 했다. 특수한 지병은 없었다.

이에 도홍사물탕가미방(桃紅四物湯加味方[1])을 처방하고 경과를 보면서 처방을 수정하기로 했다. 본원과 집과의 거리가 있어 침구치료는 생략했다.

치료경과

- 2019년 3월 16일: 처음에는 복약에도 별 반응이 없었다. 그러나 3월 3일부터 1주일 동안은 완전히 출혈이 없이 깨끗했으나, 9일 배변 시 통증이 시큰하게 나타나더니 오늘까지 배변 시 배변의 끝에 선홍색 출혈이 지속되고 있었다. 출혈량은 처음에는 많았으나 현재는 많지 않았다. 복통은 새벽에 있었지만 참을만한 정도이며, 복통의 양상은 간지럽고 당기는 느낌으로 약간 변화되었다. 한약복약 후 질 분비물이 많아져서 부인과에서 검진했으나 이상은 없었다. 2월 18일의 처방에서 황기(黃耆)를 12g으로 증량하고, 천웅(天雄)과 육계(肉桂)를 각 4.5g씩 추가했다.

- 2019년 4월 13일: 최근 2주 동안은 배변 후 피가 계속 닦였으며, 3일 전에는 피가 걸쭉하게 나왔다. 그러나 배변 후의 항문통증(수술 후부터 지속되었으며, 아침 6-7시 사이 배변 후 시작되어 저녁까지 계속되는 항문의 통증)은 1/3 정도 감소되었다. 오전은 통증이 있으나, 참을 만하며 오후부터는 통증이 매우 가벼워진다고 했다. 최근에는 아랫배가 팽팽하게 조여지고 항문도 올라오는 느낌이 강하게 느껴지는 때가 있었다. 때때로 소변이 마려우면 항문통증이 시큰하게 나타나는 경우도 있었다. 3월 16일의 처방에서 황기(黃耆)를 18g으로 증량하고, 건강(乾薑)을 3g 추가했다.

- 2019년 5월 11일: 환자의 증상이 개선되어 3, 4일은 출혈이 없고 3일은 출혈이 있는 상황이 반복되고 있었다. 배변 후의 하복통은 상당히 개선되어 생활하기가 아주 편하다고 했다. 최근 감기약을 복약한 후 대변이 조금 단단하게 변했지만 배변 시 통증이 나타나지는 않았다. 3월 16일의 처방에서 황기(黃耆)를 21g으로 증량

---

1) 當歸, 川芎, 生地, 赤芍, 防風, 白芷, 地楡, 槐花, 乳香 各 4.5g, 桃仁, 紅花 各 3g, 側柏葉, 黃芩 各12g, 黃耆 7.5g, 升麻 4.5g

했다.

- 2019년 6월 8일: 배변시의 출혈은 5월 25일부터 1주일 동안 은 소량의 출혈이 있어 좋지 않았으나, 그 후부터 극소량으로 줄어들었다. 배변 후의 통증은 최근 감기를 앓은 후 조금 더 심해졌다. 현재 감기는 괜찮아졌으나 식욕이 전혀 없었다. 3월 16일의 처방에서 황기(黃耆)를 24g, 천웅(天雄)을 7.5g으로 증량하고, 인삼(人蔘) 3g을 추가했다.

- 2019년 7월 6일: 최근 2주 동안은 배변 후 출혈이 조금씩 닦이는 날들이 지속되고 있었으나, 지난 번 감기 후의 체력저하 및 식욕저하는 상당히 개선되었다. 배변후 통증은 시큰한 통증이 견딜만한 정도로 오후까지 있기도 하고, 어떤 날은 오전에만 약간 시큰하다가 없어질 정도로 호전되었다. 6월 8일의 처방에서 인삼을 4.5g으로 증량했다.

- 2019년 8월 3일: 배변 후의 통증은 이제는 살 수 있을 정도로 개선되었으며, 최근 2주 동안 출혈도 거의 없고 깨끗했다고 했다. 기타, 이전부터 소변에서 잠혈반응이 있었는데, 고혈압약을 먹은 후 없어졌다가 그 후 다시 생겼으나 최근의 검진에서 나오지 않았다. 7월 6일의 처방에서 황기를 27g으로 증량했다.

- 2019년 8월 31일: 배변시의 출혈은 1주일 2회 정도 완전히 깨끗한 날이 있으며, 나와도 극소량이 닦이는 정도였다. 배변 후의 복통도 거의 없는데 가끔 시큰한 통증이 약간 느껴지는 날이 있다고 했다. 하지만 아직 소변이 마려우면 항문의 통증이 약간 있다고 했다. 8월 3일의 처방에서 천웅(天雄)을 9g으로 증량했다.

- 2019년 9월 28일: 9월 10일 이후 배변시의 출혈이 거의 없어졌으며, 복통은 소변이 방광에 차면 아주 약한 정도의 시큰한 정도는 있지만 크게 신경쓸 정도의 통증은 아니었다. 8월 31일의 처방을 변경하지 않았다.

- 2019년 10월 26일: 배변시의 출혈과 배변후의 복통이 최근 40여 일 동안 없어서 매우 편하다고했다. 9월 28일의 처방을 변경하지 않고 약물의 복용횟수를 1일 2회로 변경했다.

후기 및 고찰

이후 환자의 증상은 약물의 감량에 따른 악화없이 순조롭게 유지되어 2020년 1월에 치료를 종료했으며, 재발할 경우 즉시 연락하기로 했다.

조직의 수복, 재생, 복원의 과정은 복잡한 과정이며, 이 때 영향을 미치는 요인으로는 전신적으로는 영양, 대사상태, 순환상태, 호르몬 등이 있으며, 국소적으로는 감염, 기계적 인자, 외래물질, 창상의 크기, 위치, 그리고 유형에 영향을 받게 된다. 어떠한 원인이 되었든 조직수복과정에서 착란된 결과는 부적절한 반흔형성(deficient scar formation), 수복에 필요한 요소들의 과도한 형성, 수축형성(contracture)으로 귀결되며, 임상적으로는 창상의 벌어짐(dehiscence), 궤양, 비후흉터(hypertrophic scar), 켈로이드(keloid), 구축(contraction) 등이 발생하게 된다.

이 증례에 나온 치질 수술 후의 증상은 수술 후 과도한 육아조직(exuberant granulation) 증식에 해당된다. 육아형성은 과도한 양의 육아조직을 생산하는 비정상적 상처치유 양상으로, 주위 피부보다 위로 튀어나와 상피의 재형성을 방해하는 과도한 육아조직을 형성하며, 새살(proud flesh)이라고도 한다. 상피의 연속성을 회복하기 위해서는 과도한 육아조직의 소작(cautery) 또는 외과적 절제가 요구된다. 마지막으로(다행히도 드문 현상임) 절제 상처 혹은 외상성 손상은 섬유모세포와 기타 결합조직 요소들의 활발한 증식을 초래하며, 이런 현상은 이들의 절제 후에도 재발할 수 있다. 데스모이드(desmoid) 혹은 공격적인 섬유종증(aggressive fibromatosis)은 양성종양과 악성(낮은 정도의)종양의 중간 정도의 소견을 나타낸다. 과다형성(hyperplasia)과 종양은 명확히 구분된다.[1]

증례의 치료과정에서 살펴보면, 초기에는 활혈화어(活血化瘀)와 청열해독(淸熱解毒)의 방법에 소량의 황기(黃耆)를 가미했는데, 그 이유는 아직 질환 본래의 모습이 확실하지 않았기 때문이다. 비정상적인 상처치유의 결과로 발생한 증상이었기 때문에 이것이 자가면역반응이 결합되어 과도한 증식이 일어난 것인지, 또는 아주 느린 속도로 종양화되는 것인지에 대한 확인이 안되었기 때문이다. 물론 항문외과에서 내시경을 통해서 확인했지만 그래도 언제나 종양의 가능성은 존재하며, 만약 초

1) Kumar 등, 병리학 제8판, p104, 범문에듀케이션, 한국, 2011

기 종양에 내탁(內托)의 방법을 사용하게 되면 완전한 역치(逆治)가 되어 돌이키기 어려운 일이 발생할 수 있기 때문이다. 이론적으로는 간단하지만 임상적으로 만성화된 염증을 치료할 때에는 한열착잡(寒熱錯雜), 진열가한(眞熱假寒) 등에 주의해야 한다. 이렇게 구별이 어려운 질환에 착수할 때는, 일반적인 염증에 대처하는 방법으로 시작하여 세밀하게 처방을 다듬어 나가면서 치료하게 된다.

환자의 고질적인 배변출혈과 복통은 도홍사물탕(桃紅四物湯)에서 시작하여 보중익기탕(補中益氣湯)의 의미를 추가하고 거기에 사역탕(四逆湯) 및 인삼(人蔘)을 가미하여 천천히 개선될 수 있었다. 이 과정 중에 너무 무리하게 보기보양(補氣補陽)을 초기부터 투여했다면 과도한 충혈로 인하여 염증 및 육아증식이 더 심해졌을 수도 있다. 신중한 자세가 필요하다. 추가적으로 환자의 증상 중에 소변이 차면 배가 시큰해지는 증상은 방광하수와 관련이 있으며, 대량의 황기(黃芪)를 사용한 보중익기탕(補中益氣湯)의 의미에 부합되며, 임상적으로 시호(柴胡), 승마(升麻)의 승거(升擧)는 황기(黃耆)가 일정량 이상 사용되면 필요성이 감약된다.

수술 후의 실열(實熱)성 염증에는 갈근금연탕(葛根芩連湯), 백두옹탕(白頭翁湯) 등을 사용하며, 당변(溏便)에는 사령(四苓)의 성분, 변비에는 각종 승기탕(承氣湯)을 사용하고, 한비(寒秘)에는 대황부자세신탕(大黃附子細辛湯)을 고려한다.

16 젊은 여성의 과민성 대장증후군

- 31세, 여자
- 진료일: 2016년 8월 20일

환자는 165cm, 52kg의 날씬한 미혼여성으로, 직장에서도 그 실력을 인정받으며 잘 지내고 있었지만, 5년 전 시작된 과민성 대장증후군으로 일상생활 중에서 상당한 고통을 받고 있었다.
이 증상은 약 5년 전 시작되어, 최근 1, 2년 동안 업무가 많아지면서 그 증상이 심해졌으며, 여러 내과에서 각종 약물을 처방받아 복용했으나 증상이 개선되지 않았다. 이에 한방치료를 하고자 본원에 내원했다.

증상분석

환자의 5년 전부터 시작된 복통과 설사의 증상은 맥주, 참외 등의 속칭, 찬음식과도 관련이 있었지만, 다른 음식을 섭취해도 발생하곤 했으므로 음식과는 관련이 없는 것 같았으며, 아침 기상 후에 복통(상복부와 하복부)이 심하지만 배변 후에는 개선되었다. 이런 상황은 직장에서 발표 등의 긴장 시에 심해졌으며, 잠을 많이 자면 덜 하다고 했다. 아침 마다 약간의 구취를 느끼기도 했다. 배변시 때로는 폭풍처럼 나오기도 하고 때로는 흩어지기도 하는데, 정상적인 대변을 본 적은 거의 없으며 최근에는 냄새도 강하다고 했다. 환자의 상복부에서는 압통이 있었으나 하복부에서는 압통점을 찾을 수 없었다. 맥긴유(脈緊濡)했으며, 기타 수면 중에 손발이 자주 저리고, 아주 가끔은 오른쪽 종아리에서 쥐가 나기도 한다고 했다. 이에 온담탕가미방

(溫膽湯加味方[1])을 처방하고 풍지(風池), 내관(內關), 신문(神門), 족삼리(足三里), 태충(太衝) 등에 침구치료를 했다.

치료경과

- 2016년 9월 3일: 아침의 복통과 설사의 횟수가 개선되었다. 그러나 아직 기름진 음식, 마카로니앤치즈, 치즈샌드위치 등에 대변이 풀어지기도 했다. 8월 20일의 처방을 변경하지 않았다.
- 2016년 9월 29일: 최근에는 아침의 복통도 거의 없었으며, 긴장 및 음식과 관련된 설사도 없었으나, 지난 주 극도로 긴장을 한 후에 약간의 하복통이 있었지만 잠시 후 없어졌다. 처방을 변경하지 않고 복용횟수를 1일 2회로 감량한 후 치료를 종료하기로 했다.

후기 및 고찰

환자는 2017년 1월 18일 내원했는데, 어제 저녁에 피곤한 상태에서 과식을 한 후 취침했으며 잠을 자는 중간에 복통이 발생하여 잠을 깨니 전신의 피부가 간지럽고 두드러기가 올라왔으나 잠결에 다시 자고, 아침이 되니 피부의 증상은 모두 소실되었지만 약한 정도의 복통이 있어 본원에 내원했으며 최근까지 과민성대장증상은 없었다고 했다. 그 후 1년이 넘게 증상이 재발하지 않고 있다.

과민성대장증후군은 기본적으로 불안, 초조 등의 기저질환의 표현으로 보는 것이 맞지만, 그 증상이 심할 경우에는 염증성 장질환을 고려하지 않을 수 없다. 그러나 일반적인 과민성대장증후군의 처방은 크게 몇 가지에 지나지 않는다. 즉 우선은 염증 및 경련의 부위가 어디인지를 정확하게 구분하여 주방(主方)을 선정한다. 이 환자의 경우처럼 상복부의 압통이 있으면서 이 통증이 배변 후 개선되는 것으로 보면 비록 잦은 당변(溏便)이 있지만 병변은 상부위장관으로 추정할 수 있다. 이에 온담

1) 半夏, 陳皮, 竹茹, 枳實 各 4.5g, 黃芩 12g, 海螵蛸 4.5g, 蒲公英 12g, 茯苓, 蒼朮, 澤瀉 各 6g, 甘草 3g

탕(溫膽湯)에 해표초(海螵蛸), 포공영(蒲公英)을 추가하고 사령(四苓)의 개념인 복령(茯苓), 창출(蒼朮), 택사(澤瀉)를 증량 및 가미했다. 복통이 위주인 경우에는 진경(鎭痙)의 현호색(玄胡索), 목향(木香), 적작(赤芍)을 추가하고, 잦은 당변(溏便)이 주증상인 경우에는 사령(四苓)을 증량하여 사용하며, 비록 크론, 궤양성 직장염은 아니지만 장점막탈락, 삼출액, 소량의 변혈 등 열증(熱證), 염증성 증상을 보인다면 삼황(三黃 중에서 黃芩, 黃柏을 주로 사용하지만 당뇨가 있을 경우에는 黃連을 선택하는 것이 유리하다)을 가미하고, 열증(熱證)의 강약에 따라 용량을 조절하고, 지혈(止血)의 지유(地榆), 괴화(槐花) 및 인경(引經)의 방풍(防風), 백지(白芷)를 추가한다. 질환의 이름만으로 판단하면 모든 염증성 질환은 청열해독(淸熱解毒)을 위주로 치료를 진행해야 될 것 같지만, 이러한 염증성 질환이 장기간 지속된 경우에는 장점막의 육아성장이 지연되는 경우, 즉 한열병존(寒熱錯雜, 寒熱傳化)의 경우도 있으니, 금낭(錦囊)에 잘 보관해서 기존 치료에 반응이 없는 경우를 만난다면 시도하는 것도 좋다.

17 소아의 음낭수종

- 3세, 남자
- 진료일: 2016년 12월 28일

환자는 활동량이 많은 소아로, 약 1, 2주전, 모친이 저녁에 목욕을 시키다가 우측 고환이 부어 있는 것을 발견했으나 대수롭지 않게 생각했다. 그 다음 날 아침에는 붓기가 사라졌으나 활동 후 다시 음낭이 부풀어 올랐다. 그런데, 그 다음날은 아침에도 음낭이 부풀어 있어서 근처 대학병원에서 CT검사를 하고 음낭수종으로 진단받았다. 주치의는 자연적으로 없어질 나이가 아니므로 수술을 받도록 권했지만 부모가 원하지 않았다.

증상분석

환자는 증상은 전형적인 교통성 음낭수종으로, 복강에서 음낭까지 내려오는 초상돌기(processus vaginalis)를 통해 복강의 액체가 음낭에 저류되어 발생한 낭종이었다.

아이가 선천적으로 있었던 것이 아니므로 많은 활동에 의해 막혀야 할 초상돌기가 벌어진 것이며, 한의학적으로는 기산(氣疝), 수산(水疝)에 해당된다.

이에 오령산가미방(五苓散加味方[1])을 처방하고 침구치료는 생략했다.

---

1) 蒼朮 9g, 茯苓, 澤瀉 各 12g, 肉桂 3g, 黃耆 9g, 人蔘 3g, 甘草 3g: 1貼을 1.5일에 복용

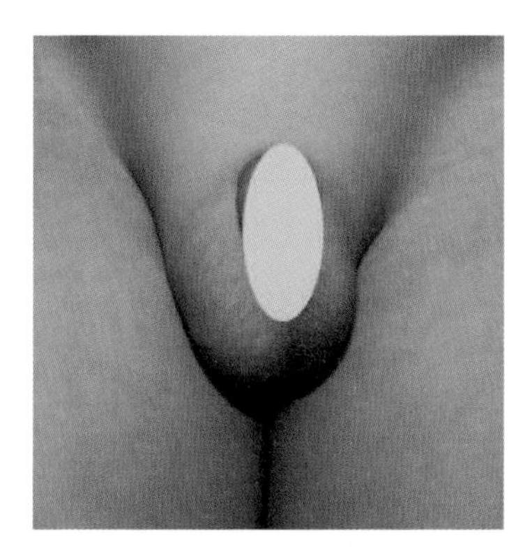

사진설명: 우측 고환이 커져 있으며 불을 비추면 투명한 장액성 액체가 확인된다.

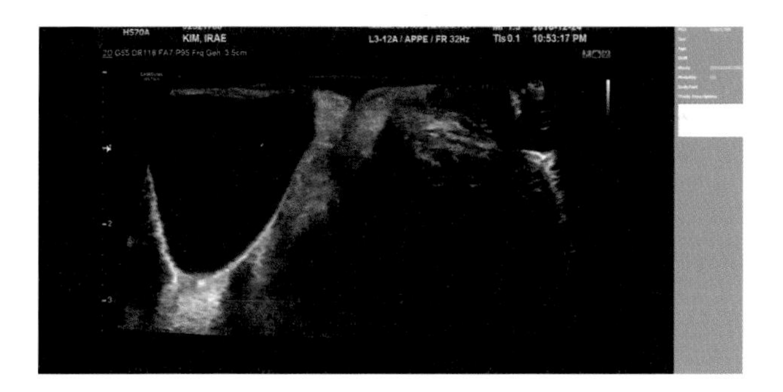

초음파 사진: 우측 고환에 액체가 차 있는 것이 보인다.

치료경과

- 2017년 2월 2일: 복약 후 음낭수종이 개선되었다. 증상은 없었으므로 사진을 참조하기 바란다.

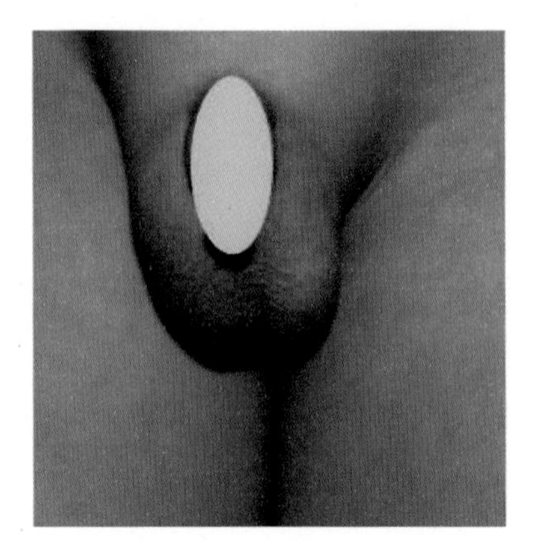

- 2017년 3월 15일: 음낭수종이 완전히 소실되어 아침에도 음낭이 부풀어 오르지 않게 되었다.

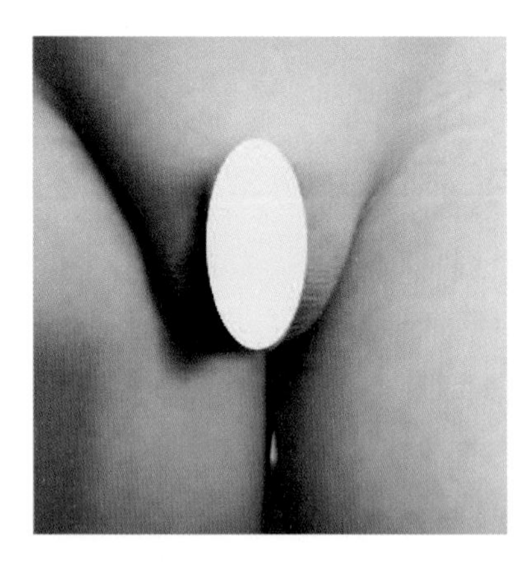

- 2017년 5월 31일: 1주일 전 음낭수종이 재발했으나, 이전처럼 크게 부풀어 오르지는 않았다. 이에 2016년 12월 28일의 처방에서 황기(黃耆)를 24g, 인삼(人蔘)을 9g으로 증량했다.

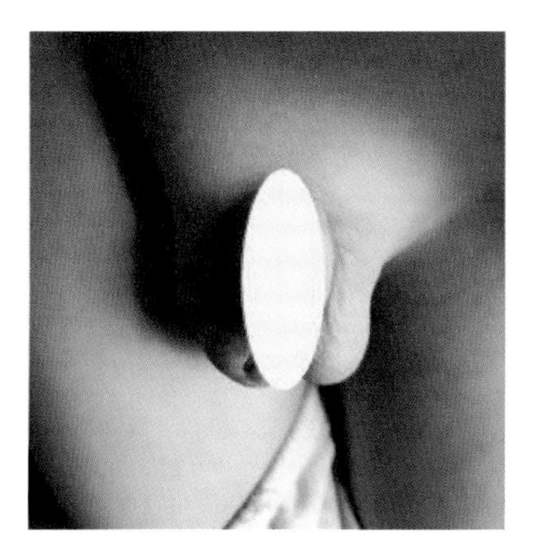

- 2017년 6월 20일: 음낭수종이 다시 완전히 소실되었으나, 재발이 우려되어 1개월 정도 더 복약하도록 했다.

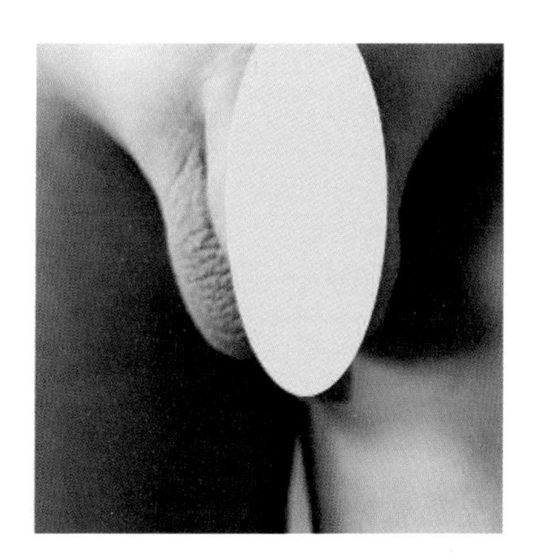

후기 및 고찰

그 후 환자의 음낭수종은 재발하지 않고 있으며, 치료가 끝난 후 4년 여의 시간이 지난, 2021년 겨울 어느 일요일 아침, 환자의 모친께서 감사의 연락을 주셨다. 아이는 건강하게 자라고 있으며, 그 후 한번도 재발하지 않았다고 전했다.

소아의 음낭수종은 자연적으로 발생한 경우에는 성인처럼 부고환염, 고환종양 등을 의심할 필요는 없으며, 단순히 초상돌기(processus vaginalis)의 늘어짐(열림)으로 판단할 수 있다. 초상돌기의 열림을 유발할 수 있는 요인으로는 너무 많이 울거나, 뛰거나 하여 복강내압이 올라가는 경우를 유추할 수 있다.

그러므로 기산(氣疝)과 수산(水疝)의 의미를 동시에 대입하여 치료에 적용한다. 즉, 보중익기탕(補中益氣湯), 사역탕(四逆湯), 오령산(五苓散)의 의미를 함께 처방에 융합했다. 소아의 경우에는, 때로는 수산(水疝)의 의미만으로도 개선되기도 하며, 때로는 자연적으로 소실되기도 한다. 수술적으로 한쪽의 음낭수종을 교정한 후 다른 쪽에서 음낭수종이 발생한 경우에도 동일한 치료법을 사용할 수 있으며, 활동량이 많은 아이의 경우 탈장대를 사용하면 치료기간을 단축시킬 수도 있지만 아이들은 탈장대의 착용을 싫어할 수 있다.

18 청년의 낭습

- 18세, 남자
- 진료일: 2019년 12월 13일

환자는 얼마 전 대입 수학능력시험을 마친 청년으로, 특이한 이상은 없었으며, 가끔 목, 어깨의 근육통으로 침구치료를 위해 내원하곤 했었다. 그러던 중 오늘은 상당히 수줍어하면서 자신의 증상을 말하기 시작했다.

증상분석

환자의 낭습(囊濕)은 중학교부터 시작되었지만, 그 동안 큰 문제가 되지는 않았다. 하지만 고등학교에 입학하여 학습시간이 많아지면서 점점 심해지기 시작했다. 더욱이 고3이 되어 책상에 앉아 공부하는 시간이 길어지면서 낭습은 더 악화되어 평소에도 항상 축축했으며, 10분 정도만 앉아 있어도 밑이 축축해졌다. 학교에서 공부를 할 때는 내의를 갈아입을 상황이 안되어 앉아서 공부를 하지 못하고 서서 공부를 하곤 했으며, 집에 돌아와서 방에 있을 때는 내의를 벗고 공부했다. 스스로 생각에 취침 중에는 내의를 입지 않는 편이 좋을 것 같아서 수면 중에는 옷을 입지 않았다. 드디어 시험이 끝났으나 개선될 줄 알았던 증상은 전혀 변화가 없었다. 그 밖에 3, 4개월 전부터는 손바닥에도 땀이 많이 나는 것 같은 느낌이 생겼다. 기타 특이할 만한 증상은 없었다.

이에 신경습열(腎經濕熱)의 의미로 지백지황탕가미방(知柏地黃湯加味方[1])을 처

---

1) 生地 12g, 山藥, 山茱, 茯苓, 澤瀉, 丹皮, 牛膝, 蒼朮, 甘草, 黃柏 各 4.5,g, 麻黃根 15g, 牡蠣 12g, 龍膽草 3g

방하고, 풍지(風池), 담수(膽兪, 신수(腎兪), 대장수(大腸兪), 음릉천(陰陵泉), 삼음교(三陰交) 등에 침구치료를 시행했다.

동시에 땀이 너무 많이 나게 되면 사용할 수 있도록, 분말(龍骨, 牡蠣, 石膏, 大黃을 등분으로 하여 국소에 뿌려주게 되면 덜 축축하고 2차감염을 예방할 수 있다)을 추가했다.

- 2020년 1월 3일: 1주일 2회 침구치료를 병행했으며, 이전보다 땀이 50%정도 감소했다고 했다. 함께 처방된 분말은 심하게 축축할 때 사용하면 효과가 있다고 했다. 2019년 12월 13일의 처방을 변경하지 않았다.

후기 및 고찰

환자의 증상은 일상생활에 큰 지장이 없을 정도로 개선되었으며, 또 다시 악화되면 내원하도록 권고했다.

이 증례에서 용담초(龍膽草)는 귀경(歸經)의 의미뿐 아니라 간담습열(肝膽濕熱)의 2차감염도 고려하여 가미되었고, 마황근(麻黃根), 용골(龍骨), 모려(牡蠣)는 지한의 단미(單味)로 추가되었다. 방풍(防風), 황기(黃耆)를 사용할 수도 있으나 이 증례에서는 제외되었다. 신낭풍(腎囊風)은 음낭피부의 감염을 의미하며, 용단사간탕(龍膽瀉肝湯)을 기본으로 하고, 이 증례에 언급된 외용분말에 고삼(苦蔘), 용담초(龍膽草)를 추가하면 더욱 빠르게 개선될 수 있다. 만약 서양의학의 외용약을 사용하고 있었다면 추가할 필요는 없다.

다한증(多汗症)은 교감신경계의 이상이며, 경흉추의 교감신경절이상인 것은 분명하다. 하지만, 이런 신경절을 화학적 혹은 외과적으로 차단하더라도 보상성 다한증이 발생하기도 하고, 해당부위가 너무 건조해져서 생활 중에 곤란이 있을 수도 있고, 시간이 지나면서 교감신경이 회복되어 재발하기도 한다. 물론 교감신경차단시 여러 개의 신경을 차단하게 되면 재발의 비율은 낮아지게 된다.

어려서부터 시작되어 청소년기에 심해지는 다한증은 진정한 다한증에 해당된다. 이러한 유형은 유전적인 개입이 확인된다. 한의학적으로는 신음허열(腎陰虛熱), 양월(陽越) 등에 해당되며, 이 환자의 경우처럼 지백지황탕(知柏地黃湯)을 사용할 수도 있고, 진간식풍탕(鎭肝熄風湯), 건령탕(健瓴湯) 계열의 처방도 가능하다.

하지만 이런 다한증 외에도 여러 가지 발한(發汗)이상이 존재할 수 있다. 그에 따라 여러 처방을 구사할 수 있는데, 혈열(血熱), 신음허열(腎陰虛熱), 기허열(氣虛熱), 장조열(臟躁熱) 등의 변증유형으로 분류되며 지골피음(地骨皮飮), 지백지황탕(知柏地黃湯), 귀기건중탕(歸耆健中湯), 황기계지오물탕(黃耆桂枝五物湯), 계지가용모탕(桂枝加龍牡湯), 감맥대조탕(甘麥大棗湯) 등에 마황근(麻黃根), 모려(牡蠣), 방풍(防風), 황기(黃耆) 등의 단미(單味)를 가미한다.

또한 외감(外感)에 의한 발한이상도 언급하지 않을 수 없는데, 계지탕류(桂枝湯, 桂枝二麻黃一湯, 桂麻各半湯), 소시호탕(小柴胡湯), 시호가용모탕(柴胡加龍牡湯), 시호가망초탕(柴胡加芒硝湯), 승기탕(承氣湯) 등의 개념을 정리하는 것이 좋다.

이 밖에 임상에서 가끔 만나게 되는 환한증(幻寒症)에 동반된 다한증(多汗症)도 있는데, 그 증상은 다음과 같다. 환자는 등, 머리, 복부 또는 신체의 특정부위에 극심한 추위를 느끼지만, 막상 따뜻하게 하면 전신에서 엄청난 땀이 나면서 다시 추워지거나 심지어 더 추워지게 되고, 그래서 감기에 잘 걸리게 된다. 이러한 유형의 경우에는 장조(臟躁)에 준하여 대응하는데, 증상의 기저에는 환자의 우울, 불안이 있을 수 있다는 것을 고려할 필요가 있어 언급한다. 이런 유형 외에도 장조(臟躁)와 관련된 다한증은 상당히 많으니 주의해서 치료해야 한다.

19 뒷목이 차가워서 힘들어하던 남자

- 51세, 남자
- 진료일: 2020년 7월 25일

환자는 유쾌한 성격의 중년 남성으로 허리, 어깨 등의 통증으로 가끔 내원하곤 했다. 하지만 이번에 호소하는 문제는 상당히 특이했는데, 사시사철 목이 차가워지는 증상이 약 5, 6년 전부터 시작되었으며, 정형외과, 신경과 등에서 진료를 받아봤지만 뚜렷한 질환명도 없고 정형외과의 물리치료, 한의원의 침구치료, 신경과의 신경안정제(미상) 등에도 증상은 전혀 개선되지 않았다.
뚜렷한 원인, 치료법, 자연적인 증상개선 등이 없어, 환자 자신은 매우 힘든 상황이라고 설명하면서 도움을 요청했다.

증상분석

환자의 증상은 항상 목이 뻐근한 경항통으로, 통증이 심해지면 경항부가 차가워지면서 목을 가누기가 힘들었으며(목에 힘이 없는 것 같아서, 때로는 통증이 심해서 움직이기가 힘듦), 증상은 오후에 심하고, 아침에는 호전되었다. 필자가 오후 4시에 진료를 했는데 손으로 만지니 실제로 차가웠으며, 목을 여러 방향으로 움직여보니 상당한 강도의 저항이 느껴졌다. 혈압은 120/80, 최근 공복 시 혈당이 110으로 경과를 관찰 중이었으며, 기타 대소변, 수면 등은 문제가 되는 것이 없었고, 특수한 가족력도 없었다.

이에 항배강수수(項背强几几)의 갈근탕가미방(葛根湯加味方[1])을 처방하고, 풍지(風池), 천주(天柱), 합곡(合谷), 족삼리(足三里) 등에 침구치료를 시행했다.

치료경과

- 2020년 11월 14일: 상당기간 동안 내원하지 않던 환자가 이번에는 자고 일어난 후 발생한 우측 경항통의 문제로 내원했다. 7월의 목덜미 시림에 물어보니 복약 후 완전히 개선된 것 같았으나 이번에 다시 조금 아프니 동일한 처방의 약물을 복용하기를 원한다고 했다.

이에 7월 25일의 처방에서 최근 하강하고 있는 기온을 고려하여 마황(麻黃)을 3.5g, 육계(肉桂)를 12g으로 증량했다.

후기 및 고찰

환자는 그 후 내원하지 않았으며 2021년 2월 20일 자동차 수리를 한 후 발생한 요통으로 내원했다. 이전의 목시림에 대해 물어보니 그 후 목덜미가 차가워지는 상황은 전혀 없었다고 했다.

한방임상에서는 중증질환도 중요하지만, 이처럼 간단해 보이지만 실전에서는 상당히 어려운 질환에 대한 대처도 중요하다. 본 증례에서 사용된 처방은 태양한수(太陽寒水), 항강통(項强痛)의 대표처방인 갈근탕(葛根湯)이며, 기타 강활(羌活), 독활(獨活) 등이 포함된 후세방(後世方)을 사용할 수도 있지만 약력(弱力)이 약하여 제외했다. 상한론(傷寒論)의 처방이 강하고 좋기는 하지만 질환치료의 대강으로 생각하고, 실제 임상에서는 부득이하게 용량조절과 가미(加味), 합방(合方)이 필요하다. 예를 들어 각련급(脚攣急)의 작약감초탕(芍藥甘草湯)은 각종 근경련성 증상 및 질환에 상당히 유효하지만, 환부의 온도가 저하되어 있는 경우에는 상급양(傷及陽)한 경우이니 부자(附子)를 가미한 작약감초부자탕(芍藥甘草附子湯)을 사용하는 것까

1) 葛根 12g, 赤芍 7.5g, 肉桂 9g, 麻黃 2.5g, 黃耆 18g, 甘草 3g, 大棗 2枚

지는 간단히 응용이 가능하지만, 만약 신경호르몬성, 신경인성, 혈관성 등 기타 원인에 의한 국소적인 근경련이라면 기타 응용이 추가되어야 한다. 예를 들어 파킨슨증후군에서 하지불안증이 발생했다면 보기활혈(補氣活血)의 보양환오탕(補養還五湯)에 작약감초탕(芍藥甘草湯) 또는 작약감초부자탕(芍藥甘草附子湯)을 가미하는 것이 상한방(傷寒方)만을 사용하는 방법보다는 더 효과적이며, 여기에 국소경혈에 온침(溫鍼) 또는 기타 온열자극을 가하면 효과는 증강된다.

취침 시에만 발생하는 우측 요배통의 중년 신사

- 54세, 남자
- 진료일: 2012년 2월 4일

환자는 174cm, 70kg의 건강한 중년 남성으로, 이전까지 어떠한 질환력이나 만성질환도 없는 건강한 상황이었다. 문제는 약 4, 5개월 전부터 시작된 특이한 증상으로, 평상시에는 전혀 이상이 없었으나, 잠이 들어서 새벽이 되면 우측의 요부와 우측의 등(志室穴 부근), 우측 둔부의 극심한 통증으로 잠을 깨야만 했다. 이에 정형외과, 한의원 등에서 치료를 받았으나, 증상이 변하지 않고 매일 반복되어 본원에 내원했다. 한방치료 전에 우선 요추 MRI 및 복부CT, 요관 등을 검사하고 다시 내원하도록 했다.

치료경과

- 2012년 4월 14일: 그 동안 환자는 비뇨기과에서 요관검사를, 방사선과에서 복부 CT와 요추 MRI검사를 했으나 모두 이상이 없었다. 하지만 잠이 들면 새벽 4, 5시에는 반드시 우측 요배통이 나타나고 활동을 하면 통증이 소실되는 증상은 계속적으로 반복되고 있었다. 대소변은 정상적이었으며, 최근의 내과검사에서 혈중 T. Chol이 230 정도로 약간 높았으며, 약 1년 반 전에 우측의 요로결석으로 고생을 한 적이 있다고 했다. 맥삽척유력(脈澁尺有力)했다.

이에 수역(水逆)의 오령산가미방(五苓散加味方[1])을 처방하고, 우측의 수도(水道),

1) 蒼朮 6g, 茯苓, 澤瀉 各 12g, 肉桂 7.5g, 黃耆 18g, 杜仲 6g, 當歸 3g, 甘草 4.5g

귀래(歸來), 삼음교(三陰交), 태충(太衝), 관원수(關元兪), 위중(委中)에 침구치료를 시행했다.

- 2012년 4월 30일: 환자의 취침 중에 나타나는 요통이 상당히 개선되었으나 아직은 침대에서 잘 수 있을 정도는 아니었다. 하지만 이전보다는 훨씬 통증이 덜하다고 했다. 이에 4월 14일의 처방에 천웅(天雄) 6g, 황백(黃柏) 4.5g을 추가하고, 침구치료는 4월 14일과 동일하게 시행했다.
- 2012년 5월 29일: 요통이 상당히 개선되어 취침 중의 통증은 소실되었으나, 테니스, 달리기 등을무리하게 하면 우측 요배부에서 약한 정도의 통증과 비슷한 느낌이 나타나곤 했다. 4월 30일의 처방을 변경하지 않았으며, 약물 복용횟수를 천천히 줄이도록 권고하고 이후 증상이 다시 나타나면 내원하기로 했다.

후기 및 고찰

이후 환자는 이런저런 일들로 내원했지만, 이전의 요통은 2020년 7월까지 재발하지 않았다.

환자의 증상은 약한 정도의 방광요관역류(vesticoureteral reflux, VUR)로 추정되었으며, 소변검사에서 어떠한 이상을 보이지도 않았기 때문에 아직 신장의 실질적인 손상, 수신증, 신우신염 등으로 진행되지 않은 경미한 상황이었다. 이렇게 경미한 경우는 한의학적으로는 방광기허겸양허(膀胱氣虛兼陽虛)로 볼 수 있으며, 치료에 대한 반응 및 경과가 좋았다.

문제는 통증에 대한 민감도, 요관 및 방광의 구조적인 차이에 따라 방광요관역류에 대한 반응이 다르게 나타나기 때문에 증상에 따른 치료가 필요하다. 만약 신우신염이 발생한 경우에는 습열(濕熱)의 팔정산(八正散), 용담사간탕(龍膽瀉肝湯), 이묘산(二妙散) 등에 가미하거나 때로는 온병조변(溫病條변)의 삼인탕(三仁湯)을 응용할 수도 있다. 선천성이거나 후천적으로 구조적인 변화가 상당한 경우에는 수술로 교정하고 그 후에 치료하는 것도 좋은 방법이다.

이 증례와 비슷하게 새벽에 요통과 하복통을 호소하는 경우, 흔하게 접할 수 있는 경우는 다음의 증례를 참고하면 도움이 될 수도 있다. 환자는 38세의 여자였으며, 결혼하여 두 자녀를 두고 있었고, 기타 특이한 병력은 없었다. 약 1년 전 우연하게 우측의 신장에 결석이 있음을 발견했고, 약 7개월 전부터 매일 새벽 우측 요배통, 우측 하복통이 발생하여 방사선검사를 하니 장내에 상당한 가스가 정체되어 있는 것으로 확인되었다. 이에 내과에서 약물(미상)을 복약했지만 증상이 호전되지 않아 내원했다. 이에 반하후박탕가미방(半夏厚朴湯加味方[1]) 복용 후 개선되었다. 하지만 배변횟수나 양이 증가하지는 않았다.

이 증례는 장내의 가스 및 분변의 정체로 인한 하복통이 요배부에까지 방산통을 일으킨 경우이며, 두 증례의 증상이 상당히 유사하지만 치법은 상이했기에 참고하기 바란다.

1) 半夏 6g, 厚朴 12g, 茯苓 9g, 蘇葉 3g, 赤芍 15g, 大黃 7.5g, 甘草 7.5

21 심혈관 CT촬영 후 발생한 극심한 피부소양

- 59세, 여자
- 진료일: 2017년 11월 6일

환자는 혈중지질이 높아서 해당 약물 복용 중이었으며, 부친께서 약 15년 전 협심증으로 스텐트시술을 받은 가족력이 있어서 이번 정기검진에 심장 조영술을 추가해서 검사하게 되었다. 그래서 약 10일 전 조영제 주사 후 심장검진을 받은 직후 갑자기 혈압저하, 부정맥, 피부의 극심한 소양, 안면부종이 발생하여 즉시 입원하여 응급조치를 취한 후 2일 전 퇴원했다. 그러나 퇴원하여 귀가 후 다시 극심한 전신소양증 및 부정맥, 미열이 발생하여 어제 또 응급실에 다녀왔다. 이에 한방치료를 병행하기 위해 본원에 내원했다.

증상분석

환자는 현재 병원의 약물(미상)을 복용 중이었으나 진료 중에도 계속 피부를 긁고 있었다. 전신의 부종과 부정맥은 병원치료 후 어느 정도 안정되어 있었고, 비록 체온은 36.7 정도였으나 피부에서 열감을 느낄 수가 있었다. 기타 기관에서의 과민반응은 보이지 않았다. 이에 단순성 은진의 계마각반탕가미방(桂麻各半湯加味方[1])을 1주일분 처방하고 침구치료는 생략했다. 병원에서 처방한 약물(미상)도 증상이 안정될 때까지 함께 복용하도록 했다.

1) 麻黃 2.5g, 肉桂 4.5g, 杏仁 4.5g, 赤芍 12g, 石膏18g, 黃芩 18g, 地骨皮, 靑蒿 各 7.5g, 蒼朮, 茯苓, 澤瀉 各 9g, 甘草 3g

치료경과

- 2017년 11월 15일: 환자는 복약 후 피부소양, 부정맥 등의 모든 증상이 소실되었으나 아직은 불안하다고 하여 11월 6일의 처방에 용골(龍骨), 모려(牡蠣) 각 9g을 가미하여 1주일 분을 처방하고 치료를 종료했다.

후기 및 고찰

이후 환자의 증상은 모두 소실되어 일상생활에 지장이 없이 잘 지내고 있다.

이 증례는 CT촬영에 사용되는 조영제로 인한 아급성 과민반응에 표풍열겸소양열(表風熱兼少陽熱)의 개념으로 접근해서 양호한 결과가 있었음을 보고하는데 의미가 있으며, 특수한 질환은 아니다. 만약 초기 대응이 효과적이지 않다면 혈열(血熱)의 개념으로 적작(赤芍), 단피(丹皮), 자초(紫草)를 추가하고, 그 후에는 보음청열(補陰清熱)로 마무리한다.

22 알레르기로 눈두덩이 붓고 벌겋게 되기가 수년이 된 여사

- 72세, 여자
- 진료일: 2015년 9월 4일

환자는 매우 건강한 노부인으로, 약 40년 전인 30대에 전신의 두드러기로 상당히 고생을 했으며, 당시 대학병원의 치료 후 좋아지지 않았는데, 모든 치료를 중단하고 몇 년이 지나면서 자연적으로 개선되었다고 했다. 그 후부터 환절기가 되면 눈이 가려웠지만 그때마다 안과 치료를 받으면서 환절기를 지나갈 수 있었다. 하지만 3년 전부터는 환절기에만 발생하는 것이 아니고 1년 내내 눈이 가려웠으며 안과, 이비인후과, 피부과 등의 약물이 효과가 없어 그냥 지내고 있었고, 남들이 보기에 좋지 않아서 색이 있는 안경을 쓰고 있었다.

증상분석

환자의 증상은 양쪽의 아래, 위 눈꺼풀의 부종과 간지러움, 변색 등이었으며 재채기 등의 이비인후과적인 증상은 없었으나, 눈이 많이 부으면 눈물이 나온다고 했다. 맥부삽(脈浮澁)했으며 기타 음식, 대소변 등의 이상은 없었다. 55kg, 158cm이었으며 고지혈증으로 약물을 복용하고 있었으며, 약 10년 전 모 한의원에서 관절염과 관련된 약물을 복용하고 고생한 적이 있었다.

이에 영위불화편열증(營衛不和偏熱證)의 계마각반탕가미방(桂麻各半湯加味方[1])을 처방하고 침구치료로는 대추사혈(大椎瀉血), 풍지(風池), 찬죽(攢竹), 사죽공(絲

1) 桂枝 6g, 赤芍 6g, 麻黃 3g, 黃芩 12g, 金銀花 4.5g, 石膏 15g, 蒼朮 4.5g, 生薑 6g, 大棗 3枚, 甘草 4.5g

竹空), 곡지(曲池), 족삼리(足三里) 등을 시행했다.

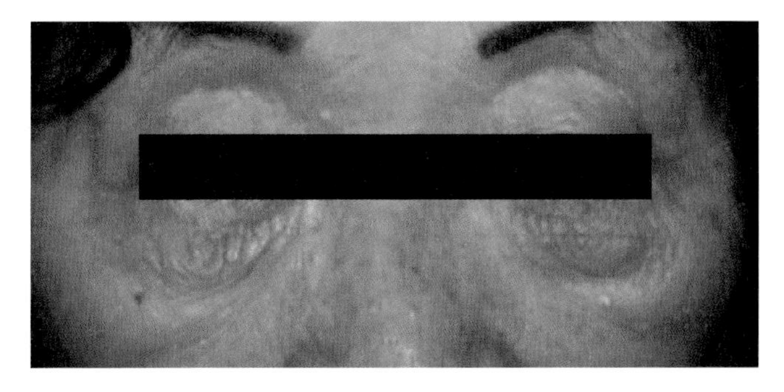

Fig1. 치료 전

- 2015년 9월 18일: 환자는 복약 후 눈 주위의 부종과 색이 확연하게 개선되었다. 이에 동일한 약물을 처방했다.

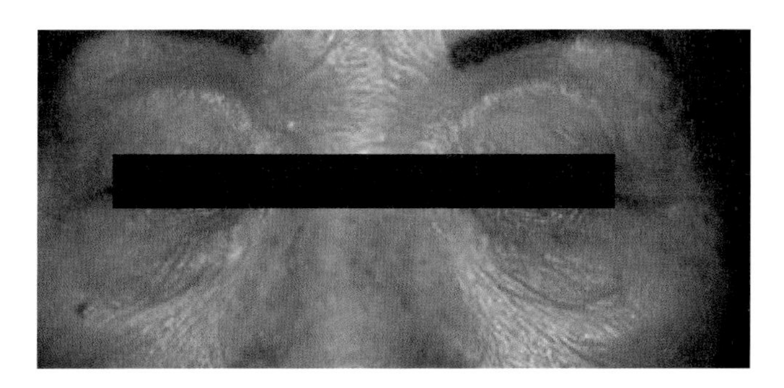

Fig2. 2015년 9월 18일

후기 및 고찰

환자는 2017년 5월 아토피피부염과 화폐상습진이 있는 손자를 데려왔는데, 2015년의 치료 후 눈의 증상은 환절기가 되어도 나타나지 않는다고 하면서 손자의 피부병도 잘 치료해 달라고 했다.

알레르기성 안검염은 단순 알레르기로 담마진(蕁麻疹), 은진(癮疹)에 해당된다. 표풍열(表風熱)의 계마각반탕(桂麻各半湯)의 적응증이며, 약효를 강화하고 동반될 수 있는 누낭염, 결막염, 안검연염 등으로 적용범위를 증가시키기 위해 월비탕(越婢湯)의 석고(石膏), 양단탕(陽旦湯)의 황금(黃芩), 패독산(敗毒散)의 금은화(金銀花) 등을 추가해서 만전을 기했다. 침구치료는 본문에 설명되어 있는 방법이 그래도 효과적이다.

염색 후의 탈모

- 44세, 여자
- 진료일: 2014년 8월 7일

환자는 머리 숱이 풍성하여 탈모는 생각하지도 못했는데, 약 3년 전 흰머리가 생겨서 염색을 한 후에 탈모가 발생하여 수개월간의 피부과 치료(미상)를 한 후 조금 안정되었으나 그 후로도 조금씩 빠지곤 했다. 그런데 약 2개월 전 염색을 한 후 다시 탈모가 시작되어 피부과 3주, 모발관리 등을 했지만 머리카락 빠지는 것이 감소되지 않아 한방 치료를 하기 위해 내원했다.

증상분석

환자의 두피에서는 염증으로 볼 수 있는 지루성피부염이나 모낭주위의 염증소견은 보이지 않았으며, 탈모의 개수는 1일 150개 이상 빠지는 것 같은데 정확한 개수는 모르겠지만, 긴 머리카락이 바닥에 많이 굴러다니고 머리를 감으면 손가락에 상당히 많은 모발이 걸린다고 했다. 기타 특이사항은 없었다. 이에 염색약으로 인한 화학성 모근손상으로 판단하고 황연해독탕가미방(黃連解毒湯加味方[1])을 처방했다. 이후 탈모의 개수가 안정되고 새로운 모발이 자라나오는 것이 확인되면 그 때 처방을 변경하기로 했다.

---

1) 黃芩 15g, 黃連 9g, 黃柏 6g, 蒼朮 4.5g, 甘草 3g, 大棗 3枚

치료경과

- 2014년 8월 18일: 복약 후에도 빠지는 머리카락의 개수는 줄지 않았으나 투명하고 작은 모발이 나오고 있었다.
- 2014년 9월 4일: 탈락되는 모발의 개수가 줄어들어 이전에 100개의 모발이 빠졌다면 현재는 80-90개 정도로 빠진다고 했다. 모발이 머리 뒷부분에서는 나오는 것이 확연했지만, 이마 쪽에서는 아직 나오지 않고 있었다. 이에 8월 7일 처방에 황기(黃耆) 15g, 천웅(天雄), 육계(肉桂)를 각 6g씩 추가했다.
- 2014년 9월 17일: 빠지는 머리카락의 개수가 확실하게 줄어들어 염색을 하기 이전 정도로 개선되었다. 9월 4일 처방에서 황기(黃耆)를 24g으로 증량했다.
- 2014년 10월 8일: 며칠 전에 모발이 조금 더 빠진 적이 있었다. 머리를 감은 날은 안 빠지는 것 같은데 그 다음날은 조금 빠진다고 했다. 9월 17일 처방에서 천웅(天雄)을 9g으로 증량했다.
- 2014년 10월 23일: 이제는 빠지는 머리카락이 안정되었으며, 머리 앞부분에서도 머리카락이 나오고 있었다. 이에 치료를 종료하기로 하고 10월 8일의 처방을 다시 복약하되 복용횟수를 1일 1, 2회로 줄였다.

후기 및 고찰

염색약, 항생제 등의 약물은 때로는 그 독성으로 인하여 세포활성을 억제하는 경우가 있다. 연령이 증가하게 되어 흰머리가 많아지면 염색을 하게 되는데, 자체적인 감수성의 차이에 따라 모근에 영향을 줄 수도 있다.

이에 대한 치료는 우선은 화학약물의 독성을 대사시키는데 중점을 두어야 하고, 그 후 탈모의 개수가 줄어드는 시점에서 모근의 성장을 촉진하는 방향으로 치료를 천천히 변경해야 한다.

즉, 초기에는 청열해독(淸熱解毒)의 황연해독탕(黃連解毒湯), 시호청간탕(柴胡淸肝湯), 온청음(溫淸飮), 방풍통성산(防風通聖散) 등을 사용하고, 그 후에는 처방을 갑자기 완전히 변경하지 말고 보기보양(補氣補陽)의 황기(黃芪), 천웅(天雄), 육계(肉桂), 건강(乾薑), 인삼(人蔘) 등을 추가하고 천천히 청열해독약물(淸熱解毒藥物)을 감량한다.

그러나 이 연령에서의 탈모는 유전의 발현, 여성호르몬부족에 따른 갱년기의 시작 뿐 아니라, 심리적인 문제도 있을 수 있으므로, 시호가용골모려탕(柴胡加龍骨牡蠣湯) 또는 계지가용골모려탕(桂枝加龍骨牡蠣湯) 등의 장조(臟躁) 등도 고려하여 치료를 진행한다.

난치성질환 한의치료 증례집 제4권

찾아보기

ㅈ

ㅌ

ㅍ

ㅎ

후기

책을 쓴다는 것이 이렇게 창피한 일인지는 몰랐다. 이번에도 수년 동안 모은 증례들을 글로 만들면서 몇 번의 수정을 했지만 그래도 얼굴을 들 수가 없다.

한의학의 끝은 어디인지는 모르지만 끝까지 가보자고 시작한 작업이기 때문에, 은퇴할 때까지 써보려고 하지만 되돌아볼수록 미안하고, 부족하고, 아쉬운 마음에 주저하게 되는 경우가 적지 않다. 그래서 오늘도 책을 놓을 수가 없다. 언제나 최선을 다하지만, 최선을 넘어서기 위해서는 계속 가야 할 것 같다.

부디 이 책이 더 나은 치료법을 위한 초석이 되기 바란다.

2022년 12월

양주노 올림

양주노

경희대학교 한의과대학 졸업
경희대학교 한의과대학 병리학 한의학석사 졸업
아주대학교 의과대학 방사선종양학과 의학박사 졸업
아주대학교 방사선종양학과 겸임교수
중국 요녕중의과대학 객좌교수
중국 특수침법학회 객원회원
중화민국 중서의결합신경의학회 회원

저서

『한방임상이야기』 제1-3권